KU-156-369

Friederike Kretzen · Schule der Indienfahrer

Friederike Kretzen

Schule der Indienfahrer

Stroemfeld

Bibliografische Information der Deutschen Nationalbibliothek:
Die Deutsche Nationalbibliothek verzeichnet diese
Publikation in der Deutschen Nationalbibliographie;
detaillierte bibliographische Daten sind im Internet über
http://dnb.ddb.de abrufbar.

ISBN 978-3-86600-272-2

2. Auflage 2018
Stroemfeld Verlag
Frankfurt am Main und Basel

Druck und Bindung: Medienhaus Plump Gmbh, Rheinbreitbach
Printed in the Federal Republic of Germany.

Bitte fordern Sie unsere Programminformation an:
Stroemfeld Verlag
D-60322 Frankfurt am Main, Holzhausenstraße 4
CH-4054 Basel, Altkircherstrasse 17
www.stroemfeld.com / info@stroemfeld.de

Ich schließe die Augen und höre Natascha. Wie sie sagt: Willst du die Welt sehen? Dann schließ die Augen.
Wir lagen auf der Erde. Kosakentanz, hatten wir gerufen, die Absätze unserer Stiefel in den Waldboden geschlagen, Schnee wirbelte auf, Schlammbrocken, und wir die Beine geworfen, hoch, runter in die Hocke, wieder rauf, dazu mit den Ellbogen in der Luft gerudert, während unsere Absätze den Boden durchpflügten. Natascha dicht neben mir, die anderen im Kreis um uns herum. Alexander, Günther, Camille, Abdul, Kamal, Helmudo. Auch sie tanzten. Schneller, riefen sie. Und auch wir riefen: schneller, schneller, riefen: hoppla, das kann ins Auge gehen. Ja, genau, da wollten wir hin.
Wir wurden immer leichter, ausgelassener, bis wir uns im Saum der langen weißen Kleider verfingen, die wir an diesem Tag trugen. Denn wir waren Engel.
Da sind wir hingefallen, lagen im Schnee, Arme und Flügel ausgebreitet, außer Atem. Wie am Anfang des Lebens, wenn jener andere Engel kommt, dem gerade geborenen Kind auf den Mund schlägt. Es fängt sofort an zu schreien, atmet ein und das ist der Moment, in dem es alles Wissen der Welt, das es in sich trägt, vergisst. Das Grübchen zwischen Mund und Nase ist das Zeichen eines verlorenen Wissens, das uns in Atem hält, und das wiederzufinden wir ein Leben lang unterwegs sind.
Alles geht sehr schnell, ein Schrei, der Atem zieht ein, tief bis in die Spitzen, die Äste und Zweige der Lunge, oh Herz, schlag langsam. Über uns steigt der Tag auf, eine helle Ausdehnung, die Dunkelheit wird leichter, schwimmt nach oben, steigt zur Decke, und mit ihr jenes dichte schwarze Licht, das keine Sonne löschen kann, in dem die Kräfte wachen, die uns sehen machen, was es nicht gibt, die uns hören lassen, was nicht spricht.
Aufgebrochen sind wir an diesem maßlos schönen Winterabend, in jenem Flimmern aus Schnee, in dem wir wie die Verrückten

tanzten. So lange ist das her. Etwas hat uns gerufen, wie Vögel sich rufen und Wörter rufen. Dem folgen wir. Es ist das Gefühl von einem ungeheuren Fehlen. Helmudo. Er hat uns angerufen. Er schreit ins Telefon, er ist außer sich. Seit mehr als dreißig Jahren nicht mehr miteinander gesprochen. Kaum noch voneinander gewusst.

Filme sind aufgetaucht. Verschollen geglaubte. Von Alexander. Werden in der Schweizer Botschaft gezeigt, in Indien, Delhi, festlich, ein Jubiläum. Wir müssen hin.

Wohin? Eine weite Reise. Sie führt uns durch Gegenden, in denen das Heimweh wohnt, die Gespenster, die alten Wächter der Geschichte. Nachts machen sie sich auf und suchen nach Leben. Wie wir. Und was wie eine Reise aussieht, ist die Zeit. Unsere Zeit, wir nennen sie: Schule der Indienfahrer.

1. Lektion, die davon handelt, dass alles mit den *Recording Angels* anfängt. Sie haben uns gerufen. Schon waren wir da. Machten Theater, besetzten Häuser, sehnten uns nach Indien, träumten und viele Jahre später brachen wir Richtung Osten auf. Wir sind im Bus unterwegs, auf dem in großen Buchstaben DESTINY steht, Kamal dreht. Er will einen Film machen von der Schule der Indienfahrer, von denen, die sie besuchen, und dass das vielleicht wir sind.

Wir machen Theater. Wir besetzen Häuser. Wir sind zwanzig, fahren auf Bauplätze, die keine geworden sind, für kein AKW. Nein danke rufen wir, stricken gelbe Sonnen in unsere Pullover, die wir auf dem Bauplatz anziehen, der keiner geworden ist. Wir zelten dort. Abends sitzen wir am Lagerfeuer, Sterne schauen auf zur Nacht, es wird kühl. Wir sind mit unserem Soziologieprofessor da. Wir machen eine Untersuchung über Protestbewegungen und Bürgerinitiativen. Wir lernen, dass es keine Beobachtung gibt, die wir durch unsere Beobachtung nicht beeinflussen würden. Das ist unser tägliches Brot. Bei George Devereux gelernt. Angst und Methode in den Verhaltenswissenschaften. Was uns als Wirklichkeit entgegenkommt, weisen wir zurück. Es gibt sie nicht. Filmer wie Robert Frank sagen dazu: Kein künstliches Licht. Vielleicht ist es das gleiche, sagt Alexander. Er ist Filmer, hat die Kamera dabei. Er und ich sind seit Jahren ein Paar und haben ein Zelt für uns allein. Günther, unser Professor, auch. Wir treiben uns ein paar Tage auf der Wiese herum, die Wiese bleibt mit Bäumen, Erde und Himmel in der Nähe des Rheins, wo er in vielen alten Armen die Luft anhält. Auenlandschaft, unmerkliches Sinken, Schwimmen, Übergehen zwischen Fluss und Land, Atem und Fließen. Wir schlafen tief, träumen. Wenn wir nicht schlafen, reden wir. Es gibt die Gesellschaft, wir analysieren sie, so gut wir können. Dabei sagen wir, was wir sehen, und was wir nicht sehen können, sagen wir auch.

Es ist Sommer. Wir studieren Soziologie. Wir wollen wissen, wir wollen lieben, wir wollen uns retten. Unsere Seelen sind finster. Wir haben Eltern, die halbtot sind. Wir schleppen sie mit uns, und wenn wir sagen: Kritik verhält sich zu Unrecht ungerecht, so ist das unsere Art, zu unseren halbtoten Eltern zu sprechen, die von Gespenstern heimgesucht werden. Jeden Tag, jede Nacht. Sie wohnen mit uns in den Räumen, die unsere ersten waren, in denen wir heranwuchsen bis wir sie besser kannten als unsere Eltern. Von dort kommen wir, von dort wollen wir weg. Zu ihnen sprechen wir, wenn wir uns auf dem Bauplatz, der keiner wurde, herumtreiben, und Bommi Baumanns *Großen Basar* lesen. Denn wir lieben sie mehr als unser Leben. Wir sind ihre Erben, gerade erst auf die Welt gekommen.
Kann sein, dass all das ein Traum ist, den uns die Schule der Indienfahrer aufgegeben hat. Traum von einem Traum, von einem Film, von einem Leben und alles geschieht weiter wie im wirklichen Leben, das es nicht gibt. Die Zeit, die wir in der Schule der Indienfahrer verbringen, ist rund. Wir drehen uns in ihr. Wir tun etwas und es kommt wieder. Wir fürchten uns und fürchten uns wieder. Wir sehnen uns nach Ferne, wir reisen in die Ferne und wir bleiben fern. Wir reisen nach Indien und kommen nicht wieder.
Also singet, *Recording Angels*. Werft eure Motoren an, lasst die Bänder, – immer die letzten – die Bilder und Töne ablaufen. Singet von den Zeiten, und wie sie sich drehen, singet vom Tod, der in der Uhr sitzt, und wenn du sie öffnest, kommen Wölfe rausgesprungen. Eine Erfindung der sieben Geißlein, ihr Märchen, in dem sie davon träumen, Wölfe zu sein. Viele, ein Rudel, immer unbezwingbar. Ihre Spur im Schnee, wie sie sich in der Weite der östlichen Tundren verlieren. Weiter als die Felder vor Stalingrad, vorbei an den an Pfählen aufgehängten Wölfen. Einer schöner als der andere. Deutsche Generäle in Wolfsfellmänteln mit Feldstechern vor den Augen, wie sie schauen aus Unterständen im Eis. Bald hängen auch sie. Später die Wölfe der Kaida.

Doch die Geißlein erzählen ihr Märchen auf verschwiegenem Grund, wo blinde Felder sich öffnen. Wilde Orte. Es gibt sie. Also singet, *Recording Angels*, vom Gefühl einer Jugend, von einem Aufstand und wie er verschwunden ist, zusammen mit ein paar Aufständischen, ohne die zu leben mir unmöglich ist. Singet die alten Lieder wieder vom Rauschen der Raben, vom Wissen der Welt, wie es verschwindet und wiederkommt.
Recording Angels, in den Schuhen der Indianer, in Begleitung der Weisen aus dem Morgenland, angetan mit den wehenden Kleidern der Hippies, dem sprachlosen Volk des Heimwehs. Und wie sie in Scharen nach Erzerum kommen, vom Schwarzen Meer her, durch die Berge in die Hochebene, die sich bis in den Iran hinzieht. Die Stadt ist heiß, staubig, voller Verkehr. Alte Route, Seidenstraße, in uns eingezeichnete Spur, die offen daliegenden Adern der Sehnsucht, alle kommen da durch. Auch die Gastarbeiter aus Frankfurt, aus Köln, Bochum, die von dort aufgebrochen sind, um jeden Tag bis ans Ende ihrer Tage von Erzerum zu träumen, wenn sie Reifen aufziehen, Motoren hochwuchten, Öl wechseln in schmierigen Overalls. Oder bei Bayer im Gift rumstehen, das sie in kleine Flaschen abfüllen. Abends in den Himmel starren, auf umgedrehten Stühlen sitzen, Kopf und Arme auf die Rückenlehne gestützt und mit offenen Augen träumen, mit letzter Kraft bis nach Erzerum. Ihre Stadt mit den Teehäusern, den Süßigkeiten, den hellen großen Restaurants, den vielen Menschen, die unterwegs sind auf den Straßen, Männer, Frauen, Kinder, Alte. Die engen Straßen um die Burg, die alten Tore, Türme, Grabmäler mit steinernen Turbanen. Umgeben von Weite, endloses Land bis zum Kaukasus, Berge, aus denen der Euphrat entspringt, die Gipfel immer im Schnee. Dicht unterm Himmel schwebende Stadt macht sich auf am Abend Richtung Frankfurt, Köln, Bochum, bis die Sonne wieder aufgeht, früher Morgen im Universum.
Und ich denke daran, wie ich das erste Mal nach Indien fahre. Auch ich komme durch Erzerum. Kurz nachdem wir auf dem

Bauplatz gezeltet haben. Ein schneller Entschluss, Freunde von Alexander, Fritz und Petra aus der Schweiz sind bei ihm zu Besuch, sie wollen für drei Monate nach Indien fahren, sie waren schon mal da, diesmal wollen sie ein Auto verkaufen, haben alles dafür vorbereitet. Sein Cousin fährt auch mit, Stefan. Alexander rät mir mitzufahren. Fahr, sagt er, fahr mit meinem ganzen Segen. Ich traue ihm. Ich fahre. Er will es so und ich denke, vielleicht ist es eine Reise zu ihm, er ist bei mir, er sitzt zuhause am Schreibtisch, in seinem Wintergarten, am Schrank hängt der schöne bestickte Mantel aus Afghanistan, den ihm Fritz und Petra mitgebracht haben. In Afghanistan waren sie länger, lebten beim Bruder eines Prinzen in Kabul, der sie an der Raststätte gleich hinter Basel aufgegabelt hatte. Sie trampten, wollten Richtung Indien. Er war auf der Rückreise von Frankfurt, wo er studierte. Sie fuhren Tag und Nacht. Dann waren sie in Kabul. Blieben eine Woche, zwei, einen Monat, drei, bis der Anruf kam. Sie sollten das Land so schnell wie möglich verlassen. Ein Putsch war geplant, der kam, als sie gerade über die Grenze waren, unterwegs Richtung Peschawar.
Alexander schaut zum Fenster hinaus, auf zum Himmel, der Osten seitlich hinter dem alten Kirschbaum im Garten, da bin ich unterwegs, mein Liebster, die Sehnsucht im Gepäck, sitze im Auto und schaue am Rückfenster raus zum Himmel. Ich schließe die Augen, gelange in eine Welt in der Welt, die ich auf dieser Reise das erste Mal wieder betrete, seit ich Kind war. Diese Welt ist die der Ferne, des Abstands. Während wir uns durch den äußeren Raum Richtung Osten bewegen, im Auto, einem schwarzen Mercedes, ziehe ich auf den ungesicherten Wegen einer inneren Welt der Ferne entgegen, und habe das Gefühl, da bin ich, da finde ich mich. Mich, was ich so nenne, etwas wie Ich, das nicht Ich sagt, das sich nicht behauptet, eher eine Durchlässigkeit ist, auch Durchsichtigkeit. Die Weite, die ich darin finde, ist ohne Grund, ist grundlos und ohne Abgrund. Bei all dem adressiere ich meinen taumelnden Gang,

mein Tasten und Schweben, mein mich Schicht um Schicht in etwas Hineinlassen, Einlassen, was da ist, unwägbar, wie ein Sinken, an ihn, der zurückgeblieben ist, den ich an seinem Schreibtisch glaube, wie er Ausschau hält Richtung Osten, wo ich bin und mich unablässig an ihn wende.

Er schreibt mir Briefe. Sie liegen auf den Postämtern entlang unserer Route. Schreibt von dem Mond, der das Taj Mahal bescheint, das Wasser in den Becken der schnurgeraden Anlage, in dem er sich spiegelt, das sein Licht zurückwirft, die helle Leuchtscheibe, das Mondgesicht, der trügerische Verdoppler der Liebe und der Sehnsucht. Der Marmor noch warm von der Sonne, von der Liebe zu den Toten. Er schreibt mir von den Männern an der Straße zum Khaiber Pass, unter deren Kaftanen die Gewehrläufe aufblitzen. Von den Geiern, die hinter dem Grenzzaun zu Indien auf den Bäumen hoch in den Kronen warten. Und ich schreibe:

Lieber Alexander

Gegen Abend sind wir von Erzerum weitergefahren, durch niedrige Täler, über schmale Straßen, die Hochebene wie der Rücken eines Tiers mit struppigem Fell. In der Nacht irgendwo angehalten, der geneigte Raum, die Sterne so als würden sie etwas sagen wollen, jede Nacht dieser Himmel. Da oben sind Bären, Hunde, Königskinder, und sie bewegen sich ständig. Oder sie träumen jede Nacht weiter. Es ist dasselbe. Auch in dieser Nacht, in einem kurzen, erschöpften Schlaf, im Auto, am Straßenrand, hinter einem Erdwall unter Bäumen, die Sitze zurückgestellt. Seit ein paar Nächten schlafen wir so. Stefan im Schlafsack draußen. Wie Steine. Versinken und dann geht die Sonne auf. Mit ihr der Tag, aus dem sich, gleich vor uns, der Ararat erhebt. Seit langer Zeit schon, Ewigkeiten, ganz allein in der Hochebene, nah der Grenze, die Straße verstopft von Lastwagen, langen Karawanen vor der Zollstation zum Iran. Männer sitzen neben ihren Wagen am Straßenrand, kleine Feuerchen brennen, sie kochen Tee,

viel Zucker, rühren in ihren Gläsern, warten, dass sie abgefertigt werden von den Zöllnern des Schahs.
Gegen Mittag kommen wir in der Grenzstation an, ein niedriges Gebäude, das aus einem großen Raum besteht, im Hintergrund zwei Zellen, eine Teeküche. Die Zöllner sitzen an langen Tischen hinter einem Tresen. Sie tragen Mützen, helle Uniformen, goldene Knöpfe. Sie sagen kein Wort, reagieren nicht, schauen nicht einmal. Sie stehen da mit ihren Papieren in der Hand. Warten. Vor den Zöllnern stehen Teegläser, sie trinken, einer hat ein Buch vor sich liegen mit einem Register. Er schreibt. Feine, halb fliegende, halb liegende Bögen, Striche. Er lässt sich alle Zeit der Welt. Wir sind ins Jahr 1356 übergegangen. Einer der Männer steht auf, tritt ans Fenster, schaut hinaus. Sie wirken entrückt, sie suchen etwas, wollen die Reisenden hypnotisieren, erwarten vielleicht einen Transport von Toten. Schmuggler, die von ihren Kollegen erwischt worden sind. In Tücher gewickelt. Auf dem Rücken von Kamelen, den barmherzigen Tieren, sie können jeden Moment da sein. Eine ganze Bande.
Orientation, sagt einer der Männer, schaut uns zum ersten Mal an. Wir halten ihm unsere Papiere entgegen. Er winkt ab. Der am Fenster stand, setzt sich wieder. Ein kleiner Mann mit gebeugtem Rücken bringt neuen heißen Tee. Die Zöllner trinken. Sie halten die Teegläser umfasst, die Augen geöffnet, sie starren ins Leere vor sich hin. Vielleicht träumen sie. Nein, sie schlafen mit offenen Augen. Eines Tages werden die, die sie erwarten, hier sein. Es sind nicht wir. Sie werden ihnen den Schlagbaum öffnen, die letzte Ehre erweisen. Dann können auch sie gehen, die in der Station aushalten wie harte, struppige Gräser; die Zöllner des Schahs. Sein Bild über ihren Köpfen riesig an der Wand, wie er über Wolken geht. Fliegen durchgeistern den Raum, schwarze Tiere, ihr Summen laut und lauter.
Wir sind dann einfach wieder gegangen, haben die Tür hinter uns geschlossen, uns ins Auto gesetzt, sind weitergefahren. In eine neue Zeitrechung, dem Osten so nah wie nie.

Bleib mir, schreibe ich, wache über uns und den Zwischenraum, der sich von jetzt an bis zum Horizont ausdehnen wird. Ich sehe dich vor mir.
So könnte das Buch von der Schule der Indienfahrer anfangen. Das ich mir erträume und dann weiß ich nicht weiter. Denn die Schule ist wie das Leben selbst. Wir sind unterwegs, reisen in einem Bus durch halb Indien. Wir haben zwei Fahrer dabei und einen Beifahrer, der fürs Zeichengeben zuständig ist. Kamal dreht. Er will einen Film machen, den es vielleicht irgendwann geben wird, von einer Schule der Indienfahrer, die es gibt.
Wir: Ein paar Leute. Das Land: Indien. Die Zeit: Vergangen. Die Handlung: Beschwörung. Wir suchen: Alexander. Wir vermissen: Günther. Wir finden: Die Bewegung der Spiegel. Na und so weiter.

2. Lektion, die eine Fortsetzung der ersten sucht, nachdem diese in Indien abgebrochen ist, ohne zu Ende zu sein. Vorher haben wir in der kleinsten Bäckerei der Welt gesessen, es wurde Frühling, die Amseln sangen, wir bildeten uns ganz viel ein, wünschten uns, es wäre, was es dann doch nicht sein konnte, und das war, was uns beflügelte. Wenn sich der Traum der Vernunft mit all seinen Ungeheuern in die Nacht erhob, einfach um weiterzumachen, so waren wir mit dabei.

In unserer Schule der Indienfahrer studieren wir wie die Verrückten. Wir treffen uns zum Anarchismusseminar von Günther. Unser Theater spielen wir auf Straßen und Plätzen. Es ist ein Theater des Protests. Wir verkleiden uns, gehen auf die Straße und protestieren. Wir spielen Engel, Tote, Weihnachtsmänner. Einmal spielen wir auch ein Atomkraftwerk, das jeden Moment in die Luft zu gehen droht. Wir tragen Schutzanzüge und evakuieren Zuschauer oder wickeln das Atomkraftwerk in Papierrollen ein, damit es wieder hält. Dazu singen wir *Sex and Drugs and Rock'n Roll.* Wir spielen auch Kühe und Schafe auf der Weide, die sich fürchten, verstrahlt zu werden. Wer würde sie dann melken, wer ihre Wolle scheren? Die Tiere schreien, sie machen sich Sorgen. Wieder versuchen alle, das Atomkraftwerk zu flicken, sprechen mit ihm, cremen es mit Nivea ein. Wir spielen das Stück in der Aula der Universität auf einem Anti-Atomkraftwerk Kongress, sprühen Parolen auf Plastikfolien: Gott ist da, aber binde dein Kamel an. Was du suchst, ist hier. Und Nataschas Lieblingsspruch, den sie auch über ihrem Bett stehen hat: *Don't piss off the Fairies.* Das Stück endet im Tumult. Die Zuschauer fühlen sich nicht ernst genommen, buhen uns aus. Dann gehen wir eben. Alexander hat alles gefilmt. Später, als wir es uns anschauen, sind wir entzückt und wollen nur noch so Theater spielen.

Wenn wir nicht Theater spielen, auf Bauplätzen zelten oder in der Uni draußen vor der Stadt hocken, tagen wir in der kleinsten Bäckerei der Welt und keine Nacht kann uns, so lange wir sprechen, so lange unsere Köpfe rauchen und wir auf einer schmalen Bank am Fenster, auf Stühlen um einen ovalen Tisch herumhocken, etwas anhaben. Allem, allem, was nicht war, und allem, was wir sind, hören wir zu. Es ist uns zumute, als schauten wir dabei unserem eigenen Verschwinden ins helle Auge. Das hat mit Zeit zu tun, sage ich.
Nein, sagt Abdul, das ist ein Gleichnis.
Das Leben ist eine Abschiedsübung, sagt Günther.
Ja, sagt Kamal, alles ist gut bis zur nächsten Ecke.
Fürchtet euch nicht, sagt Abdul.
Der Tod, sagt Camille, sitzt in der Uhr.
Ich habe all meine Lieben, die Toten, die Mutter, die Schlafmänner der Großmutter aus fernen Ländern, mit ihren Taschen voll Fremde, ihren Hemden aus Heimweh, den schönen Vater mit der großen Sehnsucht und dem Schatten auf der Lunge, den beiden Weltkriegen, für jeden Lungenflügel einen, sie alle habe ich in der Uhr versteckt, sage ich
Auch sie hatten ihre Zeit. Sie ist vergangen und dann kam sie wieder. Das ist das Land, auch unseres, das sind die Rhythmen, so geht unsere Reise, das Geben und Nehmen der Zeit, sagt Abdul.
Wie das Meer, sagt Alexander, das fruchtbare, das unsere Kontinente trägt und trennt und verbindet.
Wenn wir die Uhr öffnen, springen Wölfe heraus und wollen leben. Umherschweifen in den Tundren, jagen, sagt Camille.
Als Indianer können wir niemals verloren gehen, sagt Kamal.
Immer kündigt sich an, was wiederkommt, sagt Günther.
Wir glauben ihm aufs Wort. Wir sagen, alle Männer des Königs und alle Kamele des Schahs können nichts daran ändern.
Dann sind wir still. Draußen ist es dunkel geworden. Eben noch haben die Amseln gesungen, haben mit ihren Stimmen

den Himmel angehoben, uns der Kühnheit vergewissert, auf einem Dach stehen zu können, zu singen, sinnlos, für nichts. O Ausflucht, der Tag geht zu Ende und es wird Frühling werden. Zwischen uns und dem Abend nichts als die singenden Amseln. Wann haben sie aufgehört zu singen? Wann ist es dunkel geworden?
Wir haben den Tag vergessen, sagt Abdul.
Nein, wir haben uns vergessen, sage ich.
Jetzt kommt die Bäckersfrau durch die Schiebetür, die den Laden mit seiner gläsernen Theke, den Brotregalen im Hintergrund, dem schwarz-weiß geplättelten Boden von der kleinen Stube des Cafés trennt. Sie sagt, ihr müsst jetzt gehen. Der Laden ist geputzt, der Teig für die Brötchen am nächsten Morgen angesetzt, mein Mann hat sich schon hingelegt, es ist nach acht. Sie lächelt, eine Frau von fünfzig Jahren in einer weißen Kittelschürze, an den Füßen Kellnerinnenschuhe bis über die Knöchel, ihre Haare festgelegt in Dauerwellen, braun und toupiert, die Augen dunkel, müde jetzt. Sie räumt den Tisch ab, unsere Kaffeetassen, die beiden überquellenden Aschenbecher, ihre Handgelenke rundlich, dick wie die von Babys, auf der Hand dunkle Striemen. Da hat sie sich verbrannt, sagt sie, als wir sie danach fragen, ans Blech gekommen. Wie so viele Frauen nach dem Krieg ist sie in den fünfziger Jahren dick geworden. Ihre Leibesfülle eine der Entbehrung, wie wenn sie dem verlorenen Leben hätte hinterheressen müssen. Nie wird sie es erreichen, nicht in ihrem Kuchenreich, nicht in den westdeutschen Jahren des Wunders, in denen sich alles nur weiter aufbläht. Auch wir uns, mit unseren Theorien, dem Gefühl von einem Aufstand, der gleich hier vor der Tür steht. Auf uns wartet. Und sagt: Da kommt ihr endlich, meine Lieblinge.
Ihr Mann ist dünn geblieben, zäh. Er spricht kaum, lächelt in sich hinein wie seine Brötchen, die immer ganz schnell ausverkauft sind am Morgen. Er backt auch Kuchen, drei Sorten, eine mit Quark und Rosinen, eine mit Äpfeln und Rosinen,

und eine mit Birnen und Sahne. Wenn abends noch süße Stückchen übrig sind, geben sie sie uns mit. Sie mögen uns, schimpfen nicht und wir sitzen oft noch so lange auf der schmalen Bank, den zierlichen Stühlen in dem kleinen Raum neben dem Laden, bis sie alles abschließt und die Lichter löscht. Wir rufen ihr eine gute Nacht zu, winken, treten auf die Straße. Alle tragen wir noch Wintermäntel, Mützen, Schals, doch es ist mild. Der Verkehr auf der Bismarckstraße hat abgenommen. Gegenüber in der Buchhandlung MABULA – heißt so wegen Marxistischer Buchladen – brennt kein Licht mehr. Wir schauen zum Himmel, die Amseln schlafen, wir können den Frühling umherschweifen sehen. Aber wie schweift ein Frühling? Die Luft schmiegt sich an die Häuser, lässt sie weicher aussehen, entschärft die Konturen. Als könnten die Häuser jeden Moment zerfließen, sich ausbreiten, sich herumtreiben. Das Licht in den Fenstern zieht in die Dunkelheit aus, schaut in andere Fenster hinein, jemand da? spiegelt sich auf Autodächern, schwimmt auf der dahingleitenden Wasseroberfläche des nahen Flusses. Und kennt sich nicht wieder, reißt sich los von den Lampen über Esszimmertischen und Couchgarnituren. Es schlüpft aus Fluren, Badezimmern, unter Türen durch, sucht seine Brüder und Schwestern der Sonne. Das Licht aus den Häusern will den Mond sehen, die Venus, Mars und Pollux neben Kastor. Auch wir spähen nach den Tieren da oben, dem Walfisch, dem Fasan, dem Kamel, den Hunden, Bären, ihren Augen, wie sie sich langsam über uns drehen, und Orion mit dem leuchtenden Gürtel, den Schnallen. Der Himmel ist ein Meer, seine Tiere sind Bilder. Sie fahren in Wagen, mit Segeln und Leiern. Das sagt Kamal. Kommt aus dem Ruhrgebiet, ist in Duisburg großgeworden. Abdul in Bochum. Wir biegen links ab in die Löberstraße, eine der schönsten Straßen der Stadt, beinahe eine Allee. Die Straße ist leicht gebogen, ein breiter Gehweg führt an der Wieseck entlang. Wie der kleine, schmutzige Fluss heißt, der die Stadt durchfließt. Der Gehweg wird auf der einen Sei-

te von einem schmiedeeisernen Gitter begrenzt, hinter dem es steil zum Fluss abfällt. Sein Ufer ein Wiesenstreifen, auf dem früher die Wäsche gebleicht wurde. Auf der anderen Seite, zur Straße hin, stehen die alten, hoch aufragenden Linden in gerader Linie. Unter denen gehen wir, sie haben schon Knospen getrieben. Camille sagt, sie schimmern rosa.
Nein, sagt Abdul, blau.
Grün, sagt Günther und plötzlich vermissen wir Helmudo. Unser Bote, unruhiger Ariel. Er hat für heute abgesagt, muss in der Klinik arbeiten, meistens fährt er bis weit nach Mitternacht irgendwelche Blutkonserven durch die Gegend.
Am Ende der Löberstraße treffen wir auf die Bleichstraße, biegen kurz in sie ein, dann weiter die Ludwigstraße hoch Richtung Bahndamm, darunter durch und in den Holzwurm. Die Kneipe liegt an einer Straßenecke, klein wie die Bäckerei. Vielleicht sind wir Liliputaner, Bewohner von Kirmeswagen mit großen Scheiben, in denen wir leben, durch die Gegend fahren und uns von allen, die Eintritt bezahlt haben, betrachten lassen. Nur wir können uns nicht sehen. Ein paar Stufen führen in den schmalen Raum, eine lange Theke, die meisten Gäste stehen. Das Licht gedämpft, Musik. Wir hocken uns auf die Bank an der Kopfseite der Theke, neben uns an der Wand ein riesiger Spiegel. Wir trinken Apfelwein, den hier alle trinken und haben an diesem Abend das Gefühl, in der Prärie unterwegs gewesen, lange über staubigen Boden im trockenen Präriegras gerobbt zu sein. Das alles ist eine Erfahrung der Zeit, die ja wir sind.
Dass wir einen Sparren haben, dass wir uns ganz viel einbilden, wünschen und vorstellen, es wäre, was es dann doch nicht ist, das ist, was uns nicht nur an diesem Abend beflügelt. Und wenn sich in der Dämmerung die Vernunft erhebt, so wollen wir gerne ihre Ungeheuer sein, sie begleiten und auf sie achten. Der kleine Bruno betreibt die Kneipe, steht hinter der Theke im gestreiften Pullover, mit blondem langem Haar. Alles an

ihm ist fein, wirkt aufgeräumt. Auch wenn er trinkt. Er lacht, als er uns sieht. Mich nennt er Strange Lady. Das sagt Alexander dann auch zu mir. Ich weiß nicht, ob ich den Namen mag oder nicht. Beinah ein Indianername, sagt Abdul, und ich protestiere.

3. Lektion, in der es darum geht, worüber wir am Nachmittag in der kleinsten Bäckerei der Welt gesprochen haben und was Karfreitag mit Indien zu tun hat.

Worüber haben wir gestern in unserem kleinen Café gesprochen? Über Schuld, über Angst, darüber, ob es schlimm ist, Angst zu haben. Wie fühlt sie sich an, wer ist sie? Schwester? Mutter? Tante? Und Wut? Etwa auch eine Frau? Was ist mit Karfreitag? Steht bald wieder vor der Tür. Kommt jedes Jahr und hat nie aufgehört. Mal früher, mal später. Immer ein einziger Tag. Einer der unerbittlichsten. Jedes Jahr wieder Opfer, Tod, das Haupt voll Blut und Wunden.
Schon als Kind ertrug ich den Tag nicht, sagt Camille. Ich verkroch mich vor ihm unter Tische, Betten, hinter Schränke, schloss die Augen.
Ich fürchtete, sagt Günther, dass ich es war, der das Kreuz tragen müsste. Dass es sich herausstellen könnte, dass es meins wäre. Ich würde unter ihm zusammenbrechen, würde verhöhnt werden, angespuckt, würde wieder aufstehen, weiter, den Schwamm mit Essig gereicht bekommen.
Nein, es war Opium, sagt Kamal, die aufgesprungenen Lippen zusammengedrückt. Keine Wörter würden mehr über sie kommen, bis auf die letzten, die vom Verlassenwerden, die den Himmel verdunkeln.
Ich stellte mir die Nägel vor, sagt Camille, das Hämmern, ans Holz die Hände, die Füsse, dicke rote Wunden, an Seilen das Kreuz gerichtet wie einen Mast, links und rechts von mir die beiden anderen, gekrümmt, die Glieder verrenkt. Schreie. Von Jahr zu Jahr wuchs die Angst, die von diesem Tag ausging, in dem sie zu wohnen schien, wartend, bis der Tod eintrat.
In der Karfreitagsnacht war ich verlassen, sage ich. Was mir beistand, war einzig die Angst.

Vielleicht ist sie eine Tochter Gottes, sagt Günther, vielleicht betete sie für uns, und betet auch für Gott.
Sie schaut mit glänzenden Augen wie der Frühling, sagt Camille.
Karfreitag ist der Tag des Verrats, sagt Abdul. Wenn die Engel ausbleiben. Robespierre mit zerbrochenem Kinn, St. Juste ist den Staub nicht wert, aus dem er gemacht ist, Danton sieht die Schwerter der Geister fechten, denen die Hände fehlen, Woyzeck fliegt auf den Mond, der Mond sagt, besser du haust sofort wieder ab. Jeanne d'Arc liegt in der Klinik für Geisteskranke, und ist hier bei uns im Stadttheater ein Erfolgsstück.
Am Abend vorher die Freunde, sagt Günther, die Gefährten, sitzen noch bei ihm, Johannes, der seinen Kopf auf Jesus Schulter legt. Trost sucht vor dem, was bevorsteht. Sie wissen alles. Verrat. Einmal, zweimal, dreimal, noch bevor der Morgen dämmert. Sie auch. Die höhnenden, spuckenden Menschen am Wegrand. Ihr Rechthaben, ihre Wut. Schließlich der Vater.
Hüte dich, Kind, sagt Camille. Fürchte dich, mein Kind. Das ist Karfreitag, kommt und kommt, hört nie auf. Gott, das ist der, der dich verlässt. Und wenn du leben willst, dann stirb vorher.
Keine Auferstehung, und wäre sie noch so überwältigend, kann dieses Geschehen rechtfertigen. Kein Opfer, kein Tod, keine Verlassenheit können je etwas versöhnen, sagt Kamal.
Jesus Auferstehung von den Toten ist wie der Kampf für den Frieden mit den Mitteln des Krieges, sagt Abdul.
Na ja, sagt Alexander.
Das ist Deutschland nach dem Krieg, sage ich, mit seinem Wunder der Wirtschaft.
Wiedergutmachen lässt sich nichts, sagt Günther. Das lernen wir von der Nacht nach der Kreuzigung.
Vielleicht gibt es deshalb eine Zeit in unserem Leben, in der wir das Gefühl haben, da zu sein, um nein zu sagen, sagt Alexander.
Nein zu sagen und zu sterben.
Vielleicht haben so die Reisen nach Indien angefangen. Die Sehnsucht, die alte Wunde.

Als sich der Raum öffnete Richtung Osten, sagt Kamal. Als wäre Indien ein Ja, das aus dem Nein kommt.
Nicht Glück ist es, was wir wollen, sondern Ferne, sage ich. Ferne von Karfreitag.
Fremd bin ich mir, ich bin mir die Fremde auf Erden, sagt Abdul.
Ja, sage ich, vielleicht können wir uns ein Leben ohne Karfreitag als ein Leben vorstellen, in dem der Tod zu nichts dient.
Dafür können wir nicht kämpfen, dafür müssen wir leben, sagt Camille. Ihre Stimme ist zart, ihre Augen sind groß, sie schaut erstaunt, wir sagen ja. Auf unseren Gesichtern ein Lächeln, etwas huscht über sie hinweg, ein helllichter Tag vielleicht in tiefer Nacht, ein Widerschein von etwas, das stattgefunden hat, ein Gehen, Heben, Neigen. Das Gefühl von Schneien in unseren Herzen, von schlafenden Gedanken, die uns wach halten.
So schreiben wir es auf, um es nicht mehr zu vergessen.

4. Lektion, in der Véronique in löchrigem Präsenz einen Traum erzählt, der in einer Karfreitagsnacht zu ihr kommt, und wie sie dann den ersten Hippies ihres Lebens begegnet. Seitdem ist Véronique wieder ich.

Es ist das Jahr der Mondlandung. Sie steht kurz bevor. Davor kommt noch Ostern. Die Sonne wärmt schon ein bisschen, Frühling schaut auf zum Himmel, die Luft ist rosa, an den Bäumen Blüten. Ich sitze auf den Stufen, die von der Küche gleich in den Garten führen, wo das Grasland an den Plattenweg stößt, der zum Schuppen führt. Träume, auch die der Verlassenheit, sind Nomaden. Sie schlagen ihre Zelte auf, wo es ihnen gerade einfällt, sich niederzulassen für die Nacht, den Winter, die Jahre. So auch mein Traum im Haus von Tante Trienchen und Onkel Karl in der Stunde des Hasen, die uns selbst in der Karfreitagsnacht schlägt. Er bleibt ein paar Jahre. Länger als später Alexander, bis auch er wieder verschwunden sein wird. Keine Spur mehr von seinem Zelt, der Feuerstelle, seiner Herde, mit der er gekommen ist. Doch von Alexander und mir und wie wir nach Indien gekommen sind, später. Noch bin ich ihm ja noch gar nicht begegnet.
Das Haus, in dem ich mit meiner Mutter zu Besuch bin, ist das Geburtshaus meiner Mutter, in dem sie immer wieder geboren wird, kaum nähert sie sich ihm. Ihre Verbindung mit dem Haus, dem Garten, in dem das Gras hoch wächst, sich mit den Zweigen und Ästen der Obstbäume im Wind bewegt, die dicht an dicht wachsen, ineinander übergreifen, ist sofort da, verwurzelt sie auf der Stelle. Dort wird sie – vor meinen Augen, ich kann es genau sehen – eine Eingeborene. Was eben noch meine Mutter war, das ist jetzt Haus, Garten, wuchert weiter, dehnt sich aus zur Landschaft am Rhein. Hinauf zur riesigen Basaltwand, die Oberkassel überragt, Refugium der Indianer, die ich manchmal oben an der Kante stehen sehen kann mit ihren gezackten

Kronen aus Federn auf dem Haupt. Der alte Steinbruch, der Dornheckensee, das Auge des tief unter der Steinbruchkante liegenden Blauen Sees, der Märchensee mit seinen Schwänen, wo früher, wie mir meine Mutter immer wieder erzählt, Freilichtaufführungen zu sehen waren. Die Räuber, gespielt von den Männern des Schützenvereins. Karl Moor auf einem der Pferde der Indianer, ein aufgezogener Mond über dem See am helllichten Tag. Nein, das war keine Vorstellung von Woyzeck, der ritt nicht, das war Karl, in den sie sich sofort verliebte. Bei ihm war es das Siebengebirge, aus dem er geritten kam. Nichts konnte ihn aufhalten, wie meine Mutter. War das Wort der Apachen für Welt Wald, so war es für meine Mutter das Wort Siebengebirge. Dazu gehörten der Drachenfels, der Nonnenstromberg, der Ölberg, der große und der kleine. Die Löwenburg, der Lohrberg, der Himmerich und Leyberg, der Dachsberg, Petersberg, die Wolkenburg, die Rosenau, Großer Breiberg, Stenzelberg, Hirschberg, Weilberg und ihnen zu Füßen die Klosterruine von Heisterbach, Königswinter, Dollendorf. Die Namen sprechen mir die Mutter aus, bilden ihre Sprache, die sich hier auch für mich als Landschaft, wie sie lautet, wie sie gerufen wird, auf die sie hört, ausbreitet. Als würde meine Muttersprache, wie auch die meiner Mutter, hier überall aus der Erde quellen. Die so sprechende Mutter liebte ich über alles und so wurde auch ich in diesem Haus immer wieder geboren.

Wie ein Ozeanriese steht es Bug voraus im Scheitelpunkt zweier Straßen, zerteilt vor seinen Fenstern das Meer. Seine Bewohner sind düstere Gesellen. Schiffbrüchige aus der Ebene. Tante Trienchen liegt im Sterben, meine Mutter hat sich bereit erklärt, für ein paar Tage ihre Pflege zu übernehmen und so deren Schwester, Tante Hannah, zu entlasten. Tante Trienchen, die mittlere der drei Schwestern, deren älteste und schönste meine Großmutter ist, gehört zu den unnahbaren Tanten, den tückischen auch, von denen mir nicht klar ist, ob sie leben oder so tun als ob. Sie wirken von weit her, nur mit dünnem Faden

an die Gewohnheiten des Lebens und der Freundlichkeit gebunden. Sie geben sich Mühe und dem Kind eine alte, in der Packung weiß angelaufene Tafel Schokolade. Sie stehen dem Reich einer kalten Ordnung vor, in dem nichts eintreten, geschehen kann. Ihr Mann, Onkel Karl, spricht nicht. Er muss irgendwann vor vielen Jahrhunderten aus dem Leben geschieden sein und seitdem kommt er immer wieder, läuft durch Häuser, ehelicht Tanten, zeugt wenige Kinder für bessere Partien, und raucht dazu hunderte von Zigarren. Was er bedauert, ist, dass er es nicht geschafft hat, einen Führerschein zu machen. Vielleicht hätte er dann endlich wegfahren können. Wenn mein Vater anbietet, ihm das Fahren beizubringen, die Einfahrt rauf und runter oder auf dem Parkplatz am Ende der Straße Richtung Steinbruch, zeigt er Zeichen von Freude. Dann bewegt sich sein faltiger Mund, zittert, er zieht fest an seiner Zigarre und pafft mit rundem Maul den Rauch aus. Er trägt Anzüge, gestärkte Hemden, Manschettenknöpfe. An den Füßen Pantoffeln. Für Schuhe sind sie zu dick, er kann sie kaum noch heben. Um die Treppe in den ersten Stock hochzugehen, braucht er eine Stunde. Dabei stöhnt er und das ist schon das meiste, was er von sich gibt. Er ist groß, sein Gesicht weiß, mit hängenden Wangen, die Augen blass. Ich weiche ihm aus. Begegne ich ihm dennoch, ziehe ich schnell an ihm vorbei, tue so, als gäbe es mich nicht.
Das Haus mit den beiden darin treibt wie ein untergegangenes Schiff auf dem Meeresgrund. Taumelnd bewegen sie sich durch Tag und Nacht. Tante Trienchen haben sie das Bett ins Wohnzimmer gestellt, in die gute Stube hinter der Küche. Dort erwartet sie in hellen Bettlaken und rosa Nachthemd das Ende des Lebens. Die Stummheit hat sie ihrem Mann von den Lippen abgelesen. Dass sie da liegt mit strengem Gesicht, die Hände auf der Bettdecke, mit weißem, loderndem Haar, ist wie die Ordnung der Welt. Ich sage guten Morgen, guten Tag, gute Nacht. Frage, ob sie etwas brauche, gehe in den Garten, in dem die Bäu-

me über und über blühen. Hellgelb schimmern die dünnen Blütenblätter der Pflaumenbäume, die Blüten der Äpfel tiefrot am Ansatz und leuchtend weiß die Ränder. Die Vorstellung, dass aus ihnen Früchte wachsen werden, erfüllt mich mit Wärme. Alles wird weich in mir, gibt nach, und das ist fast wie Fliegen.
Ich bin zwölf Jahre alt, es ist kurz nach zwei, ich treibe dem Nachmittag entgegen, wenn es wieder geschieht. Karfreitag und mir ist, als würde die Welt untergehen. Jesus tot, verraten, verlassen.
Am Abend, nach den Abendnachrichten, sitzen wir im Zimmer von Tante Trienchen. Sie in ihrem Opheliakahn, ruhig zur Decke hochschauend, wo sich der Himmel wölben würde, triebe sie noch auf den oberen Gewässern. Meine Mutter und ich sitzen auf dem Sofa hinter ihr. Vor uns auf einem kleinen Tisch der Fernseher. Wir lassen uns von ihm bescheinen, die Bilder sickern in uns hinein, während wir der Kreuzigung beistehen. Einfach so, ohnmächtig, nichts in uns hält sie auf, ob wir wollen oder nicht. Dass sie vielleicht einmal geschah, dass sie geschehen ist und wieder geschehen würde, schon damit konnte ich nicht leben. Dass aber – wie in diesem Film, und wir mitten darin –, nochmal alles nachgespielt wurde, dass alle sich so verhielten, als hätte es sich abgespielt, müsste sich so abspielen, keiner sagt, halt, stopp, Ende des Alptraums, wir brauchen eine andere Geschichte, auch ich nicht, – das ist es, was ich nicht ertrage. Nicht in diesem Zimmer, mit der sterbenden und schon lange untergegangenen Tante, nicht in der sanften Landschaft der Wüste, in honigfarbenem Licht, mit dem im Westen sich rot verfärbenden Himmel, nicht unter Menschen mit dunklen Augen, klarem Blick, in edlen Kleidern. Oder zerlumpt wie die an den beiden anderen Kreuzen, von denen es heißt, ihr Tod sei gerechtfertigt. Wofür? Um das Opfer Jesus größer, seinen Tod umso ungerechtfertigter erscheinen zu lassen? Für uns, nur für uns.
Nicht, dass ich mir als Zwölfjährige diese Überlegungen so hätte machen können, aber die Bedrückung, die Wut, der Schmerz,

die mich an diesem Tag, in der Nacht nach dem Film einer als wirklich dargestellten Kreuzigung bedrängten, haben damit zu tun. Ich empfand eine große Hoffnungslosigkeit, die darin bestand, dass das Ende immer schon da gewesen war, feststand und der ganze Film an keiner Stelle dem widersprochen hätte. Darum also gibt es diesen Tag; um solche Filme drehen zu können. Die uns in der Schuld bestätigen, es wieder getan zu haben, wovor wir uns doch so fürchten. Und nächstes Jahr würden wir es wieder tun. Verraten, töten und daraus schlechte Filme machen. Ein bisschen kleiner, bedrückter, gewalttätiger geworden. Als ich an diesem Abend endlich einschlafe, erhebt die Angst ihre Stimme. Sie spricht zu mir, ich träume. In großer Zahl strömen auf den Werksfahrrädern von Bayer die Arbeiter durch das große Tor des Pförtners Vier. Feierabend, sie sind auf dem Weg nach Hause, und sie sind tot. Sie haben die weite Ebene des Nachmittags durchschritten, haben sie hinter sich gebracht an ihren Abfüllanlagen, Sortiertischen, Maschinen und Laboreinrichtungen, nun können sie sich endlich erheben. Gerade eben hat die Sirene aufgeheult, Schichtende, in der ganzen Stadt hörbar. Da sind sie, kommen auf rot und gelb lackierten Fahrrädern daher, ein jedes mit einer Nummer versehen. Sie treten in die Pedale, fahren geduckt, ihre Aktentaschen über die Stange zwischen Lenker und Sattel gehängt, Fahrtwind geht ihnen durchs Haar. Sie schwärmen aus in die Stadt, immer mehr kommen gefahren, als wären sie das, was im Werk, bei Bayer, den IG Farben und Agfa Gevaert hergestellt würde.

Ich sehe sie, eine Büffelherde, die sich weiter und weiter ausbreitet, als wäre alles so wie jeden Tag, nur sind sie nicht mehr am Leben, bewegen sich stumm, ohne jedes Geräusch. Ich bin bei meiner Großmutter, sitze wie oft um diese Zeit mit meinen Cousinen am Tor. Wir warten auf das Erscheinen meiner Tante, der Schwester meiner Mutter, schauen die Schießbergstraße hoch, an deren Ende die Schar der Fahrradfahrer jeden Moment auftauchen würde, und wir endlich die helle Mütze

meiner Tante erkennen könnten. Wir halten Ausschau nach ihr, wir wollen mit ihr Kaffee trinken, süße Brote essen, uns von ihr fragen lassen, was wir erlebt hätten den lieben langen Tag. Was habt ihr getrieben, ihr Nichtsnutze, was habt ihr wieder verkehrt gemacht? Würde sie sagen und rote Johannisbeermarmelade auf unsere Brote streichen. Schon löst sie sich aus der Gruppe, kommt auf uns zu, wir stehen auf, winken ihr entgegen, springen in die Luft, wie kleine Vögel, wenn sich ihre Eltern mit Nahrung nähern. Ein Beschwörungstanz, hier sind wir, wir sind hier. Wir halten inne, merken, etwas stimmt nicht, die Tante, nein, es ist nicht sie, da fährt eine mit heller Mütze, die wir nicht kennen. Plötzlich haben wir das Gefühl, dass vielleicht alle tot sein könnten in der Stadt, nicht nur die auf den Fahrrädern, und wir, die Kinder, die auf ihre Tante warten, auch. Haben es nur noch nicht gemerkt.
Da höre ich meine Mutter zu mir sprechen. Es ist nicht so schlimm, sei ruhig, sagt sie, du hast geträumt, ein Traum, es ist ein Traum. Sie weckt mich, nimmt mich in den Arm, trägt mich durch den Raum wie als kleines Kind, als ich in die Schule kam und mir träumte, der Berg würde uns alle unter sich begraben, die Schule, die anderen Kinder, die Schiefertafel, auf die ich die ersten Wörter zu setzen lernte, das ABC, die Katze, die im Schnee geht. Sie sagt auch, dass der Film eine Inszenierung sei, dass er nicht wirklich sei, jedes seiner Bilder gemacht, Jesus ein Schauspieler, die andern auch. Das hat sie mir schon von Klein an gesagt. Immer waren es die Filme, die schlechteren Träume, die mich um den Schlaf brachten, und immer wieder erklärte sie mir, dass kein Film wirklich wäre. Lediglich gefilmt. Es half nicht, half nicht gegen den Tod, den sie spielten, den ich träumte, während ich lebte. Wie auch in dieser Nacht.
Gegen Morgen schlafen wir wieder ein, Mutter und Tochter, die beide nicht wegschauen konnten von den Bildern des Tötens, der Hinrichtung, und den Bildern, die lange nach dem Film, nach seinem Ende, kommen. Meine Mutter steht früh auf, um

die Tante zu versorgen, lässt mich schlafen. Gegen Mittag, als ich in die Küche komme, begegne ich der Enkelin von Onkel Karl aus seiner ersten Ehe. Sie wohnt mit ihrem Freund unterm Dach. Waren ein paar Tage verreist und sind nun zurück. Sie sind die ersten Hippies, die ich sehe, die gerade im Kommen sind. Von Amerika her, eine Bewegung, eine Woge. Plötzlich sind sie da, in den hängenden Kleidern der Weisen aus dem Morgenland, in den Farben der Inder, in den engen, kurzen Westen der Nomaden, wie wir sie auf unserem Weg im Bus irgendwo zwischen Mumbay und Delhi sehen, mit ihren Ziegenherden, Kamelen, den schwarz umrandeten Augen. Einige ihrer Westen mit kleinen Spiegeln übersät, die in der Nacht das Licht der Sterne widerspiegeln. Sie sehen wie Narren aus, wie Zauberer und ich begegne ihnen nach der Karfreitagsnacht in diesem Muttergeburtshaus, sie heißen Hille und Ulrike. Sie studieren in Bonn Jura. Ulrike trägt ihre Haare wie Winnetou, mit Band um die Stirn. Ihr Rock ist lang, in blau, grün, rot ineinander verlaufendem Muster. Die Bluse ein gelber Kaftan, den ich bisher nur als Karnevalskostüm kenne. Darüber eine weite Strickjacke mit türkisfarbenen Rauten. Sie trägt große runde Ohrringe, an den Fingern Ringe mit kleinen Glöckchen, die jede ihrer Bewegungen klingelnd begleiten. Ihre Augen sind angemalt, wie meine Mutter sagt, blau, schwarz. Wenn sie durchs Haus geht, am Bett von Tante Trienchen vorbeikommt, ändert sich das Licht, die Atmosphäre gibt nach. Was geschieht? Sie lächelt, sie sagt Tante Trienchen Frohe Ostern. Über ihrer Schulter hängt der Gurt einer Fransentasche. Die von den Feldern kommt, den Hirten in Griechenland. Die Wiesen stehen dort um diese Jahreszeit unter Mohn, grün und rot. Sie kommt auch aus der Prärie, im Tal die Büffelherde, die heiligen Tiere der Indianer, über ihnen die Blitze der Schlangengöttin, die Wolken sind ihre Ahnen, die Sterne ihre Augen, denke ich und studiere sie genau. Sie kann Auto fahren wie ihr Freund. Eine Ente, lila und gelb angemalt, steht in der Einfahrt. Manchmal finden sie, wenn sie wegfah-

ren wollen, Onkel Karl im Auto sitzen, auf dem Fahrersitz, den Ellbogen auf das hochgeklappte Fenster gelehnt, träumt er vom Autofahren, pafft seine Zigarre, stößt Rauchzeichen aus.
Ich lauere den beiden auf. Ich kann nicht genug bekommen von ihrem Anblick. Hille trägt keine bunten Kleider, aber weiche Jacken, Hemden ohne Kragen, hohe leichte Schnürschuhe und seine Haare lang bis auf die Schultern. Was Besseres als die beiden hätte mir nicht passieren können.
Wären sie nicht gewesen, wer weiß, ob ich die nächste Karfreitagsnacht überlebt hätte. Ein Jahr später schon, inzwischen waren ein paar kleine Menschen auf dem Mond gewesen, sehe ich aus wie sie, mit langen Röcken, dicken Schuhen, die Augen umrandet. Das hilft in jenen Jahren.
Bald nach unserem Besuch stirbt Tante Trienchen. Onkel Karl läuft noch ein paar Jahre weiter durchs Haus. Die beiden beenden ihr Studium, schauen nach ihm, bis auch er gestorben ist. Vielleicht leben sie noch heute.

5. Lektion, die von einem Traum handelt, der vielleicht keiner ist. Sondern eine Katze, die im Schnee über die Erde geht, bis sie an einen Fluss kommt, wo Kinder sie übersetzen ans andere Ufer.

Um unsere Lektionen in- und auswendig zu können, müssen wir sie träumen. Die Zeit der Träume ist unbegrenzt, sagen wir. Wir träumen. Am liebsten am Nachmittag, den Kopf auf Abduls Schulter gelegt. Oder, wenn wir im Bus unterwegs sind, gegen das Polster gelehnt, die Beine angezogen wie große Häher hoch oben im dichten Laub der Bäume. Unsere Busfahrer jagen über die Straßen Indiens, überholen, heben ab, werden mit Geschrei, Hupen, wildem Gestikulieren aus der Spur gedrängt, treiben im dichten Gewühl von Autos, überladenen Lastern, Motorrädern, Kamelen, Ziegenherden, Fahrradfahrern und spielenden Kindern. Jede Sekunde ein Wunder, dass wir sie noch erleben. Wir können es nicht mit ansehen, schauen nicht mehr nach vorne auf die Fahrbahn, wo die Fahrer, der eine hinterm Lenkrad, der andere in seinem Rücken auf einer schmalen Liege ausgestreckt, uns durchs Schlachtfeld fahren, warnen, angreifen, überholen, schreien, der kleine Beifahrer vollführt mit den Händen entsprechende Winkzeichen für die anderen Verkehrsteilnehmer: jetzt überholen, nicht überholen, anhalten, Gas geben, zum Teufel. Der Bus heißt DESTINY, ein Bus mit genügend Platz für uns und er tut, was er kann. Dabei ziehen Felder vorbei, ferne dunkelgelbe Umrisse von Bergen, orangefarbene Blumenbeete, leuchtende Erdfurchen.
Bilder steigen in uns auf. Das kommt vom Träumen. Bilder, von denen wir nicht sagen können, ob sie je waren oder haben wir sie uns nur eingebildet? Es ist ein- und dasselbe. Was zählt, ist, dass sie kommen. Zu uns, kommen uns vor, umgeben uns und dann, wie ein Untertauchen, finden wir sie wieder.

Wie wir Kinder sind, an kleinen Pulten sitzen, vor uns eine Tafel aus Schiefer, in uns ein Meer. Fahren durch Indien, legen Entfernungen zurück, irgendwo mitten im Land zwischen Mumbay und Kasrawad. Uralte Schüler der Geschichte. Wieder wollen wir wissen, wollen lieben, was uns fehlt. Dazwischen die Hand mit dem Griffel, die das innere Meer in Bögen und schwankenden Buchstaben auf die schwarze Fläche der Tafel zu setzen versucht. Die Hand, der Kopf, das Blut, das Herz, das das Blut durch die Adern pulst, sie alle kommen mit, übersetzen Laute, Töne, Bewegungen in die Boote der Wörter. Sie sind unsere Fähren. Auf denen jedes Kind sich selbst als sein eigener Fährmann über die dunkle Fläche des inneren Meers schifft. Unterwegs zwischen innen und außen, Zeit und Raum.
Die Sprache des Kinds, das ich war, ist unsichtbar. Sie grenzt an Laute, an Schatten, an Bewegungen. Sie anzurühren, in Boote zu setzen, von einer Inlandsee auf eine harte Fläche zu übertragen, fällt dem Kind schwer. Es übt, arbeitet, rudert. In der Nacht träumt es, dass die Erde bebt. Sieht sich in der Schule sitzen, an seinem Pult. Neben ihm die anderen, wie auch sie ›ABC die Katze geht im Schnee‹ leise vor sich hinsagen und ein Wort nach dem anderen auf die Tafel schreiben. Dann schwankt der Boden, die Wände, das Pult, der Himmel donnert, die Kinder wirbeln herum. Durch Fenster, Türen, sogar durch die Wände dringen Geröll, Steine, Schlamm, durchs Dach schlagen Felsbrocken. Das ist der Berg, hört es die Lehrerin schreien – die Kinder –, auch sie schreien, dann ist es still, die Schule, die vielen kleinen Boote. Schon sind sie verschwunden. Nein, das war ein Traum. Das sagt die Mutter. Sie beugt sich über sein Bett, nimmt es in ihre Arme, trägt es durchs Zimmer in der Nacht, wie später in der Karfreitagsnacht wieder, leise, langsam. Bald halten die Wände still. Unter der Tür zeichnet sich von weit her ein Lichtstreifen ab. Da ist der Tag, er kommt wieder. Nein, sagt nach einer Weile das Kind in den Armen der Mutter, es war ein Traum.

Am Morgen geht es mit hohen Beinen wie die Katze im Schnee über die Erde.
Als das Kind älter geworden ist, hat es manchmal das Gefühl, als wäre über ihm der Himmel eingestürzt und es selbst ein Berg. Es denkt dann an seinen Traum, und es denkt an die Mutter, die da war, die es unter dem Berg hervorgeholt hat und wie sie sagte: Nein, es war ein Traum. Aber was für ein Traum war das? Der, Berg zu werden? Und die Angst davor? Oder der Traum, immer wieder durch Berge gehen zu müssen? Durch all das Versteinerte in uns?
Es gab einmal ein Kind. Es gab einmal eine Schulklasse von kleinen Kindern. Sie übten sich darin, ihre Sprache, die sie hörten, die sie spürten, in Wörter zu übersetzen. Sie lernten das Schreiben. Ihre ersten Wörter waren ›ABC die Katze geht im Schnee‹. Und während sie im Schnee der Buchstaben als halbe Katzen auf den Linien ihrer Schiefertafeln mit viel zu viel Druck auf den Griffeln quietschten, gab etwas in ihnen nach. Sie zitterten, sie hatten das Gefühl, dem Himmel würde aus seinem hohen Leib aller Atem weichen. Dann wurde es dunkel, dann still. Alles, was an diesem Tag, wie jeden Morgen begonnen hatte, war seitdem verschwunden. Kinder wissen davon. Auch die, die in Indien, auf der Suche nach ihren verschwundenen Freunden, sich selbst als Verschwundenen begegnen.
Wenn etwas verschwunden ist, ist es verschwunden und dennoch da. Aus den Augen aus dem Sinn, sagen viele. Doch das stimmt nicht. Was wir nicht im Auge haben, nimmt uns viel mehr ein als alles, was wir sehen können. Was verschwunden ist, wird nur immer noch mehr, je länger wir leben. Dann droht es das Leben zu überfluten. Höchste Zeit also, wieder die Boote zu besteigen, auf denen wir, als wir Kinder waren, an unseren Pulten saßen, das Schreiben, das ABC die Katze geht im Schnee lernten, uns darin übten, in Wörtern unser Leben zu retten vor dem Himmel, der jeden Moment einzubrechen drohte. Wir lichteten den Anker, setzten die Segel, nahmen Fahrt auf übers Meer.

Das ist unsere Schule. Auch diese hier, unterwegs in Indien viele Jahre später. Vielleicht das Lernen selbst. Wir nennen es, wir können nicht anders, Indien. Kaum sagen wir es, schon träumen wir und hören uns mit herumirrendem Geist von uns, von Abdul, Helmudo, Kamal, von Günther, Alexander, von Véronique, die noch immer ich bin, von Natascha und Camille sprechen. Mitten in Indien weit weg von Indien. Auf der Suche nach Günther und Alexander. Viel zu lang schon nicht mehr da. Ich meine uns. Wir. Weiter mit den Träumen unter einer Decke. Ziehen übers Land. Dazwischen viele Jahre. Egal. Schatten von Schatten von Träumen. Wie sie sich auf alles werfen, herumliegen und nachts dem Himmel entgegen schweben.
Wie lange das her ist? Wann das gewesen sein soll? Ein paar Jahre, nachdem die große Völkerwanderung der Hippies nach Osten einsetzte und die Inder glaubten, in Europa sei eine furchtbare Hungersnot ausgebrochen. All die dünnen, von Drogen, von Wünschen und Sehnsucht ausgelaugten jungen Menschen. Seitdem leben wir in unserer indischen Schule und wagten lange nicht hinzufahren. Ihnen entgegenzufahren in den Osten, in den Traum, auszuwandern aus der Geschichte nach Indien. Wehe dem, der Indien in Indien sucht. Wir fürchteten uns viele Jahre. Denn kennen wir sie nicht, die andere, die vernichtende Seite der Sehnsucht, das uralte Heimweh der Überlebenden nach denen, die nicht überlebt haben? Die verschwunden sind? Als wären sie viel mehr ein Teil von uns als wir uns selbst?
Hinter dem Haus, in dem ich die ersten Jahre des Lebens verbrachte, umgeben von Eichen, dünnen Akazien, lag in seiner Grube ein Löschteich. Das Wasser trüb, voll mit Blättern, Ästen, die dort vermoderten. Der Teich schwamm in einem Trichter, steil fielen die Böschungen zum Ufer ab, überwuchert von Brombeerranken. Auf einer Seite des Teichs war eine gemauerte Einfassung zu erkennen, die roten Backsteine von Moos und Schlamm schwarz verfärbt. Ein umgestürzter Baum lag im Wasser, wo Frösche, Kröten, Molche hausten. Im Winter, wenn das

Wasser zufror, fuhr ich auf seinem Eis dahin, sicher, dass unter mir die Verschwundenen schliefen. Durchs bläuliche Eis schimmerte schwarzes Licht, das weder Sonne noch Wasser löschen konnten. In dem Kräfte wachten, die ich aus Märchen kannte. Die uns sehen machen, was es nicht gibt, die uns hören lassen, was nicht spricht, in denen die Wünsche hausen und nicht aufhören, zu uns zu sprechen. Wenn ich darüber hinglitt, stellte ich mir vor, dass ich mich auf meinen Schlittschuhen in den Tag erheben, mich verdoppeln und mit den Weisen aus dem Morgenland aufbrechen würde auf eine lange Reise zurück.

Unser Haus stand in einer Reihe mit anderen Häusern. Zwischen ihnen wuchs Rasen, der nicht betreten werden durfte. Rosen fassten ihn ein, sie blühten rot. Rhododendronbüsche standen ihnen helllila leuchtend zur Seite. Bald schon bahnte ich mir als kleines Kind den Weg von unserem Haus zu den Frauen, die sich glichen wie der Rasen und die Häuser. Sie lebten allein. Ich klopfte an Frau Wichmanns Haustüre, zu klein, um an die Klingel zu reichen. Ich ließ mich von ihr in ihr stilles Zimmer führen. In dem hielt alles – Decken, Lampen, Wände, das geschlängelte grüne Muster der Tapete – den Atem an. Und alle Augen waren auf mich gerichtet. Hier war die Zeit nicht stehen geblieben, sie war fortgegangen. Das Zimmer war ganz allein auf der Welt. Der große Schrank aus Eiche mit hohen Glasscheiben, die von einem straff gezogenen gelben Vorhang von innen gegen Blicke abgedichtet wurden, das Sofa, in dem ich versank, die Kissen von einer Brokatkordel eingefasst, mit aufgestickten Rehen und Bergen, der runde Tisch für viele Gäste zum Ausziehen, die Tischdecke mit kleinen Blumen bestickt, über die ich mit den Fingern fuhr als schwebten sie über einer Wiese, die Kristallschale, in der wie in einem gläsernen Sarg ein bisschen tote Zeit lag, bedeckt von Staub. Das waren keine Möbel, das waren Raumkapseln, in diesem Zimmer gelandet, von jeder Bewegung abgeschnitten. Ihre Stille verschlug mir den Atem und wie das Zimmer, hielt auch ich ihn an. Leise, wartend.

Oft saß ich bei Frau Wichmann auf dem grünen Sofa, meine Beine so kurz, dass sie weit über der Sitzfläche in den Raum ragten. Unbeholfen wie alles, was sich in diesem Zimmer befand. Sie bot mir Gebäck an, das sie in einer Blechdose im Schrank aufbewahrte. Der Deckel der Dose war hellblau, voller Schleier, in denen Tänzerinnen in hellen Ballettkleidern schwebten als würden sie langsam versinken. Sie öffnete den Deckel, hielt mir die Dose mit dem trockenen Kuchen, der sich in den Wänden spiegelte, unter die Nase und sagte: Wie das duftet.
Frau Wichmann war sehr groß, sie hätte ein Seelöwe sein können, der kurze, harte Töne ausstieße, die vom Nordpol bis an die Küste von Dänemark zu hören gewesen wären. Dabei war sie eine Kriegswitwe. Ein Lächeln umspielte ihre Lippen, auf einem Kristallschälchen reichte sie mir den Kuchen, setzte sich mir zur Seite in den Sessel und so saßen wir in ihrem Zimmer, während draußen das Leben verging.
Bei Frau Dahlmann war es ähnlich, nur gab es keinen Kuchen, sondern Äpfel, Milch und Kommissbrot.
Frau Rieleit nähte für andere Frauen Kleider. Ich nannte sie Tante Idi und sie mich manchmal Horstchen. Hinter der Türe hatte ich einen kleinen Klappstuhl stehen, der für mich reserviert war. Doch lieber saß ich ihr zu Füßen vor der Flickenkiste, legte Stroffreste aus, ordnete sie zu neuen Kleidern, während sie an der Singer saß, mit den Fingern zwischen Nadel und Lampe hantierte, die Maschine sauste und sie träumte sich in eine Gegend zurück, in der sie vielleicht nie gewesen war. Das Nirwana der Überlebenden, das aus dem Krieg kam, aus den Kampfzonen, den Sprengungen der Landschaften und Sprachen, der Hoffnungen und Vorstellungen eines Lands, in dem sie glaubte, einmal gewesen zu sein. Sie, die Näherin, die Land und Ostsee mit fliegender Nadel doppelt vernäht, dann umdreht, stülpt, die Ecken nachdrückt, fertig ist das Schiff mit breitem Kragen für die Leichtmatrosen in den Takelagen der Segel. Wir zwei an Bord mit Horstchen, unserem Mann am Ruder. Nach Hause segeln,

singt eines Tages Donovan, und mir kommen sofort die Tränen. Der Stoff lief schnell, Nähte flogen unter ihren Händen nur so dahin, schnell, schnell der Ostsee zu, ins verbrannte Land, von wo sie irgendwann hierher gekommen war und dann sagt sie wieder Horstchen, Horstchen, das ich nicht war. Sondern ein kleiner Junge in kurzen Hosen mit einem Matrosenhemd, blau und weiß wie unser Schiff, der mit seinen Freunden im Keller schießen übt. Sie haben eine Pistole gefunden, in den Büschen, im Wald, vielleicht hinter dem Kleiderschrank. Dann geht ein Schuss los, wie immer bei diesen Pistolen und ihm gleich in den Kopf. Das war das Spiel, Karfreitagshorstchen. Kam regelmäßig in ihr Zimmer. Tante Idi wohnte unter uns in zwei kleinen Zimmern, die Nähmaschine stand am Fenster, dahinter in seiner Senke das glitzernde Auge des Löschteichs. Horstchen musste da draußen irgendwo geblieben sein und machte sich auf, sobald es wieder so weit war, kam zu uns, den beiden verlorenen Seelen am Grund des Zimmers, in den Gewässern der Ostsee unterwegs. Sein Name überflutete uns regelmäßig, wir schwammen in ihm, nahmen ihn auf wie Luft. Tante Idi war keine Witwe. Sie hatte nie geheiratet. Zu ihr kamen die Frauen der Nachbarschaft und ließen sich Röcke nähen, Blusen, Jacken. Sie saßen bei ihr im Zimmer und sprachen von ihren Männern, die immer etwas von ihnen wollten und nie waren sie zufrieden, ihnen war nichts recht zu machen, klagten sie. Ihre Männer sagten nichts, fragten nichts, saßen nur da und wollten etwas von ihnen, klagten sie, und manchmal fingen sie an zu weinen. Dann ging ich schnell ein Haus weiter zur Witwe Massi. Das war der Name ihres Mannes, sein Vater war Italiener. Gestorben ist er 1942 in Athen im Lazarett. An der Ruhr, sagte sie immer. Und lange Zeit dachte ich, Athen liege an der Ruhr. Die Witwe Massi rauchte. Hektisch, eine nach der anderen. Sie war braungebrannt, knochig, sie bot mir Kaffee an, den sie in einer brodelnden kleinen Maschine kochte. Wir tranken ihn aus kleinen Tassen. Bei ihr saßen wir in der Küche, die weiß war und bis auf einen kleinen

Tisch und zwei Stühle leer. Sie redete ununterbrochen auf mich ein. So wie sie rauchte. Wenn ich genug hatte, ging ich wieder. Ich stand auf, schob den Stuhl unter den Tisch, weg war ich. Während sie weiter redete: Wie sie Kind war, wie sie Keuchhusten hatte, wie sie und ihre Geschwister in eine nahegelegene Tropfsteinhöhle gebracht wurden, um dort zu atmen.
Das waren meine Jahre in den Zimmern der Kriegswitwen, die voll waren von Verschwundenen, die ich glaubte, bewachen zu müssen. Seitdem sind sie meine Vertrauten, und ich weiß nicht, wie mir geschieht. Sie sind nicht schwer, verbinden sich mühelos mit Freunden und Freundinnen, Mitstreitern, Feinden, Geliebten. An ihrer Seite die geisterhaften Gestalten des Heimwehs. Dieses unsichtbaren Übels, das in den Ländern wohnt und gedeiht, wenn wir schon lange nicht mehr da sind. Heimweh ist das treueste der Gefühle, seine Gestalten halten uns fest; sie sind es, die nicht aufhören wiederzukommen. Und mit ihnen haben auch wir die Möglichkeit wiederzukommen. Unverhofft, und nicht selten als Übel.
Auch die Hippies kommen von da, Erben der Sprachlosigkeit, in ihren bunten Kleidern, umschwirrt von delirierenden Träumen, Blumen zu werden, Blumen sprechen zu lassen, anstelle von Wörtern. Als ob das schön wäre. Und wo sie waren, ist ihre Sprachlosigkeit geblieben. Überall hier in Indien, das mir bis heute Angst macht. Solange es keine Sprache für verlassene Zimmer, Landschaften, Seelen gibt, scheint das, was wir wünschen, das Sprachlose zu sein. Als wäre Sprache das, wovon wir weg wollen. Dabei, ist es nicht umgekehrt? Wollten die Hippies nicht Blumen werden, um zur Sprache zu kommen? Träumten sie nicht von einem anderen Sprechen? Ihr Erbe ist schwer. Wir schleppen es mit uns, sie sind trotz allem unsere guten Geister. Darum sind wir hier, so viele Jahre nach ihnen.
Es ist das Jahr 2014 und wir wissen nicht, wie wir hierher gekommen sind. Wir, ein paar Leute aus Deutschland, in der Zeit, und machen uns Reime. Auf alles, was geschehen ist, was wir waren

und geworden sind. Unsere Lektionen bestehen aus tausenden Verbindungen und sind nur ein Traum. Denn wir können kaum mehr als träumen von so viel zurückliegender Zeit und wie sie uns noch immer mit einer Sehnsucht erfüllt, die größer ist als alles, was wir sein können.

Unsere Schule ist eine des Heimwehs. Wir wollen von denen lernen, die uns an uns selbst fehlen. Nur von ihnen können wir ein Gefühl haben, von ihnen, von denen wir nichts wussten, die wir nicht suchten, nur vermissten wir sie. Das war, als wir Kinder waren, noch nicht lange auf der Welt, ungeschickt im Schreiben, auf hohen Beinen im Schneetreiben der Wörter unterwegs. Und sie, von denen wir nichts wussten, von denen uns niemand etwas erzählt hat, sind uns noch immer die nächsten. Das heißt, wir kannten sie lange vor uns in- und auswendig. Par coeur, sagt Natascha dazu. Sie sind Teil der frühen Landschaft, in die wir gebracht wurden, selbst wie Vertriebene.

6. Lektion, die davon handelt, was für eine Geschichte in unserer Schule erzählt wird, wie wir es tun, wie eins aufs andere folgt, was dazwischen geschieht, was fehlt, ausbleibt, wiederkommt, und wer sind wir denn, wenn wir erzählen, wer sagt wir und heißt manchmal Véronique?

Dann kommt ein Tag im Frühling, es ist schon später Abend, die Zeit, zu der sich die Zungen der Trinker lösen, die Medikamente wirken, die Bedrückungen des Tages sich in Redseligkeit verwandeln. Alte Freunde fallen einem ein wie Schnee, wo sind sie nur, wo habe ich sie nur gleich? Vielleicht im Flur, hängen an der Garderobe wie früher im Haus meiner Großmutter die gelbe Strickjacke der Tante, war da als Hüterin, machte sie anwesend, wachte für sie und uns in ihrer Obhut. Oder auf dem Schreibtisch, irgendwo zwischen den Büchern, in der Küche die Tassen im Schrank; das sind sie doch. Eben noch zusammen im Holzwurm gesessen, vorher durch die Loeberstraße gegangen, um uns herum zog der Frühling, haben ihn mitgenommen, unter die Arme gepackt, den letzten Amselton im Ohr, unter der Zunge geborgen, neben uns die Bleichwiesen der Wieseck. Kleiner schmutziger Fluss, der in seiner alten Mulde dahinzog, erstickt von Abwässern, Zuleitungen, Gift, das Tag und Nacht produziert wurde; dumpfes, kaum merklich fließendes Gewässer. Was sich in ihm spiegelte, all die Ansichten der traurigen Stadt, Autos, Straßen, Brücken, Hochhäuser, verirrte Kinder neben Holunderbüschen, Brombeerhecken, Heer von Brennesseln versank sofort zwischen schillernden Schlieren, kam nirgendwo mehr an Land.
Seit Stunden fällt Regen, der Rhein führt Hochwasser, das von Stunde zu Stunde steigt. Schäumendes braunes Wasser schießt in seinem schnell viel zu eng gewordenen Bett vorwärts, Bäume treiben in den Wellen, die Blätter an den Ästen noch jung, kaum aufgegangen, Schiffsstege werden mitgerissen, die Polizei hat

die Uferstraßen abgesperrt, überall Schweinwerfer, Sandsäcke, der Fluss röhrt, und Helmudo ruft an.
Nach so vielen Jahren, in denen ich nichts von ihm gehört habe. Ariel sein Name, er hatte sich angewöhnt, hinter dem Sommer her zu fliegen, auch als der schon lange vorbei war und er sich auf den Straßen der DDR, oft nachts, auf der Rückfahrt von Berlin, verirrte. Fuhr von der Transitstrecke ab, kam über wacklige Landstraßen durch kopfsteingepflasterte Dörfer, in denen kein Licht brannte. Dunkelheit über dem Land, vor den Augen, die Scheinwerfer Fühler im Nichts, weiter, weiter fuhr er, wie er immer fuhr, hinter dem Lenkrad dem Ende der Welt entgegen, unermüdlich um sein Leben. Bis die Polizei ihn aufgriff, ihn einsperrte, tagelang und er war verrückt geworden. Wurde schließlich ausgeliefert. Aber davon später. Ariel, er ruft mich an und noch vor jedem anderen Gruß sagt er:
Wir müssen fahren, es wird Zeit, Véronique.
Ich weiß sofort, wovon er spricht.
Wir? sage ich.
Das Leben, sagt er. Es wird kurz gewesen sein, Véronique. Anfang November sind wir in Delhi. Die anderen wissen Bescheid, sie haben ja gesagt. Ein Film von Alexander in der Botschaft. Er lebt, ich habe das Programm gesehen, ein kleiner Bericht im Fernsehen, vieles spricht dafür, Véronique, er lebt.
Geht so die Reise von ein paar Leuten weiter? sage ich. Die in ihrer Jugend eine zeitlang Theater gespielt haben, immer laienhaft, improvisiert, meistens auf der Straße. Sie haben zusammen studiert, kamen in die kleinste Bäckerei der Welt, redeten sich um Kopf und Kragen, besuchten Günthers Anarchismusseminare, die mit ihm zusammen Richtung Indien verschwunden sind. Kurz nach ihm ist Alexander nach Indien gefahren. Erste große Liebe von mir. Und ich fuhr zuerst, Helmudo. Im Sommer 1976 nach Indien, weißt du das? Womit sich der Raum, in dem wir bis dahin gelebt hatten, an seiner östlichen Flanke wie eine alte Wunde öffnete, um nie mehr zu heilen. Ich fuhr

im Auto bis Indien, mit alten Freunden von Alexander. Er ist Schweizer, früh ausgewandert, studierte Film, erst in Berlin, dann in Köln, kam dann mit mir nach Gießen, wo ich studierte. Als ich zurückkam von Indien, ist er, ohne in seinen Briefen ein Wort davon zu erwähnen, aus unserer gemeinsamen Wohngemeinschaft ausgezogen. Er hat mich, während ich in Indien war, verlassen. Auch Günther. War schon weg, als ich zurückkam, losgefahren in östlicher Richtung, hat sich bei keinem verabschiedet. Ein paar Postkarten noch von ihm aus Belgrad, Thessaloniki, Istanbul, dann nichts mehr. Nie mehr.

So sind wir über Nacht Übriggebliebene geworden, sagt Helmudo, und Indien ein Reich der Verschwundenen. Wir haben uns weiter in der kleinsten Bäckerei getroffen, spielten noch ein bisschen Theater, wollten nur nicht mehr Pantomimen werden, wovon wir eine Weile geträumt hatten, ohne zu merken, wie stumm Pantomimen sind. Als wären sie tot, als spielten sie Ahnen, mit ihren weißen Gesichtern, den starren Augen, den leuchtend roten Mündern.

Warnung vor dem Maul, sage ich. Wir blieben nicht in Gießen, zerstreuten uns, wurden älter, ab und zu meldeten wir uns beieinander, es kam zu Treffen, bei denen wir suchten, was wir einmal waren und fragten uns, warum uns das noch immer so lebendig vorkam, so überbordend, dass wir nicht anders konnten, als uns leicht verrückt anzustrahlen, ganz eingenommen von dem, was wir glaubten, gewesen zu sein.

Ich habe alle angerufen, sagt Helmudo. Kamal, Abdul, Natascha, Camille, Véronique und Helmudo.

Und ohne lange zu überlegen, sage ich, sagen wir: Ja.

Als folgten wir einem lange ausgebrüteten Plan, von dem keiner etwas Näheres wusste, sagt Helmudo. Und wir verabschieden uns, legen auf, alles dreht sich. Ich bleibe im Zimmer sitzen, es ist dunkel, draußen die kleinen Dächer der Schuppen im Hinterhof, beleuchtet von den Laternen des Römischen Grabens, dem

Ausgrabungsfeld mit seinen Knochen und Scherben, das gleich hinter dem Haus verläuft.
Gerade bin ich im strömenden Regen von der Vernissage einer Zeitschrift zum Thema Blackout zurückgekommen. Zwei indische Brüder haben ihre darin veröffentlichten Texte gelesen. Kamen mir wie die Zwillinge aus der *Toten Klasse* vor, Tadeusz Kantors Stück, in dem alle Schauspieler auch noch als Puppen mitspielen, sehen genauso aus wie sie, spielen immer zu zweit, und die Zwillinge der *Toten Klasse*, die zwei Brüder, zu viert. Die Lebenden und die Puppen gleichen sich aufs Haar, begleiten sich, gehen ineinander über, sprechen zu sich, für sich, gegen sich und trennen sich wieder. Manchmal sind die Puppen lebendiger als die Schauspieler, übernehmen das Spiel, dann kommen wieder die Schauspieler und machen sie zu Puppen.
Die indischen Brüder lasen vom Stromausfall in Cochin, von wo ihre Eltern kommen, sie kennen es nur noch von Besuchen. Mal las der eine, mal der andere, Black und Out, doppelter Stromausfall. Da war Fort Cochin, Haus ihrer Tante, in dem sie Fremde waren. Sie schauen durch ein vergittertes Fenster direkt auf den großen Platz, in die Riesenbäume, die den Platz einfassen, in ihrem Schatten Männer in leichten Hemden, die auf großen Steinen hocken, sie rauchen, unterhalten sich, schauen auf die Wiese vor ihnen, zum Himmel, rauchen weiter. Ein paar herumlaufende Kinder, ein Ball, sie spielen Fußball, manchmal werfen sie ihn auch einfach in die Luft, vielleicht bleibt er ein bisschen oben und sie können sich was wünschen. In der Nähe der Steine die räudigen Hunde, blinde, dreibeinige, solche ohne Haare, an sie geschmiegt die spindeldünnen Katzen, auch sie im Schatten der Bäume, liegen da wie Fliegen, mit geschlossenen Augen. Später Nachmittag, die Hitze steht, ein Moped braust über die nahegelegene Straße, auf und ab, unermüdlich. An der Stirnseite des Platzes die alte Kirche der Portugiesen, S. Franziskus, der mit den Vögeln spricht. Die halten still in der Hitze, wenn sie auftauchen, werden sie von den Krähen gejagt, selbst

wenn sie Falken sind. Dann fährt ein Auto vors Haus, zwei Männer steigen aus, sie tragen bei dieser Hitze Anzüge, kommen ins Haus. Wie sich herausstellt, sind es ihre Onkel, sie sind zum Tee da, küssen sie. Kurz darauf fahren die beiden wieder weg. Das Moped ist die ganze Zeit weiter auf und abgefahren. Schon setzt die Dämmerung ein, die Glocken von S. Franziskus sind zu hören, irgendwo das Geplärr eines Autos, das einen Zirkus ankündigt, der Lautsprecher auf dem Dach, eine Trompete ertönt, der Platz verwandelt sich in eine Arena. Morgen werden dort Artisten erwartet mit bunten Fähnchen am Rücken. Sie kommen aus China und bringen ihre kleinen Pferde mit.
Der Himmel hängt voll Wolken. Als es dunkel wird, zeigt sich kein Stern. Die Kirche verschlossen, keiner spricht zu den Vögeln, sie sind allein, in der Nähe des kleinen Friedhofs der Holländer, die Gräber zerfallen, aus dem hohen Gras ragen die Grabsteine wie Felsen. Gleich dahinter das Meer, es stinkt nach Fisch und Öl von der Raffinerie gegenüber auf einer Landzunge. Sieht aus wie ein Raumschiff, das nicht in den Raum gestartet ist, zurückgeblieben auf der Erde. Sollte in einen Film aufgenommen werden, wurde dann doch nicht gebraucht, der Film nie gedreht, vergessen, abgebrochen und liegt dort noch immer an der Küste des Arabischen Meeres. Mit hunderten bunter Lichter besteckt, denen kein Stromausfall was anhaben kann. Die riesigen Tanks wie Festungen, mit Pipelines verbunden, tuten in die Nacht, leise, tief, teilen mit, dass sie noch immer da sind und vom Weltraum träumen. Dazu gurgelt das Öl. Wann endlich würden sie in ihre andere Galaxie aufbrechen? Eine nach der anderen würde das Raumschiff seine Zündstufen zünden und sie alle würden vor unseren Augen im All verschwinden, im Film, für den doch alles bereits organisiert war, nur der Regisseur wusste nicht weiter. Er konnte nicht, hatte die Liebe verloren, er hatte sich verloren, was wollten nur all die Menschen von ihm, war er nicht eine Schwalbe, kam und ging mit dem Sommer?

Das Raumschiff kann Wasser in Öl verwandeln, jede Nacht entzündet es sein Lichtermeer. Dann beginnt mit einem Mal die Nacht sich zu drehen, oder ist es der Film? Immer schneller, die beiden Brüder werden aufgehoben, gezogen, hoch, hoch, bis sie über dem Platz vor dem Haus ihrer Tante schweben. Aus dem schaut keiner von ihnen mehr raus. Wo sind sie? Der Platz ist leer, sie erkennen einen Schatten über die Wiese ziehen wie von Wolken, schnell ziehen sie am Himmel entlang. Die Hunde haben sich zu den Abfällen der kleinen Essensstände entlang des Strands zurückgezogen. Die Bäume stehen entfernt, bilden eine riesige Wand. Sie sind allein, zwei indische Vögel. Der eine der Mond, der andere die Sonne und wie die Kraniche, die dem Okeanosstrom zufliegen, im ewigen Krieg mit dem kleinen Volk der Pygmäen, dem sie Unheil bringen wollen. Sie sind die Vögel, die das Raumschiff bewachen, sie wollen ans Ende der Welt fliegen, an ihren Rand und Schluss machen. Draußen zu sein ist ihnen noch nie gelungen. Auch nicht, wenn sie fliegen. Denn die Erde, die Länder, die Wächter und ihre komischen Vögel, die Fremden, das kleine Volk, das sie glauben, bekämpfen zu müssen und schlimmer noch, das sie glauben, bekämpfen zu können, sie alle leben auf der Erde, die rund ist wie die Arena im Zirkus, der morgen in die Stadt kommen wird. Die Kraniche haben im Gefieder das Rauschen der Zeit. Sie, wie die Zeit, das Raumschiff, der Friedhof der Holländer wollen sich eingefügt wissen, ihre Spuren, ihre Flüge, Kämpfe, Aufbrüche und Rückkehren irgendwo eingeschrieben, noch immer vorhanden.

Als sie aufhörten zu lesen, hatte ich schon längst den Faden verloren. Ich war in das Blackout geraten, von dem sie gelesen hatten, irgendwann am Abend im Haus ihrer Tante und wie alles dunkel geworden war, nur das Raumschiff der Raffinerie trieb vor der Küste mit seinen hunderten von Lämpchen, die die Dunkelheit bewachten wie die Kraniche die Zeit.

Ihrer Lesung folgten ein Junge und ein Mädchen in leichtem hellen Kleid, er mit Gitarre, sie mit ihrer Stimme und sie sangen, als wären sie die Nachfahren von Simon und Garfunkel. Wieder waren sie unfassbar jung, so zart ihre Stimmen, berührten die Wände, die nachgaben, seufzten, den Raum erfüllten, berührten uns mit einem Hauch, ein Ach und Ach. In mir tauchte, gleich nach der Raffinerie vor der Küste Cochins, eine holländische Insel auf, wie sie in der Nordsee trieb, umspült von der Zeit, dem grauen Wasser des Nordens. Es war dunkel geworden an jenem Abend und ich mit einer Gruppe junger Mädchen in einem Ferienlager. Wir waren vierzehn, fünfzehn, voller Tatendrang, wollten die Welt herumschleudern, ausreißen und fressen. Als etwas am Himmel geschah, von den beiden Musikern gerufen, auch von dem Jungen, dem Mädchen, den indischen Brüdern aus Cochin. Etwas antwortete uns in unserer überbordenden Kraft, mit der wir ganz allein da standen und nicht wussten, wo wir sie lassen könnten. Nach dem Abendessen waren wir im Speisesaal zurückgeblieben, hatten Musik gehört. Hinter dem Saal erstreckte sich eine große Terrasse, die auf eine Wiese führte. Dahinter erhoben sich die Dünen, das Meer war zu hören, dann nichts mehr. Wir waren allein, der Saal leer, aufgeräumt, die Türen zur Terrasse standen offen, es war dunkel geworden, wir hatten kein Licht gemacht. Einige von uns tanzten, drehten sich, andere schauten zu, gingen nach draußen, rauchten. Als eines der Mädchen innehielt. Edith, sie ging seit einem Jahr in meine Klasse, musste wiederholen, war älter als wir. Sie sprach laut, oft abgehackt mit herber Stimme, alles an ihr wirkte gedrungen, zusammengeballt. Oft trug sie schwarze Kleider, auch im Sommer auf der Insel und lief auf die Terrasse, starrte zum Himmel, fing an zu schreien. Gott, Gott, ich habe Gott gesehen, schrie sie zur Musik von den beiden Musikern, die von der Brücke über dem unruhigen Wasser sangen, aber hier bei uns an diesem Abend weit und breit keine einzige Brücke, alle abgerissen und wir fürchteten uns, wussten nicht, was wir tun sollten. Saßen da und hofften, es würde wieder vorbeigehen. Sie war außer sich, kreidebleich. Weinte. Hör auf zu schreien, wein nicht, sagten wir ihr, leise, flehend. Versuchten, sie anzufassen, an der Schulter, um die Arme, hielten sie fest und sie wie erstarrt. Irgendwann hat sie aufgehört zu schreien, rannte in die Wiese und streckte die Arme aus, fiel auf die Knie. Kosmisch? Ach was. Sie ist uns an diesem Abend verrückt geworden. Wir wollten sie mit uns nehmen in den Schlafsaal, zu den Doppelbetten. Sie kniete in der Wiese, schüttelte uns ab und wir ließen sie zurück. Am Morgen fanden wir sie in ihrem Bett. Sie schlief, wir weckten sie nicht. Die Tage darauf war sie still, zurückgezogen. Keine von uns sprach mit ihr darüber. Im nächsten Schuljahr, das bald, nachdem ich wieder zurück war von der Insel, anfing, kam sie nicht mehr in meine Klasse. Ich sah sie nie mehr, suchte sie nicht, bis sie an diesem Abend aus dem Unterbruch, dem Blackout in Cochin, aufgetaucht ist. Ich erschrak, wie ich damals mich erschrocken habe. So ging ich nach Hause, die Luft war voll Fluss, der überzulaufen drohte und auf seine Weise den Weltraum anschrie.

7. Lektion, die da weitergeht, wo Edith auf einer Insel in der Nordsee Gott sieht und im Himmel über New York trifft John Lennon Ufos, dann vergeht Zeit, und wieder ist es später.

Es muss, ich bin mir fast sicher, im gleichen Sommer gewesen sein. Die Insel, auf der wir im Ferienlager waren, hieß Ameland und John Lennon saß auf seinem Balkon im siebzehnten Stock in New York, schaute auf den East River, der ihn an den Mersey zu Hause in Liverpool erinnerte. Einwanderung und Auswanderung gaben sich in New York von jeher die Hand, wechselten die Seiten und sattelten ihre von Gott gesandten Pferde. Da waren das Meer, der Ozean, auf der anderen Seite das neue Land, die verschwundenen Indianer, die hier überall verscharrt und verleugnet in der Erde lagen. Was sie nicht daran hinderte, da zu sein. John wusste das. Der Geist der Indianer, an denen nichts verloren war, brachte ihn durch die Nacht. Kaum war seine Zigarette aufgeraucht, glühte schon die nächste zwischen seinen Lippen. Dünner Rauchfaden von Virginia her, ohne den er nicht leben wollte. Es war Ende August, früher Abend und so heiß, dass auf der Straße vor seinem Haus der Asphalt schmolz. Wer konnte, war übers Wochenende in die Hamptons oder Catskills ausgeflogen. Die Stadt war ruhig. John Lennon auch. Ambulanz- und Polizeisirenen, schreiender Herzschlag einer unablässig fortschreitenden Evakuierung, der diese Stadt durchpulste, seit es sie gab, – selbst sie hielten in der Hitze still. Konnte es zu heiß sein, als dass man sterben konnte?
Er saß allein auf seinem Balkon, um ihn herum Himmel. Für einen Moment ganz leer, selbst die Dämmerung war noch nicht da, stand nur kurz davor, einzubrechen. Als zwei drei Stockwerke über ihm – groß, weiß, sich drehend, von einer blinkenden Lichterkette geschmückt wie ein Ausflugsdampfer, – ein Ufo auftauchte. Plötzlich war es da, schaute ihn an. Er schrie. May, May, rief er, die nicht Yoko war, sondern ›Verlorenes Wochen-

ende‹ genannt wurde. Er aber nannte sie May. Komm sofort her, rief er. May kam, sah. Das Ufo nickte ihnen zu, es meinte sie, wollte zu ihnen sprechen, ein Bote, die Rückkehr der Engel vielleicht. Gab es sie also doch, für sie, für die Liebe? Sie schrien, hörten gar nicht mehr auf, sie tanzten auf dem kleinen Balkon, sie jauchzten, das Ufo blinkte, drehte sich, flößte ihnen Mut ein, Zuversicht, ganz viel Luft. Das Universum war voller Leben, sie waren nicht verloren; nicht ihr Wochenende, ihre Liebe nicht, nicht sie.
Niemand würde ihnen das glauben. Niemals, schoss es ihnen durch den Kopf. Alles, was hier geschah, vor ihnen, ihren Augen und es war um sie geschehen, würden sie mit ins Grab nehmen. Ihr Geheimnis, unsagbar. So sah die Liebe aus. Sie hatten sie gefunden, sie war da und kam zu ihnen zurück. Sie konnten nichts anderes tun als schreien, kreischen, ihre Brillen in die Luft werfen. Auf der ganzen Welt hatten sie gesucht, hier war sie, war zu ihnen gekommen. Das war sofort klar. Kleine Raumfahrt, Himmelsfahrt, funkelnde Diamanten überall, schönes Geblinke, kleine Lucys am Himmel, jede Menge, viele, Galaxien, Milchstraßen, was für eine Verwirrung, Abhebungen, es war auch was mit dem Herzen. Bestimmt. Sie fielen sich in die Arme, küssten sich und tanzten weiter. Dann, mit einem letzten, entschiedenen Aufblinken: A Dio, A Dio, funkte das Ufo. Es riss sich los, flog weiter die Straße runter, wo es an der nächsten Kreuzung steil nach oben in den Himmel sauste, um in der unbemerkt eingebrochenen Dunkelheit der Sommernacht zu verschwinden. Mit Millionen Grüßen an Little Foot, rief John noch ganz außer sich. Häuptling der Apachen, brüllte May.
Von ihrer Begegnung habe ich erfahren, kurz bevor wir uns nach Indien aufmachten. Stand in der Zeitung, Seite drei, als es schon viel zu lange her war. Doch es war geschehen, war wie gestern, brachte Susan und Edith mit sich, die vor Sehnsucht übergeschnappten jungen Mädchen mit ihren dahingleitenden Seelen. Ich ging mit ihnen in eine Klasse, schwänzte mit ihnen

Physik und Chemie. Wir haben unsere ersten Zigaretten zusammen geraucht, und dann sind sie nicht wiedergekommen, sind wie all die, die ihnen noch folgen würden, irgendwo in die Gegend am Rand der Welt verschwunden. Ich war zu jung, um spüren zu können, wie sehr sie mir fehlten, schon damals, wie sehr ich sie vermisste.
Verrücktwerden lag in der Luft, die Musik rief uns. Gott war nicht da, und wir spürten mit all unserer Kraft, dass er nicht da war. Bei einigen führte das dazu, ihn mit aller Gewalt herbeiholen zu wollen und sei es, dass sie selbst Gott würden. Er sollte, er musste da sein und das war, woran sie verrückt wurden.
Susan kam aus Leonard Cohens gleichnamigen Lied. Eines Tages nach den großen Ferien wie Edith in meine Klasse versetzt und hat dieses Lied gesungen. Sie nahm mich mit in die Eiscafés rund um die Schule. Ein jedes mit seinem Traum oder Heimweh nach Italien, dem Süden, ein bisschen Wärme. Wo wir auf hohen, geschwungenen Stühlen saßen, an den runden Tischen, an denen ich schon in meiner Kindheit der Trostlosigkeit des Wiederaufbaus entkommen war, der uns einer Zukunft auslieferte, für die es keinen Grund gab. In der Jukebox das Lied von *Nathalie*, von den *Sisters of Mercy*, von *Lucie mit den Sternen* und *Take me to the Station*. Susan sagte, dass wir Reisende seien auf Schiffen, in Autos, in unseren Körpern und Sinnen, flüchtig und schön, sagte sie und ich wollte wie sie sein, reisen. Wir gingen zum Ufer des Rheins. Wir konnten die vorbeiziehenden Schiffe hören. Sie kamen mit Tee, mit Kaffee, Orangen.
Es war Morgen, Susan saß neben mir in ihrem braunen Kriegswitwenmantel mit den zu kurzen Ärmeln, auf Taille geschnitten, lang bis zu den Knöcheln, mit breiten Schultern, auf dem Kopf eine Fliegermütze aus Leder. Vielleicht von ihrem Vater.
Auch heute hatte sie in der Manteltasche ihr Eiskonfekt dabei, von dem sie sich ernährte. Eine in einzelne kleine bunte Staniolformen verpackte Schokoladencreme in spitzem, durchsichtigen Beutel, mit einem lachenden Eisbären darauf. Wir saßen

an einem dieser runden Tische, tranken Kakao und heiße Milch mit Honig. Wir schauten hinaus, draußen ein langgezogener Platz mit vielen Haltestellen für die Busse, die jeden Morgen die Schülerinnen und Schüler abluden, die hier aus allen möglichen Gegenden zusammenkamen. Es regnete, war kalt, der Platz gepflastert, an den großen Ahornbäumen, die am Rand standen, hingen noch letzte, gelbe Blätter, die gefleckte Rinde nass, unruhig. Die Schülerbusse waren alle schon durch, hatten ihre Fracht abgeladen, die Schüler waren in der ersten Stunde. Nur wir nicht. Wir waren allein im Monti. Sein Besitzer, Herr Andreotti, machte sich Sorgen, wenn wir nicht zur Schule gingen, er sagte, spätestens um 9.00 Uhr würde er uns hinausfegen. Dabei griff er zu seinem Besen, der immer hinter der Theke in dem kleinen Zwischengang an der Wand lehnte, hob ihn hoch, dass wir ihn auch sahen. Wir würden freiwillig gehen, versicherten wir ihm, nur diese eine Stunde nicht, Physik. Ich verdrehte die Augen. Herr Andreotti lachte. Ich stellte mir meinen leeren Platz im Schulzimmer vor, nicht weit von dem von Susan entfernt. Ich ertrug die Lehrerin nicht, altes BDM-Mädchen und dann gleich in den Schuldienst, auch die Schule ertrug ich nicht. Ich wusste nicht, was sie dort von mir wollten, da war ich wie Susan. Was wollten Schulen von denen, die sie besuchten? Natürlich war das kein Besuch, und ich kein Gast. Ich war froh, neben Susan sitzen zu können, zu schweigen mit ihr und von weitem auf den Rhein zu hören, auf die Schiffe, lange, schwere Pötte, dem Ruhrgebiet zutreibend, ihre Ladung zu löschen, während wir hinausschauten, wie der Regen fiel.
Das alles erfüllte mich mit dem Gefühl, losgegangen zu sein, zu schweben. Doch dann geschah was? Entschied sich etwas? Entschied sich überhaupt je was im Leben? Ging nicht alles weiter? Ich saß mitten darin und war bereit, dachte ich.
Aus großer Ferne wie vor dem Leben, sagte ich. Warum ich das sagte, wusste ich nicht. Susan nickte. Hinter den Ahornbäumen fuhren weiter die Autos. Gelbe, rote, weiße.

Sie hatte das schwarze Haar, die dunklen Augen wie ihre Schwester und ihre Mutter, der Vater war lange schon tot, bald nach ihrer Geburt, ehemaliger Arzt. Ihre Schwester eine der besten Schülerinnen der Schule, ihre Mutter Studienrätin, Französisch, Latein, brachte sie durch, fand ihre jüngste Tochter undankbar. Susan verstand nicht, was sie ihr beibringen wollten, was sie lernen sollte, endlich begreifen. Nichts, was sie lebendiger mache, sagte sie. Meistens schwieg sie im Unterricht, da konnten die Lehrer lange auf sie einreden, ihr in die Augen schauen, sie war wie nicht da. Ich fürchtete mich, wenn sie angesprochen, wenn sie irgendwas gefragt wurde. Irgendeine Endung auf Französisch, eine Unbekannte in einer Gleichung, die Amöben, die Ruhr. Sie blieb sanft, schaute die Lehrer an. Manchmal sagte sie, dass keine Welt sei, dass die Wüste rot, die Stadt eine Fabrik, die Seele leer sei, sogar die Liebe.
Am Abend vorher waren wir zusammen in Köln im Theater gewesen. Ein Stück über Trotzki. Was aus ihm geworden ist, was aus Lenin. Und wie das alles kam. Die beiden lagen auf der Bühne in Feldbetten, schliefen, eine Frau erschien und deckte sie mit Militärmänteln zu. Da war Lenin schon tot, Trotzki im Exil und wieder lagen sie in den Feldbetten. Oder lagen da noch immer, waren gar nicht aufgestanden. Dann tritt Trotzkis Sohn auf: Warum hast du uns verlassen? In Sibirien. Die Schwester schon gestorben. Ein Strohsack war alles, was du zurückgelassen hast. Mein Vater, ein Strohmann. Er ging ab, ein Schuss war zu hören wie bei Čechov. Er hatte sich umgebracht, das Kind eines Revolutionärs. Sein Leben für die Revolution. Was blieb, waren alte Männer in Feldbetten, Nächte allein im Zimmer, oder mit einem, der schon tot war. Auf der Bühne der Weltrevolution konnten die beiden Männer nicht aufhören zu flüstern: Hier soll das Glück wohnen. Nein, das sagten sie nicht. Sie sagten: Sie wird blutig sein oder nicht.
Aus dem Lautsprecher war der Textauszug eines Handbuchs der Stadtguerilleros aus Brasilien zu hören gewesen: »Der Stadt-

guerillero hat im Terrain seine besten Alliierten und ist deshalb bestrebt, diese genau kennenzulernen.
Als Alliierter muss das Terrain intelligent in seinen Unebenheiten, Höhenunterschieden und Unregelmäßigkeiten, in seinen normalen, zugänglichen und geheimen Orten, verlassenen Gegenden, Buschwerken usw. bei der Aktion eingesetzt werden. All diese Dinge sind von Nutzen für den Erfolg der bewaffneten Aktion, Rückzug, Deckung und Tarnung; Verengungen, Sackgassen, Straßenarbeiten, Polizeikontrollen, Militärzonen, Sperrzonen, vom Feind versperrbare Tunneleingänge, unbedingt zu benutzende Straßen und von Polizei oder Ampel kontrollierte Kreuzungen müssen in allen Einzelheiten bekannt und studiert sein, damit fatale Fehler vermieden werden.
Unsere Aufgabe ist es, einen Weg zu finden und genau zu wissen wohin und wie wir uns zurückziehen können, um dabei den Feind in ein Gebiet zu locken, dessen Geländeverhältnisse er nicht kennt. Indem der Stadtguerillero sich mit Alleen, Straßen, Gassen, Kurven und Kreuzungen der Städte mit all ihren Brücken, der Kanalisation usw. vertraut macht, ist er später in der Lage, sich in unwegsamem und schwierigem Gelände sicher und ohne Schwierigkeiten zu bewegen, das der Polizei nicht bekannt ist, und wo diese in einen Hinterhalt oder eine Falle gelockt werden kann.
Beherrscht der Stadtguerillero das Terrain, so kann er sich dort zu Fuß, mit dem Fahrrad, im Auto, Jeep oder Lastwagen bewegen, ohne jemals ertappt zu werden. Da er in einer kleinen Gruppe handelt, kann er diese jederzeit an vereinbarten Orten treffen und neue Guerilla-Aktionen vorbereiten oder aus der Umzingelung der Polizei entkommen und diese mit einer für den Feind unfassbaren Kühnheit demoralisieren. Für die Polizei ist es im Labyrinth der großen Städte ein unlösbares Problem, zu fangen, was nicht zu sehen ist, zu unterdrücken, was nicht zu fangen und zu umzingeln, was nicht zu finden ist.«

War das eine Liebeserklärung an die Stadt? An die genaue Kenntnis der Landschaft? Dichtung? War das aus einer Fibel fürs Schreiben von Aufsätzen? Aus einem Geographiehandbuch? Die Landschaft als Alliierte?
Ich verehrte Trotzki, ich hielt ihn für den elegantesten unter den Revolutionären. So schloss ich mich der Gruppe der Internationalen Trotzkisten an, träumte von der Revolution und der Distanz zugleich. Das war, nachdem ich meinen kleinen Job als Kirchenzeitungsausträgerin gekündigt hatte. Den ich, seitdem wir in die noch dörfliche Gegend am Stadtrand gezogen waren, übernommen hatte. Woche für Woche trug ich etwa dreißig Zeitungen über die umliegenden Dörfer aus. Die meisten Abonnenten waren Bauern. Sie mochten mich. Das war wie mit den Witwen. Einige, meistens die Alten, die Zeit hatten, sich nicht mehr gut bewegen konnten, baten mich in die gute Stube. Nachdem ich durch den Kuhstall in den Flur getreten war, wo schon auf einem niedrigen Schränkchen, in dem sie die Gebetbücher und weißen Taschentücher für den Sonntagsausgang aufbewahrten, das Geld für mich und die Zeitung bereit lag. Oder ich ging in die Küche, wo die Bäuerin hantierte. In einem Sessel unter dem Fenster, die Beine in eine Decke gewickelt saß die Mutter des Bauern, schälte Kartoffeln, sagte kein Wort. Das war wie bei meiner Freundin Elsemarie. Die kleine Tochter der Bäuerin, das jüngste Kind, saß am Küchentisch und malte. Der Hund sei draußen mit dem Mann, sagte die Bäuerin, fragte, ob ich ein Glas Milch oder Kaffee haben wolle? Nein, ich müsse noch weiter, sagte ich. Die Großmutter schaute nicht auf, schälte mit ihren dünnen weißen Fingern weiter Kartoffeln, die sie in eine hohe, mit Wasser gefüllte Schüssel fallen ließ. Die Bäuerin trug ein Kopftuch, unter dem an den Schläfen ihre Locken hervorschauten. An den Füßen schwere Schuhe, eine Kittelschürze, wie die der Großmutter. Die Tochter am Tisch malte einen gelben Igel. Der sieht aus wie ein Kugelfisch, sagte ich, als sie wie in einem Anfall den Igel mit roten Stacheln besetzte. Nein, sagte

sie, er explodiert gerade. Ach so, sagte ich und legte die Kirchenzeitung auf den Tisch in die Nähe des in die Luft gejagten Igels. Ich kam jede Woche. Donnerstags, spätestens freitags. Alle vier Wochen musste ich die Abonnementgebühren kassieren und im Gemeindezentrum abliefern. Sie gaben mir oft Trinkgeld, manchmal auch Äpfel, Nüsse, wenn sie zu viel hatten.

Einmal bin ich in die Küche der Bäuerin gekommen, da stand eine Blechwanne neben dem Tisch, der Raum war voller Feuchtigkeit. Schwere warme Wasserwolken, es war Winter und in der Wanne lag eine riesige Schwangere. Eine junge Frau, die Mieterin der kleinen Wohnung hinter den Stallungen. Sie hatte keine Badewanne und die Bäuerin hatte ihren Bitten nachgegeben. Sie hatte unbedingt baden wollen. Sie schrie auf, als sie mich sah und ich war auch gleich wieder hinausgelaufen, ihr gewölbter Bauch, ihre Brüste. Die Bäuerin war mir gefolgt. Sie hatte rote Wangen, Schweiß stand ihr auf der Stirn, sie war aufgeregt. Sie sagte, es könne jeden Moment so weit sein. Ich dachte an den Igel, an die Frau in der Wanne, die Bäuerin, die hier neben mir stand, in deren Küche die Badewanne, ein Schiff für die Schwangere, für das Kind, das sie gebären sollte. Ich stellte es mir in seinem kleinen Ozean vor, wo es leichte Bewegungen machte. Einmal um die eigene Achse, vor und zurück. Ein Junge, dachte ich, sah ihn in einem Matrosenanzug, wie er im Bauch seiner Mutter trieb. Noch war er ertrunken, bald würde er auf der anderen Seite des Wassers leben müssen. Getrennt von seinem Element, an den Küsten, auf den Dörfern, am Rand der Städte. Es würde ihm nichts anderes übrig bleiben, als sich das Handbuch der Stadtguerilla zu Herzen zu nehmen. Ich stand vor dem Kuhstall, neben dem Mist, aus dem dunkle Flüssigkeit gesickert war, die sich im Betonbecken staute. Neben mir noch immer die Bäuerin. Ich hatte ihr die Zeitung in die Hand gedrückt, ich würde nächste Woche wiederkommen, ihre dunklen Haare jetzt ohne Kopftuch, die vielen Locken, durch die Stalltür konnte ich die Kühe hören, ihr Kauen, wie sie im Stroh von einem Bein aufs

andere traten, die Ketten, die Schwere ihrer Körper, das ewige Milchgeben. Ich stellte mir schöne, selbstbewusste Kühe vor, Tiere, die lächelten, wie die Reklame der Kuh, die lacht und der Käse lachte dann auch. Ach, ich war verwirrt.
Viel Glück, sagte ich der Bäuerin. Oder ich sagte Ahoi und ging an den Hühnern vorbei, die aufgeschreckt wegliefen. Ich drehte mich nochmals um, hob die Hand über den Kopf als würde ich dort etwas greifen können, winkte der Bäuerin zu, wo sie eben noch gestanden hatte.
Ich mochte das Gehen über die Dörfer, eine Botin der Kirchenzeitung, in der ich ein Photo entdeckt hatte, aus dem Film eines südamerikanischen Regisseurs. Auf dem Photo war ein Klettergerüst zu sehn, wie die auf den Spielplätzen, aus Quadraten gebaut, die Stangen bunt angemalt. Es war riesig, schien zu schweben. In diesem Klettergerüst hingen an den bunten Stangen Priester. Hingen von den Stangen in die Tiefe, hielten sich mit ihren Händen fest, in ihren langen schwarzen Kleidern, die in der Luft wehten, sie schaukelten, schienen jeden Moment zu fallen wie überreife Früchte. Was für eine Szene war das, was sah ich da? Der Film hatte einen Preis der Kirchen bekommen.
Vor ein paar Tagen hatte ich mit meinem Vater einen anderen Film aus Südamerika gesehen. Im Zimmer des Vaters, er lag schon im Bett und ich saß daneben, wie oft. Ich behütete ihn. Zwischen uns der Teewagen mit den hohen Rädern, den gelben Deckchen, die mich immer an Segel denken ließen. Der Teewagen gehörte zu meinem Vater wie der silberne Aschenbecher, die Pfeifen, die Zigarren, Schwarze Gesellen von Josef Feinhals. Ihnen gegenüber auf einem Schrank stand der kleine portable Fernseher, den ich später noch lange mit mir herumtragen sollte. Wir schauten den Bildern nach im flackernden Licht des Fernsehers, zwischen uns das Schiff, beladen mit Rauchwaren, Tee. Wir würden uns verlieren, doch wer würde unsere Bilder sammeln? Zusammenfügen zu einem Film, der die Vergessenen oder die Verschwundenen heißen würde? Wir ließen uns nichts an-

merken. Wir spürten, dass wir uns verlieren würden. Ich und mein Vater im dunklen Zimmer, im Licht des kleinen Fernsehers auf dem Schrank gegenüber, dessen Lichtschein uns in eine Folge von Bildern zu verwandeln schien. Bis auch wir uns aus Schatten, Schnitten, Konturen zusammensetzten. Jede Sekunde wie viele Umdrehungen? Und das Herz? Das um seine eigene Achse wirbelte? Wir sahen einen Film, von dem wir wünschten, er würde nicht aufhören, er würde bleiben, und wir könnten uns ruhig, kaum merklich zwischen den Schnitten der Bilder verlieren.
Da war mein Vater schon dabei, fortzugehen für immer. Es hatte dieses Weggehen in meinem Vater gegeben, seit ich ihn kannte. Eine Art, sich nach innen zurückzuziehen, wenn er still wurde, kaum etwas sagte, sich über nichts beklagte. Dann tagelang im Bett lag, von Fieber geschüttelt, wenn es die Malaria war, die jedes Jahr wieder kam. Oder er war schwach, bleich, mit quälendem Husten und in Angst, die alte Tuberkulose käme zurück, die wie eine Bewohnerin von uns allen war, aber vor allem des Vaters, der mehr bei der Tuberkulose lebte als bei sich oder mir. Bei der Mutter war er schon lange nicht mehr. Sie hatten sich verloren, dafür war zu viel zwischen sie geraten. Ich war das Kind einer Liebe, die meine Eltern als ferne Erinnerung ihrer selbst mit sich genommen hatten und auch nicht aufhörten, bei sich zu behalten. Eine verlassene Liebe, von ihnen verlassen, sie konnten nicht anders, es war keine böse Absicht, und diese Liebe lebte dennoch, war am Leben, atmete in der Gegenwart und mit ihnen aus einer unvordenkbaren Zeit.
Die Schwangere gebar noch in der folgenden Nacht ihr Kind, einen Sohn. Die Hebamme war rechtzeitig da gewesen, es war alles gut gegangen. Ich beschloss, nicht nur meine Arbeit als Kirchenzeitungsausträgerin zu beenden, sondern auch noch aus der Kirche auszutreten. Auf meiner letzten Runde verabschiedete ich mich bei den Bauern und ihren Familien. Ich sagte ihnen nichts von der Kirche und von Trotzki auch nichts. Nur

den Kühen, den Hühnern, den Hunden und Katzen, die zu ihnen gehörten, machte ich Andeutungen. Sie wünschten mir Glück, waren ein wenig traurig, mich nun nicht mehr zu sehen, wir hatten immer ein bisschen miteinander gesprochen, das war interessant gewesen.

Doch seitdem mied ich die Ställe, die Bauern, ich ertrug sie nicht. Schon als kleines Kind nicht. Die einzige Ausnahme war Elsemarie. Sie war die Tochter eines der reichsten Bauern, der eine Wirtschaft hatte, einen Campingplatz, eine Jagd und viele Kinder. Elsemarie war mir am ersten Tag, als ich am neuen Wohnort an der Haltestelle des Schülerwagens stand, um in die ebenfalls neue Schule zu fahren, entgegengekommen und wir waren uns sofort zugetan. Liebe auf den ersten Blick nannte sie das später und wir freuten uns, dass wir uns damals getroffen hatten. Viele Jahre fuhren wir jeden Tag miteinander in die Schule. Elsemarie war in einer Parallelklasse, wir hatten die gleichen Zeiten, so fuhren wir auch mittags wieder zusammen zurück. Bis zur Endstation des Busses und wir waren auch am Morgen die, die als erste die besten Plätze besetzen und für diejenigen freihalten konnten, die sich das verdient hatten. Wir wussten von vielen Schülern, wo sie herkamen, auf welche Schulen sie gingen, und ob sie von Interesse waren.

Oft verbrachten wir auch die Nachmittage und Abende auf den Wiesen, am Bach, im Zimmer von Elsemarie, in ihrem großen Haus, in dem ein Gespenst lebte. Es war aus Fleisch und Blut und hieß Schwester. Schwester war nicht wirklich ein Gespenst, eher ein Engel aus der Familie der Walfische. Sie war ein bisschen älter und wohnte im schmalen Zimmer vor dem von Elsemarie. Wenn ich Elsemarie besuchen wollte, musste ich zuerst den Raum von Schwester durchqueren, wo ihr Bett an der Wand gegenüber dem Fenster stand. In dem lag sie, in Decken vergraben, gab Geräusche von sich. Lange, laute, leise, tutende, schrille und immer ein bisschen anders. Sie erkannte mich am Schritt. Ich nannte sie Schwester, obwohl sie Marielouise hieß, sprach sie an, sprach vom Wetter, von der Schule und dem Film des Südamerikaners, von dem ich in der Kirchenzeitung gelesen hatte. Mit ihr sprach ich zuerst, noch vor jeder Begrüßung von Elsemarie, und sie mit mir am liebsten in den schrillen langgezogenen Tönen als triebe sie tief unter Wasser. Sie war das Uhrwerk des riesigen Hauses, und sie war geheim. Die Wenigsten wussten, dass es sie überhaupt gab.

Im unteren Stockwerk des Hauses befanden sich die Gaststätte, die Wirtschaftsräume, neben Ställen und Scheune. Die Mutter von Elsemarie, eine große, hellblonde Frau, immer mit Zigarette in der Hand, tiefer Stimme, regierte die Küche, in der nicht nur für die Familie, auch für die Gäste gekocht wurde. Neben dem Herd lagen Berge panierter Schnitzel, auf dem Tisch die riesige Schüssel Kartoffelsalat, manchmal tote Rehe auf den Kühltruhen im Flur, im Hof hingen Fasane, schon ganz blau geworden, und im Zimmer oben drüber Elsemaries Schwester, der alte Walfisch. Sie schaukelte in ihrem kleinen, verknäulten Körper, sie konnte nicht gehen, nicht stehen, sie wiegte mit sich das Haus, wälzte sich, bäumte sich auf als führe sie zur See, wo man ihr viele Ratschläge gab, andere als die in der Schule: Hör genau zu, warte, setze die Segel, wenn kein Wind geht, die Sintflut ist auch nur die Sintflut. Nein, sie warf sie durcheinander. Das war der Rat, den sie aus der Seefahrt zog. Den sie in ihrem Bett, im Wechsel der Tage, im Brausen des Lichts, zwischen Nacht und Tag und wieder Nacht bedachte.

Es war die große, blonde Mutter mit der Zigarette, die Elsemarie so verehrte, für die sie alles getan hätte, die mir von einem Tag auf den anderen verbot, das Haus zu betreten. Wir waren weit nach Mitternacht von einem Fest zurückgekehrt. Mein Vater war zur verabredeten Zeit da, um uns abzuholen, doch ich schickte ihn weg, wir würden später kommen, sagte ich ihm, und irgendwer würde sich schon finden, der uns bringen würde. Dem war nicht so, niemand brachte uns. Wir mussten zu Fuß gehen, kein Bus, kein Taxi, im Dunkeln an der Landstraße entlang, ab und zu

Hundebellen, blendende Autos, dann wieder Nacht. Elsemaries Mutter wartete auf uns an der Haustür. Die Gaststätte schon lange geschlossen. Sie sagte, was sie zu sagen hatte, packte Elsemarie wütend am Arm und ich wandte mich ab. Ging die Straße durch den Wald, die mich nach Hause bringen würde. Angst war mir vergangen. Auch wenn es schrecklich war.
Da glaubte ich schon an den Aufstand, an den Widerstand, an die Rebellion. Ich stand nicht einfach auf, ich leistete nicht einfach nur Widerstand, ich rebellierte nicht nur, ich glaubte auch daran. Wiederholte, verdoppelte, was ich tat in meinem Glauben, mit meiner Leidenschaft. Ich sprach davon, laut und wild oft, schrieb kleine Notizen, noch zaghaft, aber etwas hatte sich in mir aufgespannt, war weit und leicht, wollte abheben, auffliegen über die Ställe und Häuser der Bauern am Rand der Stadt, sich forttreiben lassen, allen Adieu sagen.
Sie wolle am Fluß bleiben, sagte Susan an diesem Morgen im Eiscafé. Sie wolle die Schiffe hören. Sie sei all den Weg aus dem Krieg hierher gekommen, in ihrem Wintermantel, den sie über ihren Hemden mit den Sternen trug, die seitdem am Himmel fehlten.
Vielleicht war Gott ja eine Schwangere in der Badewanne, dachte ich, und sah die Szene wieder vor mir bei der Bäuerin in der Küche, wie sie sich erschrocken hatten, als ich ins Zimmer trat, alle zwei oder drei. Ich dachte an Elsemarie und Schwester, eine Vorgängerin von Susan. Die Nachmittage bei Elsemarie, bis ich sie nicht mehr sehen durfte. Die Gedichte, die ich ihrer Schwester gewidmet hatte vom Walfisch, der im Fußboden schwamm, vom Bären, vom Wolf, die ihn begleiteten und von den verräterischen Eichhörnchen, die ›Oh Tannenbaum‹ sangen. Sie waren glücklich gewesen. Kinder in ihrem trunkenen Fußbodenschiff. Auf ihrem Nachttisch hatte ein kleiner Tannenbaum gestanden, mit ein paar silbernen Kugeln, in denen sich das Zimmer spiegelte und auf den Ästen lag eine Schicht Schnee. Das war das Zimmer einer anderen Seefahrerin gewesen, in dem ich mich immer

wieder niederließ. Dann sah ich das Haus vor mir, oben der erste Stock, wo die Treppe aufhörte, das Geländer, die Fenster, die auf den Hof gingen, die Wiese ins Tal hinab, steil und tief, wo der kleine Bach fließt, in dem wir einmal einen Unterkiefer von einer Kuh fanden. Auf der anderen Seite die langgestreckte Wiese den Kumper Berg hoch, die wir im Winter mit dem Schlitten runtersausten immer in der Angst, nicht früh genug abbremsen zu können und entweder in den Stacheldrahtzaun zu geraten oder in den Bach. Wie ich, wenn ich in Elsemaries Zimmer gelangen wollte, um den Treppenaufgang herum gehen musste, dann die letzte Türe vor dem Fenster öffnen, wo sich schon der Geruch, die Atmosphäre von Schwester aufhielt, bereit mich zu empfangen, mich einzunehmen für die Welt dieses Wesens, das auf meine Schritte hörte, schon unten auf dem Treppenabsatz, kaum hatte ich die Tür geöffnet und losschwamm im Bettlager, das sein Gehäuse war.
In meinen Träumen, wenn ich abends, nachdem ich mit Elsemarie in den Wäldern von Gronenborn, weiter Richtung Blecher über Hahnenblecher unterwegs war – wir liefen die kleinen Wege ab, ein Stück an der Straße entlang, dann bogen wir auf den Feldweg, über den wir in großem Bogen ins Dorf kamen, in dem die Josefs wohnten, eine berüchtigte Brüderhorde, kleine Schläger, die von Tag zu Tag größer wurden, – lebte ich in der Nähe dieses Wesens, das mich schützte und mit sich nahm auf seinem schwankenden Kahn. Wir waren zusammen im alten Ozean unterwegs, auf alles unvorbereitet.
Susan und ich brachen auf. Wir hatten es Herrn Andreotti versprochen. Zweite Stunde Geschichte bei Frau Wunsch. Der Kessel von Stalingrad. Die Russen sind unser Feind, sagte sie. Als Susan sie fragte, was mit dem Kessel von Leningrad sei? Denken sie an den Newski-Prospekt, Frau Wunsch, sagte Susan, an die Ermitage, denken sie an all die systematisch ausgehungerten Russen, über Jahre, sie haben Katzen gegessen, Ratten, alles, was sie kriegen konnten, Tote. Sie setzten sich zu zehnt zusammen

und würfelten, wer von ihnen als nächster zu verspeisen wäre. Sie spielten gerecht. Wie damals während des großen Feldzugs durch die Wüste. Als Darios, der König, das sah, gab er sofort den Feldzug auf. Das hatte es schon mal gegeben in der Geschichte, erinnern sie sich, aufgegebene Feldzüge. In Leningrad war es nicht so. Auch nicht in Stalingrad. Es soll Leichen gegeben haben, die hatten haselnussgroße Herzen, sagte Susan. Wegen dem Hunger, der Kälte. Ihre Sätze fielen zu Boden, wo sie liegen blieben. Frau Wunsch stand da, hielt sich an den eigenen Händen fest. Die Geschichte endet hier, sagte sie und schickte uns viel zu früh in die Pause.

8. Lektion, in der es darum geht, was passiert, wenn die Geschichte endet, obwohl sie doch gar nicht zu Ende ist, jedenfalls so lange es so jemanden gibt wie Helmudo, der uns anruft und sagt, er lebt, Alexander, ein Film von ihm in Indien, in der Botschaft. Und so geht die Geschichte damit weiter, dass ich Alexander auf der Insel kennenlerne, die im Jahr vorher Edith um den Verstand gebracht hat. All das ist das Leben, von dem wir lernen wie die Verrückten.

Im Sommer darauf reiste ich wieder auf die holländische Insel in der Nordsee. Diesmal allein, ohne Gruppe. Mein Vater brachte mich bis zur Fähre. Wir verabredeten, dass er mich drei Wochen später wieder abholen würde. Es war Juli. Ich mietete mich im Ort am äußersten Rand der Insel in der Pension Zwann ein. Das Zimmer war klein, vor dem Fenster gleich die Dünen, ich konnte das Meer hören. Auf dem Weg zum Strand lief ich manchmal an der Wiese vorbei, über der Edith Gott gesehen hatte. Zog in einem Nachen mit kaltem Blick über den Himmel. Alt geworden, konnte nicht sterben, noch immer auf der Suche nach dem *Heart of Gold*, von dem Neil Young sang, am Nachmittag, wenn ich im kleinen Café des Orts Kaffee trank. Manchmal musste ich dabei weinen, wollte es aber lieber nicht. Mein Haar trug ich lang und war bald braungebrannt. Abends saß ich oft lange, nachdem es dunkel geworden war, auf der Terrasse der Pension, schaute in die Bäume des Dorfplatzes. Es waren Kiefern, wie die aus meinem ersten Wald.
Die heiligen Bäume der Japaner, die im No Theater den Bereich der Toten säumen. Davor ein schmaler Steg, dem Auftritt der Geister vorbehalten, über den sie kommen und gehen. Ich hatte über das No Theater gelesen, staunte, wie die Geister im Spiel waren. Sie hatten ihr Reich, ihre Rollen, ihre Masken, eigene Wege, ja sogar ihre Bäume, die wandlungslosen, immergrünen. Dort lernte ich Alexander kennen. Er war auf die Insel gekom-

men wegen eines Films. Was für ein Film das sein sollte, habe ich bis heute nicht verstanden. Irgendwas mit Josef Conrad, Trotzki und zwei Männern, die nach den Schauplätzen eines von Conrads Büchern suchen, auf das sich Trotzki in seinen letzten Arbeiten bezieht. Verschlüsselt natürlich. Dabei geraten sie sich in die Quere, verdächtigen sich, jagen sich, denken, der andere trachte ihnen nach der Spur, dem möglichen Geheimnis, verborgen in Schriften, Andeutungen, doppelten Bezügen, die sie bei ihren Nachforschungen entdeckt hatten. Vielleicht war der eine auf den anderen angesetzt worden. Ein Spion, oder vom KGB, vom israelischen Geheimdienst, vom Bundesnachrichtendienst beauftragt. Vielleicht war auch Gold im Spiel, das zwischen Russland und Mexiko verloren gegangen war. Der Seeweg über Indonesien? Malaysia, die Straße von Malakka? Der andere ist ein Theatermann, reist durch die Goetheinstitute Südostasiens, wo er verkündet, dass es nichts Neues gebe im Theater, da es auch in der Welt nichts davon gebe. Die alten Geschichten, die Schauspieler müde, die Zuschauer traurig, die Männer der Regie herrschsüchtig. Bei all dem versinken die beiden Männer immer mehr in der Hitze, im Schweiß, hören die Termiten in den Wänden, im Boden fressen, unter den Betten die Skorpione mit aufgerichtetem Stachel, wie sie warten, lauern, ah, die Tropen. Sie trinken, haben Malaria, brechen zusammen, müssen blutverdünnende Mittel nehmen, Chinin, lassen sich mit Frauen ein, die sie ausnehmen. Wirte betrügen sie, Chauffeure, Airlines verkaufen ihnen Flüge, die es gar nicht gibt. Einer von ihnen wird von einem Hund gebissen und so weiter. Der Film wurde nie fertig. Nicht in Europa, so lange er hier war. Vielleicht in Indien, vielleicht ist es der Film, von dem Helmudo am Telefon gesprochen hat, der in der Botschaft gezeigt werden soll.
Eines Abends setzt er sich zu mir an den Tisch. Er will wissen, ob ich mich auf der Insel auskenne?
Warum? sage ich.
Wegen eines Films, sagt er. Er sei Filmer.

Ich misstraue allem, was ich sehe, sage ich. Was ist schon ein Bild, was ein Ausschnitt? Ich stelle mir vor, was jenseits davon ist.
Was jenseits davon ist, können wir doch nicht wissen, sagt er.
Ich nicke. Erzähle ihm von der Freundin, Susan, die mit dem Lied von Leonard Cohen weiter gegangen ist als wir sehen können. Die daran geglaubt hat, dass die Zukunft vorher war und die Vergangenheit nachher kommen würde. Ich sagte, dass ich sie verloren hätte. Sie, die weiter sehen konnte, vor allem an klaren Tagen. Wenn ich sie verstünde, sagte sie, sei sie zu wenig klar gewesen.
Ich sprach auch von dem Film mit den Priestern, ihren Soutanen, die wie Gespenster – ich dachte an große, schwarze Rochen, Flügelfische – von einem riesigen Klettergerüst hingen, frei im Raum und wie dann eine Gruppe ihrer Zöglinge auf das Klettergerüst gestürmt sei und in ihre Hände und Finger gebissen hätte. Bis sie flogen, flogen, zur Erde hinab segelten. Diese Bilder, sagte ich und schaute ihn an, als wüsste er etwas dazu zu sagen, als könnte er sie mir erklären oder sagen, was dahinter war, was von dort uns anschaute. Die Bilder, die Priester, die Flügelfische. Er nickte und sah mich an.
In der Pension waren die Lichter gelöscht worden, die Wirtsleute hatten uns gute Nacht gewünscht. Wir hatten noch eine Flasche Wasser und Wein nachbestellt. Ja, wir würden die Gläser im Flur auf die Anrichte stellen, sagten wir. Dann war die Inselnacht gekommen, hatte uns eingenommen wie eine Festung und mit ihr trat der Mond auf. Ich sah ihn plötzlich und erschrak. Ich musste ihn vorher schon gesehen haben, doch war er wie nicht zu sehen gewesen, schwebte als reine Durchsichtigkeit am Himmel. Wo war ich? In was versunken, dass ich den Himmel sah und darin einen leeren Mond, oder ich sah den Mond und darin einen leeren Himmel. Jetzt schien er wie eine Grubenlampe. Wie still er war, als würde er jeden Moment sein Auge

schließen und ich und Alexander wären fort von hier. Doch er blieb auf, ich auch.
Lass uns ans Meer gehen, sagte Alexander. Der Weg durch die Dünen über Holzbohlen. Da war es, kam auf uns zu und ging wieder, hin und her. Wir zogen die Schuhe aus, im nassen Sand leuchtete bei jedem Auftreten ein fluoreszierender Kranz auf. Ich war es, die seine Hand nahm. Wir werden nur das Wort Film behalten, sagte er. Und zog mich mit sich, Richtung Dünen. Wir legten uns in den Sand, in eine Mulde, kein Laut, nur unser Atem, bald außer sich in der Umarmung, wir waren allein und hatten das Gefühl, von etwas aufgenommen zu werden, was auch noch da war, wir waren zu zweit und dann war da noch was und wir liebten uns. Dort am Meer, dem kleinen Meer, zum ersten Mal.
Die Bewegung aufeinander zu war klar, sanft, als wären wir aus Samt. Schwere Vorhänge, die sich in der Nacht leicht bewegten, irgendwo war ein Durchzug. Und zwischen uns kein Auffliegen, kein Hochfliegen, ein Übergehen vielmehr, ein Wechseln. Wer waren wir nun?
Die Liebe. Übergehen mit Haut und Haar. Eine und Einer sind Drei. Die Nordsee spielt Alter Ozean. Oder war die Liebe schon vorher da? Wo? Meine, seine? Aus den Rippen geschnitten? Nacht für Nacht. Am Tag schlafen wir, beruhigen uns von der Seefahrt auf offenem Meer, weit weg von den Festländern. So gehen die Tage dahin, verlieren uns aus den Augen, aus dem Sinn. Schon steht die Abfahrt bevor. Wie verabredet. Mein Vater wartet auf der anderen Seite der Fähre, kommt die Liebe abholen mit mir darin. *Heart of Gold*, das war da ich.
Ein Jahr noch bleib ich, dann geht mir die Welt unter und am Ende der Welt, ein paar Meilen weiter, fällt die Liebe ins Nichts. Was war geschehen?
Der Vater war gestorben. War über die Berge des Monds gegangen, dorthin, von wo er kam. Ach, reite du nur, Vater. Seitdem irrt die Liebe herum. Schickt mir Briefe, die ich auf meiner

ersten Reise nach Indien aus dem fruchtbaren Tal von Bamiyan an Alexander schrieb, Liebesbriefe, was sonst. Vielleicht waren sie auch an den Vater gerichtet. Hellblaue dünne Blätter, vollgeschrieben bis an den Rand mit Linien und Luft, die Wörter wie Vögel, die am Abend, kurz bevor es dunkel wird, den Himmel küssen. Von den Postämtern Indiens, Afghanistans, des Irans losgeschickt. Sie sind alle zurückgekommen, Adressat unbekannt. Lagern in hohen Regalen hinter den Postschaltern, im stickigen Wind der Deckenventilatoren. Vermodern, werden feucht, setzen Stockflecken an. Mit den Jahren bleicht die Schrift aus, als wären die Botschaften darin mit Zaubertinte geschrieben. Wurden schliesslich dem Archiv unzustellbarer Botschaften, dem Dead-Letter-Office im Himalaya der Briefe überantwortet. Wo sie noch immer auf die Empfänger der alten, verdrehten Nachrichten warten, die wir Liebe nennen.
Lieber Alexander, schreibe ich, noch ist nichts vergangen. Ich hatte einen Traum. Ich stand vor einer Tür. Auf der stand: Indien. Die Tür war offen, es war meine Tür. Ich ging hindurch. Sofort wünschte ich mir, wieder vor der Türe stehen zu können, zu warten, zu hoffen auf das, was mich dahinter erwarten würde. Denn sobald ich über die Schwelle getreten war, öffnete sich der Raum und da war nichts, außer der stillen Beharrlichkeit, die ich diesem Nichts zu erwidern versuchte. Wo ich ging, gab es keinen Grund. Dann wurde mir alles, was hinter der Tür geschah, doppelt: Es war und würde noch kommen, es kam und wäre eines Tages gewesen. Ich hörte den Hahn, er rief. Die Nacht ging zu Ende und als ich erwachte, sah ich die Buddha-Statuen von Bamiyan vor mir. Draußen vor dem Fenster des kleinen Hotels, in dem wir untergekommen waren. In den Berg geschlagen, in Nischen stehend, die größte, auch die kalte Statue genannt, Licht scheint durchs Universum, begehbar. Am Abend vorher habe ich auf dem Kopf Buddhas gestanden, sein uralter Scheitel unter meinen Füßen. Vor mir die Weite des fruchtbaren Tals. Der Fluss, Pappeln, Aprikosenbäume, Felder in Grün, am Ho-

rizont, in dunstigem Schleier die nächsten Höhenzüge. Mitten in Afghanistan der Rand der Welt und die Buddhas als Wächter. Die vielen Felsnischen mit Gemälden, kleinen Statuen, wo die Mönche gelebt haben, Versammlungsort, Kreuzung der Richtungen, die Weisen aus dem Morgenland zogen vorbei, nahmen Gaben mit. Kehrten bis jetzt nicht zurück.
Ich bin mit dem Lastwagen hierher gefahren. In einer Stunde weiter zu den Seen von Band e Amir. Die Straßen Pisten voller Löcher, überall Schranken, Zölle werden erhoben, für jedes Stammesgebiet ein Visum. Haben wir uns in Kabul besorgt, fünf oder sechs, tagelang, das Auto dort zurückgelassen, auf dem Campingplatz, unter Bäumen, wo in der Wiese die Holzbetten stehen, auf denen die Reisenden neben ihren Autos schlafen. Lieben da unter freiem Himmel, im Schutz der Kiefern, die ihren unruhigen Schlaf in der Nähe der Milchstraße, dem Flirren und Sausen der Lichter behüten. Von denen sie abhängen, ihre Regungen, ihr Atem im Schlaf.
Auf Reisen öffnet sich der Raum und alles wird ungewiss, sogar die Ungewissheit. Da sind dann die Sterne am Himmel, der Mond, die Sonne, die Bäume. Und die Buddha-Statuen, gelb die kleinere, bleich die größte. Ruhig, ebenmäßig fallen die Falten ihrer Gewänder. Ihre Körper aus Berg, wie sie mit ihren Buddhaaugen dem Gang der Dinge und der Zeiten entgegensehen, sie schauen durch die Weite der Landschaft und schlagen ihre Augen von der anderen Seite her wieder auf. Sie sehen alles, sie sehen nichts, sie schauen.
Die Fähre legte ab, die Insel wurde immer kleiner, schon kam die Küste des Festlands in Sicht, ich setzte über und schaute in die sich vor und hinter mir unablässig vergrößernde Entfernung.

9. Lektion, in der es um das Jahr gehen soll, das bleibt, und wie gut es ist, dass wir nicht wissen, was noch alles geschieht.

Da war er, Alexander, mitten in mein Herz gewandert.
Eines Morgens in Zürich hat er auf dem Tisch in der Küche einen Zettel zurückgelassen: Mama, in diesem Land herrscht Krieg. Nimm es nicht persönlich, ich gehe.
So war Alexander. Dann ging er. Am Morgen, wie es immer am Morgen geschieht, dieses Weggehen. Das war am Zürichsee 1972, Ende Februar. Der Kulturbunker war geräumt worden, der Aufstand in der Stadt hatte sich gelegt, dämmerte vor sich hin, halb erstickt, fiel dann in Schlaf und das Land wurde wieder das traurige Land, das er kannte, seit er in ihm auf die Welt gekommen war. In einem Land, in dem es keinen ersten und auch keinen zweiten Weltkrieg gegeben hatte, fand der Krieg in den Familien statt. Keiner entkam. Er zog nach Berlin, wie das alle Schweizer tun. Studierte ein bisschen Film, las Conrad, hatte eine diffuse Idee von einem Indonesienfilm mit zwei Männern, vielleicht Holländern, die sich auf der Suche nach den Orten, an denen Conrads Romane spielten – *Almayers Wahn*, *Die Verlorenen der Inseln*, *Lord Jim* –, ins Gehege kamen, sich verfolgt fühlten voneinander, einander auflauerten, sich schließlich gegenseitig umbrachten, an einem Herzinfarkt starben, an Auszehrung, Wahn. So etwas. Wofür er nach Drehorten suchte auf der Insel, und stattdessen mich traf.
Wer war der zweite Mann? fragte ich ihn. Warum der Verfolger, wer verfolgte wen? Joseph Conrad?
Er konnte mir nicht antworten. Kam mir nur, kurz nach meiner Abreise von der Insel, in einem klapprigen grünen VW nach. Zog nach Köln, fand einen Studienplatz für Film- und Fernsehwissenschaften, eine kleine Wohnung in der Südstadt. Unsere Liebe flog schnell. Er sah wie ein großer Lombarde aus, mit dunklen Haaren, die Augen hell. Für sein Leben gern fuhr er um

die Stadt herum. So als wäre er ein Indianer am Amazonas, beschrieb große Bögen, immer auf der Jagd, immer bereit. Kaum aus der Stadt raus, fuhren wir durch Wälder, durch Auen, machten an den Ufern von Sieg und Ahr Rast. Es war noch warm, der Herbst golden, in den Gärten stand der eiserne Heinrich hoch, leuchtete sein sinnloses Warngelb ins All.
Auch über die Dörfer im Bergischen Land fuhren wir, in denen ich vor noch nicht langer Zeit die Kirchenzeitung ausgetragen hatte. Wo in einer Küche ein roter Igel explodierte, am nächsten Tag war ein Kind geboren, und im Stockwerk oben drüber wälzte sich ein alter Blauwal in seinem hölzernen Bettkahn.
Längst hatte die Schule wieder angefangen, ich konnte nicht so oft bei ihm in Köln sein, meistens an den Wochenenden. Manchmal, wenn ich mit ihm in der Gegend von Köln oder später dann auch in Gießen, in die Landschaft der Wetterau, des Vogelsbergs fuhr, bekam ich Heimweh, wollte ich bei meiner Liebe bleiben, dabei saß ich neben ihr.
Es war November geworden, die Spinnen hatten ihre Nester gebaut, der Winter stand vor der Tür. Das waren die Gründe, das war Köln, das nannte ich Liebe. Während Alexander wie eine Art Uhr weiter um die Stadt in der Rheinischen Tiefebene seine Kreise zog.
Das Semester hatte angefangen, Alexander lernte Natascha kennen. Sie studierte das gleiche wie er mit Schwerpunkt Theaterwissenschaften. In der kleinen Küche spielten wir uns Szenen aus seinem Indonesienfilm vor, wie wir ihn uns vorstellten, improvisierten, was uns gerade einfiel. Natascha war Lenin und ich Trotzki, wir lagen auf Feldbetten, lange nach der Revolution und Lenin erzählte von seiner Zeit in Zürich, von den Dadaisten, die bei ihm ins Zimmer stürzten, den anstürmenden Surrealisten, Morphinisten und bunten Hunden vom Cabaret Voltaire. Natascha trat dann als Anna Blume auf und ich als Hugo. Spielten, wie wir zu Lenin ins Zimmer kamen. Er lag im Bett und sah wie der Wolf aus, der schon alles gefressen hat. Das kannten wir,

damit waren wir groß geworden, das erschreckte uns nicht, und wir sagten: Hüte dich, spielst du Wolf, bist du bald einer. Doch spielst du nicht Wolf, bleibst du einer. Alexander drehte ein paar Szenen, am Ende war Lenin tot und lag wieder neben Trotzki auf dem Feldbett, der auch bald tot war.
Rasch kamen noch andere dazu, Filmer, Studenten. Wir nannten sie die Weisen und Könige. Das waren wir. Über Nacht Schauspieler eines Films geworden, den sich keiner vorgestellt hatte. Weit weg von dem, den sich Alexander auf der Suche nach *Almayers Wahn* ausgedacht hatte. Unser Film war mit dem Schnee gekommen und mit dem Wissen, dass Schnee Erkenntnis bringt, warum das alles.
Gegen Abend setzte Schneefall ein, leiser, unablässiger, als sie endlich den Kölner Dom erreichten, wo sie ihr Kamel an der Pforte abgaben und dem Domprobst zuriefen: Ein Bier für unser Kamel. Sie selbst suchten den Schrein mit ihren Gebeinen auf, legten sich ihm zu Füßen auf den Boden und sanken bald in einen seligen Schlaf, froh, wieder in der Nähe ihrer Gebeine zu sein. Sie lagen einander zugeneigt Kopf an Kopf, auf ihren Gesichtern ein Lächeln, etwas huschte über sie hinweg, ein helllichter Tag vielleicht in tiefem Traum, ein Widerschein von etwas, das stattgefunden hatte, ein Gehen, Heben, Neigen. In ihren Händen hielten sie Stücke eines Kometen, die sie selbst im Schlaf noch, mit geschlossenen Augen, hoch über sich hielten. So dass sie auch in der Nacht noch das Gefühl von Schneien im Herzen tragen konnten.
Am Morgen, als sie erwachten, wussten sie nicht mehr, ob es der Morgen des vorhergehenden Tages war oder ein anderer von viel früher. So nahmen sie ihre Schätze, verbeugten sich vor ihren Knochen und gingen Richtung Südstadt weiter. Mainzer Straße 48, dritter Stock, wurden bei einem Filmregisseur vorstellig.
Der fragte sie nach ihrer Losung und sie sagten: Klare Bilder, vage Ideen.

Gut, sagte er, denkt an das Rot bei Matisse, das Grün bei Delacroix.
Später gingen sie dann zusammen zu einem Griechen am Ubierring, der gab ihnen nach dem Essen Ouzo aus, jede Menge. Ihr erinnert mich an mein Dorf, sagte er und küsste sie auf beide Wangen, worüber sie sich freuten. Sie hatten sich vorgenommen, außer sich zu geraten. Sie wollten raus, nach draußen, wo sie noch nie gewesen waren. Denn hier auf der Erde kam keiner raus. Was am König der Hölle lag, sagten sie. Der legte zwar seine Täuschungen bloß, doch diese hörten damit nicht auf zu täuschen. Sie schworen auf Karl Marx. Der hatte gesagt, dass wir die Spitzfindigkeit nicht fürchten sollten, die es brauche, um den König dieser Hölle zu stürzen und die Teufelchen zu befreien. Diesen Satz hatten sie sich zum Gefühl vom Schneien zu Herzen genommen und sie wollten ohne Furcht sein. Daher ihre Suche nach dem Draußen, wo sie noch nie gewesen waren, selbst mit ihren Schätzen, ihrem Kamel und allen ihren Gedanken nicht. Sie dachten an die Stücke eines Kometen, die sie mitgebracht hatten, dachten an Schamanen, Filmer, Philosophen und Schriftsteller, die sie mochten, die immer von den zwei Körpern und den drei Seelen des Menschen ausgingen und versuchten, auch wieder dorthin zurückzukehren. Das wollten sie auch. Doch sie wussten, dass nicht Wiederkehr sie empfangen würde, und Abkehr wäre keine Lösung.
Sie sagten sich, wer die Träumer sieht, stirbt. Dann machten sie das Licht aus, sprachen im Dunkeln über das Leben. Wobei sie immer wütender wurden. Das war schon viel, das war schon mal viel mehr als sie sich je zu träumen gewagt hätten, sagten sie sich und wurden wieder ruhiger. Sie sprachen auch über alte Texte, die sie in ihren Schatzkisten mitgebracht hatten und stritten über Metaphern. Beispielsweise die des Kamels. War die Metapher für Kamel Kamel? Was war mit dem Nadelöhr, wie sollte je eine Metapher da durch gehen? Sie fanden das nicht

in Ordnung und fragten sich, ob es auch etwas anderes geben könne als Metaphern?
Einer von ihnen, er hieß Friedrich, Alexander mochte ihn am liebsten, fragte wie am jüngsten Tag, was ist Geschichte? Und sofort sorgten sie sich, ewig gestrig zu bleiben. Niemals würden sie etwas erreichen, wenn jetzt erst der jüngste Tag wäre, denn war der nicht einer der ältesten? Was aber vielleicht auch mit Radikalität zu tun hatte.
Verwässert sie mir nicht, rief ich in die aufgebrachte Runde, dabei war ich die Jüngste von allen.
Wie sie von da zu Trotzki gekommen sind, wussten sie nachher nicht mehr, aber Trotzki, sagten sie, soll zu Lenin gesagt haben: Die Wahrheit sei sehr einfach, sie zu sagen, sehr, sehr schwer. Dann schrien alle auf und waren sich einig: Zu viele Liebesträume, zu viele Revolutionsmärchen, zu viele Wissensgebiete, zu viele Geschichten. Schließlich setzten sie sich auf den Boden im Kreis und hielten still. Das nannten sie das Brüten über das große Nichts ihrer Seelen. Eine Übung, die sie liebten. Sie machten sie ganz für sich, ohne jeden Zirkus. Ihr Geist wurde weit, sinnlos und sie wussten, dass jede Minute ihres Brütens zählte.
Über dem Haus in der Mainzerstraße stand in dieser Winternacht ein Mond, voll, gelb und matt. Er konnte glühen, das hatten sie schon gesehen, rot, braun, sogar blau manchmal. Dann sah er, dann lebte er, dann war er nah. Dieser hier über ihnen war weit weg, wie abgewandt, schon kamen von der Seite Wolkenwände, weiß in der Nacht, von seinem fahlen Licht beschienen, die sich flach auffächerten, ausdehnten über den Himmel wie eine große Jalousie, hinter der sich die Ferne der schlafenden Erde verbarg.
Auch am nächsten Abend gingen sie zum Griechen, er küsste sie gleich als sie eintraten, hob sie hoch, gab ihnen kleine Spießchen mit Lammfleisch zu essen. Gestärkt kamen sie zu folgenden Schlüssen: Die einfachen Bilder sind ein Traum. Diesem Traum

wollen sie folgen und die Trägheit ihrer Herzen in Schwerkraft verwandeln.
Konnte das wahr gewesen sein? Alexander hat es gefilmt. Sein erster Film, gedreht im Kölner Dom und in seiner Wohnung. Seine Abschlussarbeit.
Dann stirbt mein Vater, die Liebe fällt hinter das Ende der Welt und ins Nichts. Trauer ist da. Doch das Glück der ersten Liebe mit Alexander bleibt wie ein undurchdringlicher Schatten im Zimmer stehen, in jedem, das ich seither betreten, in dem ich gegessen, geatmet, geschlafen habe. Früher, in Begleitung des Vaters, bin ich ein Rabe gewesen, sagt der Schatten.

10. Lektion, die nach einem kleinen Ausflug wieder zurückkehrt zu Helmudos Anruf am Abend nach so vielen Jahren, der Rhein führt Hochwasser, die Luft röhrt, der Fluss wirft sich auf gegen Ufer und Himmel. Noch ist unklar, wann das geschah, schon kommt der nächste Abend und wieder ruft er an.

Hier spricht Helmudo, mir geht es gut, ich kann mich rasieren, mir die Zähne putzen, Kaffee trinken, Musik hören, Fernsehgucken. Alles so viel ich will. Verrücktsein ist nur Verrücktsein, nicht auch plemplem. Ich weiß was von Alexander. In Indien. Seine Filme sollen in der Schweizer Botschaft gezeigt werden, irgendein Jubiläum, im Herbst, im November. Er ist Schweizer, sagt er und lacht, hättest du auch nicht gedacht, was? Wir müssen hin, Indien, das wollten wir doch immer, wir müssen fahren. Feed your head, sagt die Haselmaus. Wie früher, Véronique, durch die Gegend gefahren, immer auf Achse, Günther dabei, Alexander hat gefilmt, auf Tonband aufgenommen. Das ist Soziologie, haben wir gesagt. Futter für unsere Köpfe. Sachen hin und her tragen, auch Denken, Fühlen, mit den Leuten reden, beobachten, forschen, Bürgerinitiativen, Anti-Atombewegung, nein danke, Frieda Kahlo an den Wänden, Hirsch mit Pfeilen im Leib, die gebrochene Wirbelsäule von tausend Nägeln zusammengehalten, zwei offene Herzen in zwei Frauen, sitzen da auf den Stühlen, alle schon ganz irre geworden von ihren Bildern, konnten nicht genug kriegen davon, egal, nach Wyhl auf den Bauplatz gefahren, Kaiserstuhl, erinnere dich, Véronique.
Du spinnst, sage ich.
Nein, sagt Helmudo, ich bin nur verrückt.
Dann hast du es dir ausgedacht.
Nein, im Fernsehen, ein Bericht aus Bangalore, der Stadt des Weißen Tigers, Alexanders Name, wiederaufgetauchter Film aus den späten siebziger Jahren, von ihm, neu geschnitten.
Wo ist er?

Irgendwann in der Nacht, ich weiß nicht mehr, auf welchem Sender, BBC vielleicht, sagt Helmudo.
Du hast geträumt, deine verdammten Pillen genommen, eine zum Größerwerden, eine zum Träumen, keine zum Runterkommen. Wir wissen doch gar nicht, ob er nach so vielen Jahren noch lebt.
Peanuts, sagt Helmudo, legt auf und ich rufe Abdul an.
Was sollen wir tun? Abdul lacht. Er ist in Gießen geblieben, als einziger, die ganze Zeit, einfach geblieben, was auch eine Art Indien ist. Theater sowieso. Wer im Theater lebt, der hat die ganze Welt.
Seit Helmudo angerufen hat, habe ich das Gefühl, es wäre das Jahr 1976, sage ich. Es ist Sommer und ich fahre nach Indien. Als erste, danach fängt das Verschwinden an. Vorher noch dieses Folk Festival in der Stadt, lauter junge Menschen in dörflichen Kleidern in den Ruinen des Schiffenbergs unterwegs, singen Lieder mit deutschen Texten, viele Gitarren, Helmudo spielt alle Lieder nach, noch Jahre später. Ein Schiff sticht in See, sein Steuermann ein windiger Kerl. Wir segeln mit, spielen ein Stück von einem schwarzen Fisch, der ist Iraner, ein kleiner und bald werde ich durch das Land fahren, aus dem er kommt. Land vor dem Land. Wüste in der Wüste. Unendlichkeit.
Als die Iraner von der Revolution träumten, sagt Abdul, als der Schah ihr Feind war, als noch so viele von ihnen in Gießen lebten, hier studierten, sich bereit hielten für die Revolution, die meisten von ihnen in der CISNU organisiert. Trotzkisten, schöne, höfliche, junge Männer, Orientalen, nicht zu vergleichen mit unseren Revolutionären. Die glaubten, revolutionär zu sein, für etwas zu kämpfen, würde ihnen erlauben, sich gehen zu lassen, die Form zu verlieren, wenn nur der Kampfeswille stark war, dabei war es doch umgekehrt, sagt Abdul. Die Iraner in der Stadt machten sie schöner. Sie sprachen in Bögen, verschlungen, über viele Nebenwege und waren dann doch da. Nie näherten sie sich einer Sache auf gerader Linie. Einer von ihnen spielte

mit bei dem Stück, es war seine Idee, dass wir es spielen. Ich war der kleine schwarze Fisch, hast du das vergessen, Véronique? Er spielte den großen. Kiu. Der gab den Auftrag zurück, Ende, keine Revolution. Er war müde, ausgeblutet, er hatte allen Mut verloren, schon damals.
Ich, der kleine, mahnte ihn, sprach ihm Mut zu, Kraft. Was wir nicht ganz machen, kehrt zurück, sagte ich. Oder ich sagte ihm: Wir wollen an den anderen glauben, wie wir verzweifelt an uns selbst glauben wollen. Oder ich rief: Himmel, du mein Bruder, sei auf der Hut.
Ja, sagte der große Fisch, es lebe die Revolution und er zückte sein Messer.
Ja, sagte ich, erst ist es heute, dann gestern, dann vor einer Woche, einem Monat, ein Jahr schon, noch eins, die Revolution bricht aus, sie ist siegreich, der Schah flieht, der Revolutionsführer Chomeini kehrt zurück aus seinem Pariser Exil, die Ordnung bricht zusammen, unfassbar die vielen Toten, die von vorher, die von nachher und die, die noch sterben werden. Wieder Tage, Monate, Jahre, wo die nur wieder herkamen. Du wirst zurückkehren, du wirst weggehen von hier, deine Freunde, Genossen, ihr schönen höflichen Männer in unserer traurigen Garnisonsstadt, ihr geht, macht noch ein Abschiedsfest, dann werden wir nichts mehr von euch hören, die Revolution frisst alle auf, bis hierher.
Wir haben uns angeschaut, der kleine und der große Fisch auf der Bühne des Schiffenbergs, die anderen standen im Hintergrund, haben den Vorhang gehalten, den sie jetzt über uns breiten, die Szene zu Ende. Sind wir tot? Das Stück, was wir gespielt haben, unabschließbar wie das Leben.
»Kein Ende« steht auf den Kartons, die die anderen nun über die Bühne tragen, eine Art Endlosband mit den immer gleichen zwei Worten. Anstelle Sichel und Hammer ziehen sie einen Stern mit Schweif auf. Morgenland. Lucy, how are you in the sky?
Es ist so lange her, ein anderes Leben.

Nein, sage ich, es ist ein- und dasselbe. Die Zollstation hinter dem Ararat, Grenzübergang, Täbris die erste Stadt im Iran. Straßen durch die endlose Wüste, lang, gerade, einmal in der Nacht ein brennender Tanklastwagen, kommt auf uns zugerast, nein, ein Traum, ein Schrei, vielleicht Kojoten, und enden an einer Verkehrsinsel, alle Straßen Irans, in der Mitte eine Art Blumenbeet, von lila Pflanzen bewachsen, die Blätter wassergepolstert, speckig, kleine helle geduckte Blüten, Wüstenfüchse, einmal im Kreis fahren und dann weiter.
Weiter Richtung Osten, manchmal auch Ortschaften hinter den Verkehrskreiseln. Langes Band von Reparaturwerkstätten aller Art. Teehäuser, geduckte Flachbauten, auf deren Dächern die Wäsche weht. Wir fahren schnell, wir wollen nicht bleiben, uns nicht umdrehen. In Teheran Tee getrunken, Lammfleisch gegessen, breites, dünnes Brot, zum Kaspischen Meer hoch, und von Kreisel zu Kreisel weitergeworfen, um die eigene Achse gedreht und wieder geradeaus. Das ist der Weg nach Indien. Wir baden im Kaspischen Meer, kochen Tee, baden nochmal, übernachten am Strand, brechen früh auf zur letzten Etappe.
In Afghanistan ist alles anders. Fritz war schon mal da mit Petra, ein Jahr vorher. Sie wissen wohin, kennen Hotels, Campingplätze, wegen des Autos. Die Betten im Freien, auf der Wiese, unter Bäumen, Pinien und Kiefern. Afghanistan, ein Märchen. Es war einmal ein uneinnehmbares Land. Es gab einmal Buddhisten im Orient, Nomaden zogen vom Norden in den Süden, von den Höhen in die Niederungen, sie hatten Herden, trieben Handel, sie hatten Oasen und zogen weiter.
Als ich nach Herat kam, stockte mir der Atem, oder das Blut. Ich schloss die Augen, ich war uralt und alles um mich herum fing gerade erst an, wuchs in den Himmel, drehte sich im All. Pferdekutschen fuhren eilig durch die Straßen, die von Kiefern gesäumt waren. Es ist Nachmittag, schon gegen Abend, die Wüste liegt vor der Stadt, ihr Licht färbt die Schatten der Zweige erst rot, dann blau, dann dunkel. Die Luft ist so trocken als

wäre sie aus Stroh. Leichter Wind geht. Welche Vögel erheben sich zu dieser Stunde? Fliegen vielleicht ein Stück in die Wüste hinaus, den Bergen zu. Die Sonne versengt ihre Flügel, sie rufen nicht, singen nicht. Erst später lassen sich die Hähne hören. An den Kutschen kleine Glocken, bimmelndes Getrappel der Pferdchen, die Männer in Kaftanen, Turban auf dem Kopf. Frauen ganz in der Deckung. Hier ist die Revolution nur kurz gewesen, schon wieder vorbei, vor der Tür stehen die Russen, haben schon angeklopft. Die Straße von Herat nach Kandahar und wieder hoch in den Norden nach Kabul haben die Russen gebaut. Für ihre Panzer. Sie sagen es uns in jeder Teestube, in jedem kleinen Rasthaus am Rand der Strecke, wo wir anhalten, erschöpft schlafen, Tee trinken, Kuchen kaufen, das flache Brot, Joghurt. Sie können die Russen kommen hören, das Ohr am Asphalt, sagen sie und servieren das Essen auf dem Geschirr der Engländer, weiß mit kleinen roten Rosen.
In Herat sind die Straßen schmal, die Gehwege aus Lehm. Teestuben reihen sich aneinander, zeltartige Vorbauten, Männer hocken auf Teppichen, auch im Inneren der Räume sind die Böden aus festgeklopftem Lehm. Die Häuser fangen an zu strahlen in der Dämmerung, sie glühen und ihre Farbe gleicht der Sonne. In den Bäckereien brennen die Öfen, der Bäcker, schlägt die dünnen Brote gegen die Innenwand des Ofens, gleich sind sie gebacken, von unten das Feuer. Er trägt einen breiten Lederhandschuh, seine Bewegungen die einer riesigen Marionette. Er arbeitet schnell, Kinder kommen und tragen Berge von Broten in den Armen. Sie laufen nach Hause. Schon werden in den kleinen Geschäften mit Gemüse, Obst, Getreide die Lampen angezündet, einzelne gelbe Elektrobirnen, die von der Decke hängen, Kerosinlichter. Wie Signale, wir sind hier auf hoher See, umgeben von Wüste, wir schwimmen, halten Kurs, legen uns auf den Teppich, um uns bald mit ihm zu erheben, zu schweben durch die Nacht mit den hellen, viel zu großen Sternen. Sie sind hier so dicht, so drängend, kommen immer näher, der Nacht-

himmel eine Ewigkeit, Rand der Zeit, gleich greifen sie nach dir, reißen dich los von deinem Lager, schleudern dich ins All, selbst ein brennendes Etwas, Fremde, Ferne, hier hast du sie. Da kannst du noch so viel Opium fressen, Heroin spritzen, dir das Hirn einnebeln, all das ist nichts gegen uns auf dem Weg durch die Nacht in der Zeit, die wir stetig umkreisen in unablässiger Wiederholung; Schiffe an Land, die am Rand der Wüste ankern. Eine kleine Armada, dicht zusammengedrängt, wenige nur aus Stein, mit Fenstern aus Glas, mit Gittern versehen, umgeben von Hütten, zeltartigen Dächern, Stangen, Bretterverschlägen, sie alle treiben mit ihren Lämpchen in die Nacht, in die Wüste, die das Meer ist, der Himmel die Erde, die Sterne Löcher, in denen sich alles viel schneller bewegt als hier unten auf See im Florenz Asiens, wie es genannt wurde, Perle des Orients, Herat, noch immer stockt mir der Atem, das ist, was ich behalten habe. Kann das sein? Sage ich.
Nein, sagt er, es ist als wäre die Zeit jetzt, das Jahr 2014, es ist Frühjahr und Helmudo, der Verrückte, hat angerufen. Es wird geköpft, gehäutet, die Augäpfel werden aus den Höhlen gerissen. Vor hundert Jahren machten sie sich gerade daran, die Gräben auszuheben, nach denen der erste große Weltkrieg benannt wurde. Die Menschen gingen in Stellung, in die Gräben, hinter Wälle, dann blieben sie so. Ihre Kinder in den nahegelegenen Dörfern spielten alles nach, liefen über die Erde, gingen in Deckung, erschossen sich, fielen zu Boden. Auch sie blieben so. Heute noch sind in Frankreich die Gräben zu sehen. In Wäldern, auf Hügeln, neben Flüssen. Zusammen mit den Friedhöfen für die Gefallenen. Wie die im Krieg getöteten Soldaten genannt werden. Fahnen wehen im Wind über sie hinweg, sie klirren. Und fällst du in den Graben, fressen dich die Raben. Nach zwei Weltkriegen wusste jedes Kind, das auf den Knien von Vätern oder Onkeln ritt, dass diese Raben keine waren. Sie herrschten in einem leeren Himmel. Unter dem sind wir herangewachsen, ruhelos, wie es unsere Art ist.

Le Fou, sage ich.
Wer hat ihn gerufen?
Indien. Was sonst. Wo ich mein Gefühl für mich verloren habe, damals, als ich zurückkam und erst später merkte, dass ich gar nicht da gewesen war. Weißt du noch?
Ich habe nie verstanden, warum Alexander nicht mit dir gefahren ist, warum bist du allein gefahren? Ich weiß noch, als wir uns das letzte Mal sahen, bevor du los bist, im Café, das Semester gerade zu Ende. Danach war nichts mehr wie vorher.
Alexander hat immer gesagt, der Schnitt im Film ist wie der Tod im Leben, sage ich, ein Satz von Pasolini. Der mir Angst machte. Darum hat er mich fahren lassen.
Hast du ihn verlassen? Sagt Abdul. Wir schweigen.
Komisch, sagt er, wie wir jetzt sprechen. Als würden wir wie der tote Jesus über die Erde fliegen und unter uns in unseren Zimmern, du in Basel, ich in Gießen, würden zwei Menschen stehen, Abdul und Véronique, den Hörer in der Hand und sie würden miteinander sprechen wie zwei alte Geister, irgendwann abgehauen aus den Geisterbahnen der Kirmes. Und sie sagen, weißt du noch? Wie hast du dich gefühlt? Warum? Diese Fragen, die wir uns nie stellen, wenn sie angebracht sind, nicht, so lange wir jung sind. Fragen, die immer zu spät kommen, sagt Abdul.
Ja, sage ich, sie sind das Zuspätkommen selbst und stehen uns noch immer bevor. Seit Alexander verschwunden ist, habe ich mich meinem indischen Gefühl, dem Gefühl für mich in Indien nicht mehr ausgesetzt. Ich habe mich nicht getraut. Bis jetzt, Abdul.
Ich weiß, sagt er.
Vielleicht gibt es einen Film, vielleicht lebt Alexander, sage ich.
Ja, wir werden reisen, sagt er, wir werden ihn finden. Alexander, seinen Film, alles wird da sein, Günther, wir, die uralten Schüler der Geschichte, des Schneefalls. Noch immer wollen wir wissen, noch immer lieben. Alles und alle kommen mit.
Jesus am Kreuz? sage ich.

Ja.
Die Kriegswitwen?
Ja.
Horstchen?
Ja.
Schwester?
Ja.
Edith, Susan, Trotzki und der tote Lenin?
Ja.
Die Verschollenen, die Buddhastatuen von Bamiyan, die Bäckersleute von der Bismarckstraße?
Ja.
Und wir, Abdul, die Zeit, der Wolf, die Geißlein, die Kreidefresser und John Lennon. Einmal explodierte in einem Bauernhaus ein roter Igel, danach kam ein Kind zur Welt und ich wurde Trotzkistin.
Wir wollen es Indien nennen, sagt Abdul.
Und Angst, Abdul. Angst, nicht sagen zu können, was ist, was war, was noch immer nicht ist, immer wieder nicht. Angst, keine Sprache zu finden für das Leben, das unablässig zu uns überläuft.

11. Lektion von dem Land, das auch heute noch Afghanistan heißt, von der Nacht der Gefangenen in Herat, von ihrem Gesang unter niedrig hängenden Sternen, wie sie vom Unrecht singen, wie sie die Gerechtigkeit anrufen, und wie die Gerechtigkeit ihrer Nacht, wenn das Gesetz nicht gerecht ist, vor dem Gesetz kommt.

Wir legen auf. Ich bleibe mitten im Zimmer stehen, das Herz voll starrem Erstaunen. Wer ist die, der das geschieht? Die Anrufe. Die Jahre und was danach kam. Wir gehen schon dem Ende zu, fast sind wir vergangen, Helmudo, Abdul, die Sehnsucht nach Indien. Die weißen Hasen der Drogen, der Träume, des Irrsinns, wie er in abrupten Schüben als Wüste in uns einbrach und manchmal, wenn wir Glück hatten, verschwand er wieder. Als wäre er nichts als Luft gewesen.
Still stehe ich, halte den Atem an, Schweigen des Zimmers, der lange Tisch voll mit Büchern, Heften, der Stuhl am Fenster, dahinter der Römische Graben, die alte Stadtbegrenzung, Vögel und Bäume am Himmel, an ihm aufgehängt, ohne Verbindung zum Boden, die Bilder an der Wand, ihre Farben, Felder, Lichteinfälle, neben den Photos der Ahnen, ihren riesigen dunklen Schatten, die sie werfen, mit versickernden Konturen in braun und grau, oben hoch auf dem Drachenfels. ZUR ERINNERUNG steht auf dem Passepartout der Aufnahme, in der sie sich zusammendrängen, Urgroßmutter, Großmutter und Mutter die Kleinste in hellem, steifem Kleid mit Falten am Saum. Zauberinnen sie alle, mit hohen Hüten auf ihren schmalen Köpfen, die Haare nach hinten gekämmt, nur im Ansatz zu sehen. Posieren wie Indianer aus dem Quellgebiet des Mississippi, von Quäkern angekleidet. Mit ernsten Mienen, konzentriert, kein Lächeln geht ihnen über die Lippen; sie stehen da für die Ewigkeit, für die Gütigkeit von Erinnerung, während die Zeit um

mich herum läuft als wäre sie auf dem Affen, wie die Schweizer sagen, in deren Land ich schon so lange weit abgetrieben lebe. Sprechen tut allein das Verschwundene. Hier, bei mir, auch in mir und aus mir heraus. Vom Damals, von den Briefen, den Nachrichten der Wüste, der Ferne, da waren, als ich losfuhr, ein Himmel im Osten und ein junger Mann, den ich sehr liebte. Ich fuhr in eine völlige Ungewissheit, in den offenen Raum eines Morgenlands, suchte nicht mich oder eine Liebe, war nicht auf der Suche. Ich hatte sie und war dann mitten in Indien allein in meiner Liebe, allein in mir, mit meinen Sätzen, die ich ihm schrieb. Einen um den anderen, langer blauer Faden der Aerogramme. Von Flugzeugen in speckigen Postsäcken über Kontinente geflogen. Von der Sonne am Morgen, dem Himmel ohne Ende, vom Sitzen, Schauen, vom Ich, das anders ist und auch das Du, alles nah und fern zugleich. Briefe, die ich erwartete, blieben plötzlich aus, kamen als keine Briefe an. Keine vom jungen Mann, der mich auf die Reise geschickt hat, der gesagt hat, fahr in meinem Namen, mit meiner ganzen Seele. Nimm sie mit, fahr ruhig, ich will sie nicht mehr, denn von nun an teilen wir auch die Liebe zur Ferne, zur Morgenlandsonne, die hinter den Wüsten aufgeht, sofort ist sie da, am Rand der Erde; rot, außerirdisch, glühende Scheibe, dir fällt das Auge zu, wie das der Schlafpuppe, mit dichten Wimpern besetzt, dann ist es Tag. Ich fuhr, fuhr mit allergrößter Zuversicht in seinem Namen, und je weiter ich mich entfernte, spürte ich ihn mich verlassen. Dass das möglich war, wusste ich nicht, spürte es nur. Unsere Liebe war wie ein kleines Meer gewesen. Wir kamen und gingen, wir sprachen und umarmten uns wie Wellen, unsere Liebe war der Hohlraum in uns, wir atmeten und dann waren wir allein, kaum war ich im Auto von Fritz und Petra um die Ecke Ludwigstraße/Bleichstraße gebogen, aus der Stadt hinaus, vorbei an den Feldern und Hängen von Hausen, Watzenborn, Langgöns, die Wetterau neben uns her, auch noch als wir auf der Autobahn waren, durchgefahren bis spät in die Nacht, schon hatten wir die erste der vielen Grenzen, die vor uns lagen, passiert, Österreich, Jugoslawien, Bulgarien, Griechenland, Türkei und unsere Liebe, das kleine Meer des Atmens, blieb im Transit der Niemandsländer zurück. Zieht auf schmalen Pfaden noch immer dazwischen auf und ab, hält uns von dort her in Atem, wild, patrouillierend, wachend über die Zeit und ihre Passagiere, bei jedem Grenzübertritt.

Es ist sehr schnell gegangen. Die Zeit reitet auf Affen. Es muss kurz nach dem Abend im Holzwurm gewesen sein, als uns auf dem Weg von der Bäckerei die Amsel den Frühling vorgesungen hat. Die einzige Amsel an diesem Abend, die von den nahen hessischen Dörfern kam, und die ich danach immer wieder gehört habe, sobald sich die Dämmerung über der kleinen, zerschundenen Garnisonsstadt ausbreitete, um sie mit dem Tuch der Dunkelheit zuzudecken.

Mitternacht war schon vorbei, wir standen unter einer Straßenlampe, vor uns die Straße leer und kreidebleich, Günther, Alexander, Véronique. Uns gegenüber lag der grasbewachsene Bahndamm, schnurgerade Strecke, auf der einmal in der Woche ein Zug fuhr. Ein halber Mond war aufgetaucht, während wir noch in der Kneipe auf der Bank saßen, sprachen, und im Spiegel hinter der langgezogenen Bar sehen konnten, was um uns herum geschah. Dabei hatten wir das Gefühl, als wäre der Raum ein fremder Stern und wir versuchten, durchs Spiegelglas etwas erkennen zu können, was uns ganz nah war, aber wir wussten nicht, was es sein könnte.

Eine unsichtbare Wand trennt uns von uns selbst, sagte ich, wie in einem Film von Cocteau. Als wären wir durch einen Spiegel gegangen. Wir können alles sehen, aber wir wissen nicht mehr, was es ist, wie es nennen, wir haben die Wörter im Spiegel verloren. Kein Wort kann ein anderes sein.

Keine Ahnung, warum uns diese Vorstellung freute. Wir stießen mit unseren Gläsern an, wobei wir vielleicht ein bisschen durchsichtig aussahen.

Camille saß neben mir, unsere schöne Camille, das Mädchen, mit dem Pferde zu stehlen ein Glück sein musste. Mir war es nie vergönnt. Dabei war ich eine Anhängerin von ihr. Wie ich allen Mädchen zum Pferdestehlen anhing. Eine Art Krankheit. Was sie sofort begriffen. Gerade waren sie aus Hanni und Nanni entsprungen. Sie schüttelten ihre kleinen kurzen Mähnen, hellblond, braun, mit Locken und die Bewegung ihres Kopfes, des trotzigen, wie niedlich und entschlossen. Los, sagten sie, schon kamen alle, bereit für einen Ritt auf dem Rücken der Pferde. Wie Fury. Sie sprach mit Abdul, sie flüsterten, lachten, ich beobachtete sie im Spiegel und fragte mich, ob sie mich noch sehen konnten. Als sie plötzlich weg waren, aufgestanden und davongeritten, wir die letzten Gäste, der kleine Bruno schloss die Türe ab, winkte uns eine gute Nacht. Noch waren wir nicht bereit, auseinander zu gehen, wir brauchten noch ein paar Worte. Günther lachte vor sich hin, rauchte seine Zigarette zu Ende. Sein Gesicht mir zugewandt, als er sagte: Wirklichkeit ist immer anders. Um sie erkennen zu können, brauchen wir jede Menge Vorstellungen, Imaginationen, Abschweifungen. Es gibt für sie nicht den richtigen Namen, und dann ist sie erkannt. Nicht wie bei Rumpelstilzchen.
Was denn? sagte ich.
Zuhören, sagte er. Antworten.
Wem?
Dem Unmöglichen.
Alexander stand neben mir, aufmerksam als würde er filmen, still und so mit den Augen berühren können, was nicht zu sehen war. Günther küsste mich auf die Stirn.
Jetzt weiß ich, sagte ich, du bist eine Sphinx. Wie bist du nur Professor geworden? Er lachte wie ich mir das Lachen von Rumpelstilzchen immer vorgestellt habe.
Gerade träumt die Universität, sagte er. Nicht, weil sie es sich vorgenommen hätte, sondern weil nichts anderes da ist. Das ist immer die Zeit der Träume, wenn etwas offen steht für eine alte

Liebesgeschichte mit sich selbst. Aus den Anfängen der Geisteswissenschaften, die vielleicht nie angefangen haben, und es breitet sich aus, steckt an, ergibt ein Gefühl, bis es einer bemerkt, und sofort geht der Alarm los. So bin ich Professor geworden, zusammen mit ein paar anderen nach den langen Jahren der Betäubung.
Ihr denkt euch Zusammenhänge aus, wie das, was ihr lehren wollt mit dem zu tun hat, was auch noch da ist, sagte Alexander.
Günther nickte. Es ist der richtige Zeitpunkt, sagte er mit veränderter Stimme, ernst, dringlich. Dann drehte er sich um, ging den Bahndamm entlang, nicht ohne sich nochmal umzudrehen und uns zuzuwinken.
Die Fairies aus Nataschas Zimmer waren durch die Risse geschlüpft, eine kleine glückliche Zeit war da, mit uns und wir auch. Jedenfalls an diesem Abend.
Kurz darauf schlich der Frühling hinter kaltem Wind um die Hügel vor der Stadt, brachte Sonne mit, die schien warm. Erste Gänseblümchen tauchten in den Wiesen vor dem Soziologischen Institut auf, an den Wegrändern entlang des Bachs von Anneberg leuchtete gelber Huflattich. Es war später Nachmittag, das Licht fing an, schwerer zu werden, ich kam von einem Seminar, ging zu Fuß, vorbei am Hochhaus des Philosophikums, überquerte den Nahrungsberg, lief hinter dem Uni-Hauptgebäude über die Wiese bis zur Ludwigstraße. Feierabendverkehr setzte ein, der Rhythmus hatte auf schnelle, harte, abrupte Bewegungen gewechselt, die Unerbittlichkeit der Heimkehrer. Wie ich.
Ich stieg das Treppenhaus hoch zur Wohnung, in der ich mit Alexander und Kai, einer Sinologin und Wolfgang, dem Mediziner wohnte. Im Flur, in der Mitte der Wohnung, den wir als Küche benutzten, brannte wie immer Licht. Als ich ins Zimmer trat, war Indien da, schaute mich nicht an. Saß im Sessel neben Alexander, beide mit geneigten Köpfen, beide dunkel, als würden sie etwas studieren, wo auf dem Tisch Teetassen standen, aus denen es dampfte, neben der Kanne, der Zuckerdose aus

Marokko, und ein paar Zetteln, auf denen sie Wege und Orte skizziert hatten. Erst jetzt schauten sie auf, ganz überrascht, Alexander, als würde er mich nicht kennen.
Was macht ihr denn? sagte ich. Sie lachten, standen auf.
Das ist Fritz, sagte Alexander.
Sehr erfreut, sagte ich und wieder lachten sie. Saßen auch schon wieder, die Köpfe wie vorher geneigt. Alexander goss mir Tee ein, füllte auch ihre Tassen nach. Es war dämmrig im Zimmer, an das sich der Wintergarten anschloss, der noch Licht hatte, das anfing, sich rosa zu färben. Zwischen uns und draußen vor den vielen Fenstern dehnte sich eine Zone des Zwielichts aus. Wir starrten sie an, tranken Tee, hielten die Tassen mit der Hand umschlossen, still, ohne zu sprechen, als würden wir etwas beschwören, was mit der Bewegung des Lichts vor unseren Augen zu tun hatte, das sich ausbreitete. Dabei hoben wir wieder und wieder den Deckel der Zuckerdose, der sich in zwei schmalen Achsen auf dem hinteren Rand der Dose drehte, – öffneten, schlossen sie. Um den Tee zu süßen, um laut umzurühren, schnell auszutrinken und gleich wieder nachzugießen aus der Teekanne, die auch aus Marokko war. Als wäre die Dose das Auge einer Schlafpuppe, dachte ich. Puppe mit Schlafaugen hießen diese Puppen, deren Augen sich schließen konnten, die sich schlossen, wenn sie waagrecht gehalten wurden, zum Schlafen hingelegt. Hat sie Schlafaugen? War die erste Frage, wenn es um Puppen ging. Schlafaugen waren Einstiegsluken für die Vorstellung, dass Leben in solchen Puppen stecke. Was schlief und wach war, was die Augen öffnen und schließen konnte, das lebte auch. Wie die Zuckerdose mit ihrem elliptischen Deckel, den wir auf und zu machten. Fritz, mit kinnlangem zerzaustem Haar, einem kleinen Bart, dunklen Augen, die schnell davoneilten, und genauso schnell auch wieder da sein konnten. Alexander mit beharrlichem Blick auf den Tisch, zwischen Dose und Tassen gerichtet, so, wie ich sie fand, als ich ins Zimmer trat. Wo waren die beiden neben mir in Alexanders Zimmer, wohin waren sie

weggefahren? Fritz nach Indien, er nannte es so. Er war schon mal da gewesen, erzählte er nun und alles war schief gegangen. Das Auto musste er zurücklassen, das er doch verkaufen wollte, stand irgendwo in Indien, darüber freute sich ein Zollbeamter, der seine Nachbarn zu Wucherpreisen mitfahren ließ. Sie hatten Pelze gekauft, er und Petra, seine Freundin, sie sind zusammen gefahren. Bis nach Nepal. Die Felle von Wölfen, Silberfüchsen, Nerzen liegen bei ihnen auf dem Speicher. Bald nochmal hin, sagte er, und dass es Zeit sei, wie Helmudo es nannte, in die Pötte zu kommen.
In die Pötte zu kommen war ein Projekt im Leben und dauerte ein Leben. Von diesem »In die Pötte kommen« sprachen Helmudo, Abdul und Alexander jeden Tag, immer, wenn sie sich sahen, Fritz auch. Alter Freund von Alexander aus der Schweiz, sind zusammen in die Schule gegangen, haben die Flure mit Parolen besprüht, Peace in Vietnam, Love, Four dead in Ohio, Nieder mit den Bergen. Erwischt wurden sie nie, haben irgendwie das Abitur bestanden. Das war in Zürich, der Stadt am See zu Füßen der Berge, wo sie Knaben schießen und Freunde treffen, wo Büchner starb, Lenin wohnte in der Spiegelgasse 14, die Dadaisten kamen zu ihm auf Besuch, wie später die Stadtguerilleros aus Brasilien in den Kulturbunker. Ihr Handbuch hat die Polizei mit folgender Einleitung abgetippt. Montag, den 18. Januar 1971, verließen die letzten Okkupanten den Lindenhofbunker in Zürich. Detektive der Kriminalabteilung haben darauf eine gründliche Durchsuchung aller Räumlichkeiten vorgenommen. Im sogenannten Anarchistenzimmer wurde unter anderem das Minihandbuch der Stadtguerilla von Carlos Marighella sichergestellt. Es sind heute zwei Ausgaben dieses Minihandbuches vorhanden, das in linksradikalen und anarchistischen Kreisen zirkuliert.
Zwei Detektive der Kriminalabteilung haben das Minihandbuch gründlich studiert. Sie sind dabei zur Überzeugung gekommen, dass leitende Funktionäre der Polizei die im Minihandbuch ge-

gebenen Richtlinien über Taktik, subversive Tätigkeit, Terror, sowie Anschläge auf Menschen und Objekte kennen müssen. Aus eigener Initiative haben sie daher das Minihandbuch abgeschrieben und vervielfältigt. Für diese spontane und verantwortungsbewusste Tätigkeit sei an dieser Stelle gedankt.
Die vorliegende Abschrift entspricht der ausführlichen Ausgabe aus dem Jahre 1969. Sämtliche Vervielfältigungen sind nummeriert. Die Kriminalkanzlei führt die Liste der Empfänger.
Die Kenntnis der Methoden anarchistischer und linksradikaler Gruppen bietet am meisten Gewähr, ihnen wirksam begegnen zu können. Zürich, 16. März 1971 Chef der Kriminalpolizei Hubatka.
Fritz hat das Handbuch mitgebracht. Woher er es hat, verrät er uns nicht. Jetzt spricht er schnell, seine Bewegungen abgerissen, auf der Flucht. Seine Eltern haben eine Reparaturwerkstatt am Rand der Stadt in Affoltern. Er hilft oft aus, studiert in Konstanz Biologie und Landwirtschaft. Er hat vier Schwestern, keinen Bruder, ein Fall wie Kamal. Alexander hat mir von ihm erzählt, Teil seines immer schweren Zürichkapitels. Bis er da sitzt in unserem Zimmer, das mittlerweile ganz dunkel geworden ist und ich höre ihn zu Alexander sagen: Du ängstigst mich in allen deinen Worten und Gesten. Während er wie vorher wieder das Auge der Zuckerdose auf- und zuklappt. Was geschah da? Sprach die Puppe mit den Schlafaugen?
Ich schwör's euch, sagte ich, sie waren lebendig. Sobald die Augen außen zufielen, öffneten sie sich im Innern der Puppe, in dem ein reges Treiben einsetzte, das wir uns als Kinder nur erträumen konnten. Die Träume von Schlafpuppen, sagte ich, die den Traum der Terroristen in fremden Ländern träumten, wo sie schliefen und keiner erkannte, was sie in sich trugen, was sie planten; eines Tages würden sie die Länder in die Luft jagen. Unsere Sleeper, die Schlafpuppen waren ihre Töchter. Brüteten hinter ihren runtergeklappten Visieren giftige Herzen aus. Unser Spielzeug, erinnert euch, sagte ich, es lebte, war bewohnt,

auch Autos, Achterbahnen, kleine Dampfmaschinen. Hinter verrammelten Scheiben, unter Deckeln, Augen, an Steuerrädern, wer saß da und raste mit uns durch eine lange Kindheit? Ausgesucht haben wir uns unser Spielzeug nicht, es war schon da. Dann sind wir eingezogen, haben uns breit gemacht in ihnen, ihr Inneres kolonisiert.
Alexander ging raus, kochte neuen Tee, wir konnten gar nicht mehr aufhören zu trinken, machten kein Licht an. Das helle Zuckerauge zwischen uns, das uns anstarrte, auf, zu. In die Pötte kommen, sagte Fritz. Wann würden uns die Steppenwölfe anfallen, der Biss Siddhartas?
Im Zimmer war es dunkel geworden, etwas war geschehen, der Wintergarten schien zu schweben, eine Zone dämmernden Lichts, aus dem uns Indien ansah mit seinen Augen; dem Schlaf und den Mohnpuppen. Den von den Wiesen in ihren roten, knittrigen Blütenkleidern und mit den Köpfen aus Kapseln auf dünnem Hals, aus dem milchig-weißer Pflanzensaft tropft. Mir war, wie so oft in dieser kleinen Zeit, als irrten wir im Weltraum, unterwegs auf unklarem Grund, im Zimmer vor dem Wintergarten mit seinem Zonenlicht, ein Zwischenreich wie die Niemandsländer, die die Länder voneinander trennen und verbinden, während sie sie mit Niemandsland, mit Unzugehörigkeit, mit Niemand, keinem Ort, mit Nirgends infizieren. Was ich von den Augen umnachteter Puppen kannte. Ihr Schlaf, ihre Augen im Schlaf waren eine Abwesenheit, die sich an diesem späten Nachmittag im Licht einer anderen Abwesenheit öffnete; die nannte ich Indien. Saß im Zimmer, schaute uns alle drei an, aufgebrochen aus dem Mohnkopf eines langen Schlafs.
Wenige Monate später hörte ich dann auch ihre Stimme. In der Nacht, in Herat, dem Schiff aus Ton, mit den Masten der vier Türme des Musalla-Komplex, stehen wild in der Stadt herum, Anker des Himmels, der sich uns nähert, schnell und schneller in der Nacht. Die Festung Alexanders das Beiboot, auch sie zurückgeblieben nach Kriegen, Feldzügen, wilden Reiterhorden.

Da erheben eine Straße weiter die Gefangenen des Gefängnisses ihre Stimmen. Wie sie heulen, klagen, rufen, wie sie sich der Nacht übergeben. Kaum ist Ruhe eingekehrt in der Stadt, im Hotel, in dessen Garten wir auf einem Heratteppich, mit Spiralranken, hellen Vögeln, die über dem Grund von tiefem Rot schweben, fliegend schlafen. Eben noch haben die Musiker musiziert, reine Vogelmusik aus der alten Schule der Sufis, Herat, persische Stadt, für die Gäste, für die Nacht und weil sie wissen, was nach ihnen kommt. Die Instrumente zusammengepackt, uns Gute Nacht gewünscht, sind verschwunden aus dem ummauerten Garten des Park Hotels. Schon lösen die Stimmen aus dem Gefängnis sie ab. Sie weinen, jammern, ihre Tränen gehören zum Meer, aus dem der Mond aufsteigt. Ihre Angehörigen sitzen draußen vor den Mauern und schreien zurück, klagen mit ihnen, ein Geheul erhebt sich, hört nicht auf, sie gehen nicht weg. Auch sie sind Gefangene, Frauen, Mütter, Väter, Männer, gemeinsam erheben sie ihre Stimmen, die Nacht hört ihnen zu, die Sterne reizen sie auf, wie uns, wie mich. Ich gleite unter ihnen durch, ich spüre ihren Zug, ihre Energie, ich halte mich fest auf meinem Lager, einem Teppich, ja, gewiss, die Vögel schlafen in den Hecken. Die hohen Kiefern um uns herum bewegen sich kaum. Windstill. Die helle Sichel hockt in ihrer Krone. Im großen Galeerenbauch der Erde die Stimmen der Häftlinge, Schreie von Mördern, Dieben, von Verrückten und Armen. Sie klagen das Unrecht an, dass es in der Welt ist, dass es eine Frage des Rechts ist und dessen, der es hat. Sie nicht. Sie haben Unrecht getan, vielleicht, auch das beklagen sie.
Ich höre ihnen zu unter den Bäumen, im Freien, wo nach dem Himmel nun auch die Sterne sinken, heller werden, bis sie wie der Mond in den Nadeln der Kiefern stecken bleiben. Glitzerndes Dach über uns im Garten, ummauert, das Tor geschlossen. Überall stehen die Autos der anderen Gäste herum, die meisten schlafen wie wir draußen, auf Teppichen oder seilbespannten Betten. Viele reisen in VW-Bussen. Wenn sie von Indien kom-

men, sind die vollgepackt mit Diebesgut, Holztüren aus Nepal, Fensterläden aus Ladakh, Schmuck von überall, Bernstein von den Tibetern, Lapislazuli von den Afghanen, silberne Becher, Krüge, Schalen, reich verziert. Rubine, Opale. Korallen, Taschen, Geschmeide, alte Seiden, Nomadenkleider, alles, wovon anzunehmen ist, dass es gewinnbringend verkauft werden kann. Die Schar der Krämerseelen zieht wie das Zerrbild der alten Karawanen eine tiefe Spur vom Osten in den Westen, auf dem sie ihre eigenen Wünsche, warum sie aufgebrochen, in den Osten gezogen sind, begraben, niederwalzen, zu Schaustellern ihrer Sehnsucht werden und nicht wissen, dass es um sie geht, jeden Moment ihrer Reise, um sie und ihre Besinnung, ihre Möglichkeit zu wissen, dass doch sie es sind, die sich sehnen.

Nach der Abwesenheit, der Ferne, dem Abstand zu dem, was sie glauben, finden zu müssen. So oft sehe ich sie in den Herbergen, Pensionen, Campingplätzen, unterwegs mit ihren Autos, in ihren Kapseln, im Rausch vollgedröhnt. Wie sie die Menschen, durch deren Länder sie reisen, als Diebe, Betrüger, als schmutzig beschimpfen, wie sie ihr Essen im Auto mitgebracht haben, genug für die Hin- und Rückreise. Und die, die betteln, die nichts mehr haben, zerlumpt sind, krank, liegen apathisch in irgendwelchen Zimmern, auch sie weinen, sagen, nehmt mich mit, gebt mir was zu essen. Sie können nicht mehr sprechen, sind verwildert, von Insekten zerfressen, irre geworden an irgendeiner Überdosis. Die Sehnsucht nach Ferne, sah sie so aus? Hatte sie sich verkehrt, war sie zum alten Übel der Heimsuchung, dem Übel der Länder, aus denen wir kamen, geworden? All die Toten der Kriege, die nicht tot waren, sie lasteten auf uns, wir waren ihre Kinder und Kindeskinder, wir lebten von ihnen. Und wollten weg, uns übergeben wie die Gefangenen in der Nacht.

Für uns gab es nichts zu finden, nur den Abstand zu durchqueren, den zu uns, den mit uns, wieder und wieder und uns vorzustellen, was wir eines Tages gewesen sein würden, in der Zeit, in der Wüste, in der Entfernung. Und in den Stimmen der

Gefangenen, die mit ihren Angehörigen den Morgen beschworen. Wieder ein Morgen, der Himmel ist weit oben, die wilden Sterne haben sich auf ihre Plätze zurückgezogen, da sitzen sie den ganzen Tag auf ihren Stühlen und lauern, dass es wieder dunkel wird.

Dann schlafe ich endlich ein, träume von den Straßen in Herat. Voll mit Menschen in langen Hemden, Westen, Turbanen auf den Köpfen, die Frauen, nach einer kurzen Zeit in Freiheit, wieder verschleiert, Gespenster in leuchtenden Farben, dazwischen die kleinen Pferde, ihr Trappeln und Wiehern. Überall hängen Teppiche an den Fassaden, kleine Verkaufsstände am Rand der Gehwege, von Jungen betrieben, die Zigaretten verkaufen, K2, wie der Berg in Pakistan, silberne Dosen mit Emaillearbeiten auf dem Deckel, Bilder persischer Miniaturmalerei, Männer auf Pferden mit langen, dünnen Beinen, wie sie über Berge reiten, bestickte Mäntel tragen, ähnlich denen, die es hier zu kaufen gibt, Flachstickerei mit glänzenden Seidenfäden, orangefarbenen, grünen, blauen. Große, vierblättrige Blumen, die den Mantel überwuchern. Daneben hängen vor den Kleidergeschäften die verzottelten, schnell schmuddlig aussehenden Fellmäntel, die die ersten Indienfahrer mitgebracht hatten bis nach Köln und Leverkusen. Hier endlich finde ich sie wieder. Wie sie von einigen älteren Schülerinnen getragen wurden, in die Schule geschmuggelt, phantastische Tiere geworden in fremder Haut. Wie wir sie schön fanden, auch wir wollten solche Mäntel tragen, stellten uns das Leben der Nomaden vor, zwischen Wüste und Hochland wandernd mit den Jahreszeiten in unserer kleinen schmutzigen Industriestadt am Rhein, in der jede Bewegung erstickt war. Keiner in der Stadt wollte sich was anmerken lassen vom Ende der Welt, das er erlebt hatte. Wie in einem Wahn hatten sich alle entschlossen, einen Strich unter die Geschichte zu machen und so zu tun, als wäre nichts gewesen. Da sahen wir diese Mäntel. In denen wollten wir durchs Leben ziehen, fort von Leverkusen, vom Rhein, in dem kein Fisch mehr schwamm.

Wir wollten für das Unglück, in dem wir steckten, das wir spürten in der Stadt, in der Schule, in den Parkanlagen, eine wildere Haut tragen – sogar der kleine Fluss, die Dhünn, der die Stadt durchfloss, der von Altenberg her kam, in die Wupper mündete und die in den Rhein, sogar dieser nette, kleine Fluss, in dem wir einmal als Kinder mit den Händen Fische fingen, die so stanken, dass unsere Hände noch Tage danach ihren Geruch ausströmten, auch der war unglücklich. Aus diesem Unglück, dieser Rüstung, in der wir steckten, daraus wollten wir ausbrechen. Wir wollten weiter, wollten in afghanischen Zottelmänteln wie die Tiere, die sie einmal einhüllten, eine Bewegung finden, die zwischen Bergen und Tälern, zwischen Wüsten und schneebedeckten Hochländern wechselte. Wollten selbst Bewegung werden.
All das lag vor mir, im Zimmer, war schon da gewesen. Mit Alexander, mit meiner Liebe zu ihm, in die mir der Tod des Vaters gefahren war, kurz nachdem Alexander von Berlin nach Köln gezogen war, in meine Nähe, nachdem wir uns auf der Insel getroffen hatten und ein kleines Meer geworden waren.
Der Vater stand wie verabredet am Festland, erwartete mich auf der Fähre, die mich an Land bringen sollte, zurück. Wir fuhren nach Hause, schweigsam, in den kleinen Weiler am Rand der Stadt, wo ich über die Dörfer gegangen war, oft auch mit ihm, den ich mich verlassen spürte, wie dann Alexander in Indien mit jedem Tag, der sich zwischen uns legte als Entfernung, Kilometer um Kilometer im schwarzen Mercedes von Fritz.
Gerade noch saß ich neben ihm, legte meinen Kopf ihm auf die Schulter, nur kurz, wie um zu spüren, dass es mein Kopf war und seine Schulter. Ich schloss die Augen, hörte die Stimmen der Gefangenen, die sich einem Himmel übergaben, der ihnen mit Nacht, Sternen, Mond antwortete, jede Nacht anders.
Noch saßen wir im dunklen Zimmer zusammen, als Fritz fragte, ob wir nicht mitfahren wollten, im Sommer, also bald. Bis Indien sechs Wochen, sagte er, mit seinem Auto, ist schon fertig, steht in der Garage der Eltern, auch Petra, seine Freundin wür-

de mitkommen. War ich verrückt? Fritz schaute uns an, schnell weg, schnell wieder an, wie eine Sirene, er flackerte. Als gäbe es Indien, als ließe es sich betreten, berühren, atmen, den alten indischen Atem atmen? Ja, sagte Fritz. Und wenn es Indien nicht gäbe? Hier öffnete sich das Zimmer, die Zeit, wir saßen nicht mehr um den Tisch herum wie gerade noch, sondern umschwirrten ihn. Ohne ein Wort zu sagen, still, damit es wirkte, als wären wir frei und nichts wäre geschehen.

12. Lektion von den schönen jungen Menschen. Wer sie waren, warum wir sie nicht küssten, nicht mit ihnen in Paris durch die Straßen liefen, mit ihnen weinten und lachten, uns in Bistros herumtrieben, wo in einem kleinen Fernseher in der Ecke hinter der Bar ein Sänger zu sehen wäre, der von einem Partisanen sänge. Er nennt ihn Bruder, er ist es selbst, am Morgen waren sie zu viert, am Abend nur noch einer, der, der da singt. An einem Haus im 12. Arrondissement würden wir stehen bleiben und sagen, hier hat er gewohnt, hier hat er die meisten seiner Filme gedreht, zwischen Tür und Angel, genug Platz für die schönen Bilder der Sehnsucht und der Vergeblichkeit. Wieder würden wir weinen, abwechselnd mit dem Tag, der Nacht, und wie gerne wir, nach allem, was geschehen war, ihre Freunde geworden wären. Wurden wir es nicht? Nicht wahr, sie wollten nicht, sind gegangen, haben uns zurückgelassen. So eine Lektion ist das.

Verrückt waren wir alle. Kaum hörten wir einen singen, Partisan zu sein, übriggeblieben von vier am Morgen, schon hatten wir das Gefühl, das sind doch wir. Partisanen, kämpfen gegen wen, gegen was? Für die Liebe, die Freundschaft und dafür, warum wir sie nicht können. Wir waren nicht mehr oder weniger verrückt als heute, aber was wir liebten, wenn schon nicht uns, unsere Freunde, unsere Lieben, war diese Verrücktheit. In der sich etwas von der Zärtlichkeit erhalten hat, die ich uns, unserer kleinsten Bäckerei, dem irren Reden, Indien, unserer großen Sehnsucht, für die wir viel zu klein waren, und die doch das war, was wir wollten, noch immer entgegenbringe. Verrückt wie der Mann, der vom Partisanen sang und seinen Begleitern, die nicht umsonst gestorben sein konnten, wie er nicht umsonst gesungen hat, nein, das konnte nicht sein, darin bestand die Zärtlichkeit, die mich mit all dem verband.
Wenn die Nacht klar ist Richtung Osten, gleich hinter S. Pie-

tro, macht sie sich auf mit den Richtungen des Himmels und sie tanzen im Wind. Dann schmilzt die Zeit, die hier, in Venedig, an Land gegangen ist. Wie jetzt wieder der Frühling. Liegt überall herum, wach, schaut mit großen Augen zum Himmel. Die Bäume schimmern rosa, an den Ästen die Knospen der Blätter, kleine Zündkerzen, können jeden Moment hochgehen. S. Pietro, alter Ankerort in der Lagune, die Wiese davor steht unter Blüten, leuchtende Köpfe, gelb und weiß, auch vereinzelte blaue Sternchen. Schon früh am Morgen kommen dort die Menschen mit ihren Hunden zusammen. Der Schäferhundmann als erster, hat seine dunkle Winterjacke gegen eine helle getauscht. Er ist klein, gebeugt, sein Hund hundert Jahre älter als er, lahmt in den Hüften, das blonde Fell zerrupft, als würden Stücke fehlen. Die beiden gehen auf einer endlosen Bahn langsam nebeneinander um die Wiese. Dann kommt der junge Mann mit den beiden Möpsen, einer schwarz, einer weiß. Sein Körper ist ihm zu eng, er tätowiert ihn, raucht aus ihm heraus, immer das Handy am Ohr auf Sendung, nicht mehr auf der Welt, während seine Hunde niedrig am Boden durch das Wiesenfeld jagen. Suchen nach Spuren, Verbindungen zur Erde. Was sollen sie mit ihrem Herrchen machen? Mit seiner Seele, die bald oben und unten nicht mehr unterscheiden kann? Sie schlagen Purzelbäume, kratzen enge Kurven, beißen ins Gras. Manchmal springen sie auch ins Wasser, gehen baden, kein Gott in Sicht. Die Nachbarsfrau taucht mit Eva auf, die immer bellt. Sie sagt ihr, sie solle still sein, wie sie es früher mit ihren Kindern gemacht hat. So lange die klein waren. Jeden Abend gegen zehn fingen sie an zu schreien, Kinderoper mit Eltern. Jeden Abend und für die Nachbarn ohne Eintritt zu bezahlen. Erst gegen Mitternacht, wenn sie erschöpft waren, die Stimmbänder am Ende, alle Tränen vergossen, gaben sie auf. Jetzt ist die Älteste schon aus dem Haus. Dafür ist Eva gekommen, bellt den lieben langen Tag an, würde am liebsten alles verschlingen, auch sich selbst. Was dem Frühling, ausgestreckt zwischen den

Bäumen vor der Kirche, gleichgültig ist. Jeden Moment wird er mit den Blättern aus deren Knospen springen und singen. Auf den Terrassen, in den Anlagen der Giardini stehen Osterglocken und Tulpen in der Sonne, die sie angezündet hat. Erde, Erde morsen sie zum Himmel, kurz vor Helmudos Anruf, uns kann keiner was anhaben. Denn was wiederkommt, kündigt sich an. Lange vorher. Vielleicht ist es auch immer dagewesen, braucht nur viele Jahre, bis wir es wahrnehmen. Erinnerungen oder was wir so nennen. Für die es keine Beweise gibt, nur das Gefühl entfernter Ähnlichkeiten, die uns anrühren.
Ein hellblauer Lichteinfall schräg durchs Zimmer am Ende des Winters, ein Film von einem jungen Mann, der in den frühen siebziger Jahren nach Amsterdam reist. Da sitzt so ein schönes junges Mädchen im Vondelpark, einen Kranz aus Gänseblümchen im kurzen dunklen Haar, junge Männer um sie herum, sie rauchen, lachen, sind unvorstellbar jung, und ich habe das Gefühl, ich kenne sie. Im Radio sagt ein zugeschalteter Hörer: In der Zukunft war das anders. Keiner widerspricht ihm, und dann gleich bei den ersten Takten, wie wenn sie noch gefehlt hätten, verbinden sich die Einzelheiten, atmen ein, aus, fangen zu leben an. Am helllichten Tag. In der Cassa di Risparmio di Venezia, draußen vor der Tür das Meer. Der Tag Anfang April. Ich gebe dem Mann von der Sparkasse die Hand, wir kennen uns seit bald zwanzig Jahren, er hat mich gebeten, etwas zu unterschreiben, erneut eine Erklärung. Dass ich keine Amerikanerin sei, dass ich meine Steuern in einem anderen Land bezahle. Dass ich alles mit reinem Gewissen unterschreibe.
Ich sitze vor seinem Schreibtisch, er schaut in den Computer, die Takte kommen vom Endlosband für die Kunden. Das alte Lied der Sehnsucht *Wish you were here*, die Wunde. Ein Mann schüttelt einem anderen Mann die Hand auf einer leeren Straße, zwischen Lagerhäusern in Amerika, die angehaltene Zeit. Sie tragen Jacketts, Hemden, die Schuhe frisch poliert, neigen sich einander zu. Der eine trägt eine Sonnenbrille, ihr Blick

ist nicht da. So, du denkst, du kannst das. Himmel und Hölle, ein grünes Feld, die alten Geschichten, die alten gleichen Geschichten. Einer der Männer brennt, sein Haar, sein Rücken, die Arme. Er lässt sich nichts anmerken, er ist durch die Feuerringe gesprungen, hat sich angesteckt.
Wie kam so ein Lied in eine Sparkasse? Zweigstelle Riva dei Sette Martirie. Hier sind im letzten Krieg Partisanen erschossen worden. Ein Wandgemälde im Büro der Partisanenvereinigung, nicht weit von der Sparkasse in der Via Garibaldi, zeigt die Erschießung. Vier alte Männer hocken im Büro neben dem Gasofen, es ist feucht und kalt, auch wenn draußen die Sonne scheint. Ich bitte sie um ein Foto. Sie stellen sich neben die, die gleich erschossen werden, das Tötungsbataillon steht mit den Gewehren im Anschlag, Auge in Auge mit denen, die bald tot sein werden. Wie die alten Männer, sie lächeln. Einer hat nur noch einen Zahn, der andere nur noch ein Auge, ein Dritter kann kaum noch gehen, der Vierte trägt einen roten Stern an der Jacke, auf dem Kopf eine Pudelmütze. Alle vier warten auf ihre Geschichte, sie ist noch nicht zu Ende. Sie tragen grüne und blaue Daunenjacken.
An den Füßen gegen die Feuchtigkeit, die hier überall ist, was früher Moonboots genannt wurde. Um auf dem Mond gehen zu können, im Neonlicht, ein Aktenschrank steht in der Raumecke, Stühle mit abgeblätterter Farbe, die Fahne der Partisanen, der Schreibtisch leer, keine Bücher. Sie sind um die achtzig, haben die Erschießung als kleine Jungen gesehen. Die Soldaten standen in doppelter Reihe, im Hintergrund S. Giorgio, seitlich die Bahren für den Abtransport der Toten.
Und so, so denkst du, lassen sich Himmel und Hölle unterscheiden, blauer Himmel von Schmerz, die Zeit, die vergangen ist und die, die noch kommt. Glaubst du, du kannst das? Deine Liebsten als Geister betrachten? Sie haben alles überlebt. Deine Liebe? Ich war diese Liebe. Und du. Jetzt rede ich mit dir, Alexander, das Lied, das ich immer hörte, solange wir fuhren,

wochenlang bis nach Indien. Wo auf den Bäumen, gleich nach der pakistanischen Grenze die Geier saßen. Du hast es gesagt, so war es.
Wir trennten uns in Delhi, Fritz und Petra fuhren nach Nepal weiter, verkauften das Auto, ich wollte in den Norden, allein mit Bussen, Bahnen der Hitze entkommen, fliehen vor dem Lied, vor Indien, ich war vorgefahren und du bist nicht nachgekommen, mit keinem Wort.
Hast du die Liebe zur Ferne auf der Route des Heimwehs gewechselt, die uns die nächste war und nie fern? Das singen sie, denen ich die Hand gab und nicht mehr losließ. Kannst du das? Ein grünes Feld erzählen? Dann weißt du, wie sehr ich wünsche, du wärst da. Unser Lied, Alexander, und ich, wir waren jung, wir fingen an, meine erste Liebe, bis der Vater alles mit sich nahm, den Rest dann du. Dieses Heimweh jetzt. Ich müsste eine andere sein, um eine Erinnerung wie diese länger als einen Tag erträglich zu finden, oder immer in dieser Erinnerung geblieben sein, vor allem dürfte ich damals nicht jung gewesen sein, nicht ich und du und dann noch dieses Wiederkommen, dieses Wünschen, was nicht da ist, was noch nie da war, es rufen und warten, was geschieht, ob es antwortet.
Als säße ich da am Schreibtisch des Sparkassenangestellten mit den Schatten aller Indienfahrer, die sich auf undurchdringliche Weise mit den Schatten eines anderen Ostens – dem der Fronten, der Vernichtungslager, der Verschollenen, der Tundren, Steppen, der Salzwüsten und Gipfel des ewigen Schnees – verbunden haben. Landschaften, die vor meinem Leben die Zeit, den Tod, die Zerstörung in sich aufgenommen haben. Sie waren zu diesen Schlachtfeldern, offenen Landstrichen der Auslöschung geworden, wo alle Verschollenen geblieben waren. In ihrer ganzen Unbestimmtheit, wie es Tote, die es nicht gab, Tote, die unbekannt, unbeerdigt tot waren, so an sich haben. Was hast du gefunden? Wo gehst du, Alexander? Und ich, Jahr für Jahr, eine halbe Ewigkeit, wenn du jetzt da wärst?

Wir standen auf der Ludwigstraße, ich ahnte, was geschehen würde, schon damals, und fuhr davon, es war Sommer, heiß, das Licht so warm, leicht, und du sagtest: Warum Indien?
Wegen Indien, sagte ich.
Warum jetzt?
Bevor es zu spät ist, sagte ich. Und wir haben uns umarmt, ein letztes Mal. Ich bin ins Auto gestiegen. Alexander stand da. Ich weiß nicht mehr, wie er aussah, nur wie er dasteht, die Hand erhoben, winkte mir ein letztes Mal zu. Es würde keine Rückkehr geben, wir fuhren um die Ecke, hinter mir die Zeit fing Feuer.
Alles, was zurückkam, waren die Ängste, die Furcht vor dem, was hinter uns lag, Schrecken, Todesängste, Ungewissheiten, die wir vielleicht gar nicht erlebt hatten, nur fürchteten wir uns vor ihnen. Egal wie wirklich sie waren, wir fürchteten uns vor dem, was wir überlebt hatten, vor dem Überlebthaben. Und nichts, was uns davor schützen würde, sie erneut erwarten zu müssen, außer die Richtung zu wechseln. Nicht mehr zurückzukehren, sondern den Vermissten entgegenzureisen, denen, die schon mal vorgefahren waren, uns voraus und geblieben, wo sie uns erwarten, uns oder was wir so nennen. Günther, Alexander, als müssten wir sie suchen, um selbst gefunden zu werden. Denn mit denen, die gefahren sind, die die Ferne mit sich genommen haben und in ihr verschwunden sind, haben sie auch uns die Ferne genommen. Haben auch wir sie in uns verloren. Wurden zu Schatten unserer selbst, wie Helmudo sagt.
Wer wir waren, war, wem wir folgten. Wir nannten es einmal wieder Indien. Der Name für alles, was wir nicht verstanden, was uns Ort und Anlass einer Beharrlichkeit war, Zeit vor der Zeit, in die wir reisen wollten, ein paar Leute auf der Suche nach dem Ort der Rückkehr, den wir noch nicht gefunden hatten. Wie die Hippies waren auch wir angewandte Gleichnisse.
Wovon? Den Feuerringen, Baby. Spring.

Der Sparkassenangestellte lächelt, beteuert, es sei alles erledigt. Ich stehe auf, verabschiede mich. Draußen, wo sie vor siebzig Jahren Partisanen erschossen haben, kaum öffne ich die Türe, knallt mir die Sonne entgegen. Dieselbe alte Angst.

13. Lektion vom Band der *Recording Angels*, die auf Antwort warten, jeden Tag wieder. Hier spricht Helmudo, ich rufe die Schüler der Helmudo Indienfahrerschule für Indienfahrer, wollt ihr mit mir fahren, wollt ihr mein alter indischer Kontinent sein, in dem die Mächte der Dunkelheit umherschweifen? Jene Mächte, mit denen wir nie an ein Ende kommen werden. Antwortet mir.

Schon beim ersten Ton, seine Stimme vom Band, als wäre er der automatische Telefonbeantworter persönlich, heben wir die Hand, drücken den Handrücken gegen die Stirn, schließen die Augen, das Gesicht schmerzlich verzogen, ach, flüstern wir, ach, wir sind fast gar nicht mehr da, nur der Himmel weiß, was geschehen ist, wir erinnern uns nicht, werden wir je gewesen sein können? Woran sollten wir uns erinnert haben wollen? Wie wir weinten? Die letzte Nacht, die ganze Nacht und diese wieder. Über unsere Schönheit, die wir verpassten, die Jugend, die wir nicht hatten, den Aufbruch, die Liebe, die wir erlebt hätten, wenn wir da gewesen wären. Wir waren es nicht, gehörten nicht dazu, nicht zu uns, doch waren wir in den Behelfskrankenhäusern nicht lange nach dem Krieg geboren, um zu bleiben. Mitten im Sommer, kurz vor fünf im Sternzeichen des Krebs und von der Mutter, Zorniger Berg, mit aller Wucht schnell zur Welt gebracht. Der Tag dämmerte schon, der Raum füllte sich mit Morgenlicht, an der Wand eine Uhr, die beim ersten Schrei zu zählen anfing. Sekunden, Minuten, die Mutter, das Meer, Atem, alles voll Blut. Fleisch war aufgerissen, Haut, die Nabelschnur durchtrennt, schwankender Himmel. Die Sterne hinter den alten Schulfenstern ausgebleicht und der Raum, hell nun, erste Sonnenstrahlen fingern sich die Wand hoch, gibt seine Toten preis. Die hier auf dem improvisierten Operationstisch gestorben sind, verblutet, zerrissen von Bomben, Granaten, von Kugeln getroffen, für die jede Hilfe zu spät kam, ehemalige Schüler, die hier vorher die Schulbank drückten, nichts als ein Druck auf der Bank, das waren sie schon damals. Das lernten sie. Lernten sie fürs Leben, wie ihre Lehrer sagten, wie später wieder zu uns. Einmal null ist null, null mal null auch. Schon hörte das Denken auf, flüstern sie, ein Aufschweben, ein Windzug, der sich im Raum erhebt. Wir haben das Nichts gesehen, sagen sie, es war klein. Da ist es sechs Uhr, die Mutter wieder zusammengenäht, der Arzt heißt Wolf, Kinderarzt. Dreizehn Jahre später setzt der erste Mensch seinen Fuß auf den Mond, seitdem ist auch der nicht mehr sicher vor uns. Wir sind gegangen, wir mussten es tun, wir sind nicht da.

Am nächsten Tag ruft er wieder an. Hier spricht Helmudo, was sind schon vierzig Jahre, was ist schon nicht da sein. Antwortet mir, sofort. Mit Indien hat das nichts zu tun. Nie werden wir wissen, was Indien mit Indien zu tun hat. Nur fahren müssen wir. Alexander ist da, seine Filme, Günther. Hier, gleich, auf der Stelle fahren wir los in dieser Lektion vom halluzinierenden Gedächtnis. Die Zeit, auch wenn sie den Affen nachrennt, ist auf unserer Seite.

Viel lieber als in dieser Lektion zu stecken, wären wir Figuren in einem Roman, sagt Abdul, als Helmudo wieder anruft, und er nimmt ab. Wir säßen an unseren Plätzen, kritzelten auf einem Blatt Papier die alte Katze mit dem ABC im Schnee, wie sie vorsichtig vor uns hergeht, manchmal die Tatzen schüttelt, wenn sie nass geworden sind, während weiter die Buchstaben schneien, ganz weiß geworden, leicht und alles zudecken. Wir würden unsere Namen ins Holz ritzen. Mit der Nagelfeile von Natascha oder dem roten Armeemesser von Alexander, das er aus der Schweiz mitgebracht hat. Hier saß Véronique, hier Abdul, Natascha, Camille. Kamal am anderen Ende des Tischs, Alexander neben ihm, Günther wie immer am Fenster. Wir wären in der kleinsten Bäckerei der Welt die einzigen Gäste, mehr würden nicht reinpassen. Du Helmudo würdest draußen um uns herum fliegen und uns morgen Abend wieder anrufen. Kommt mit, ihr müsst euch erinnern, würdest du sagen. Wir würden zum Fenster rausschauen, die Bismarckstraße, Passanten umschwärmt von Schneeflocken, bleich gewordenen Buchstaben, die sich aus höchster Höhe fallen lassen. Viele Jahre lebten wir dort, wo es nie mehr aufhörte zu schneien. Schneien ist wie ein großer unablässiger Irrtum. Alles wirbelt, fällt, verweht und besteht aus nichts als Flocken und dem, was zwischen den Flocken die Luft und der Fall ist. Dort haben wir ausgeharrt, dort haben wir gewartet und gedacht, eines Tages werden wir wissen, warum das alles. So lange wollten wir im Schnee der Wörter bleiben, wie sie auf uns fallen, uns zudecken und wir würden uns einfach wie die Erde weiter drehen. Wie schön das wäre. Wir könnten so schwierig sein, wie wir wollten und alle Zeiten durcheinander bringen. Früher käme später, vor uns läge die Vergangenheit, die Zukunft schon lange gewesen.

Ja, würde Natascha sagen, niemand würde uns verstehen. Verzicht auf Sinn, Wagnis des Todes. Würde Véronique sagen. Weißt du noch, Helmudo, wie du uns umgeistert hast.

Wir verlieren das Gedächtnis, würde Kamal sagen.

Und Natascha riefe: Bloß nicht, dann kommen wieder die *Recording Angels* angerauscht, hocken sich hier bei uns auf die Stuhllehne, flüstern ihr unsinniges Zeug.

Achtung, würde Camille sagen, wir sind jeden Moment dabei, selbst zu *Recording Angels* zu werden, denen aus: Fortsetzung folgt. Stand mal am Himmel geschrieben in einem Film, der nicht weiterging.

Nein, wir würden träumen, würde Kamal sagen. Völlig umsonst und ohne jeden Wunsch nach Erfüllung. Würden einfach weiter träumen, anders zu sein. Sonst wären wir doch schon lange tot.

Wir wären altmodische Romanfiguren, würde Véronique sagen, die wissen, dass nichts so unsicher ist wie die Realität. Sicher sind allein die Träume, irgendwas uns Vorschwebendes, eines Tages würden wir wieder aufbrechen und wie zum ersten Mal.

Wir sprächen zu uns, würde Natascha sagen, sprächen uns gut

zu, die ganze Zeit. Unser Roman könnte ein anders geträumter Traum sein, an dem wir lange gearbeitet hätten. Bis wir ihn so träumen könnten, wie er uns vorschwebte.
Wenn dann wieder die *Recording Angels* riefen, würden wir sagen, Salut, treue Begleiter, wir erinnern uns nicht, wir träumen nur.
Wie die Kirschbäume im Winter. Nun erinnere du dich, Helmudo, sagt Abdul. Wir waren jung, fehlten uns. Lebten schnell. Glaubten, im Wind der Geschichte zu segeln und dass wir erwartet worden wären. Die berühmten Tigersprünge. Kühn. Wir dachten, um zu spät zu kommen, wäre es nie zu spät. Wir wollten das Leben finden und uns in ihm lebend. Wollten am Abend, am Rand der Nacht, in der Stunde zwischen Wolf und Mond, die Arme heben und uns in den Himmel erheben. Wie die Bäume im Winter, wenn sie ohne Gefieder da stehen, kahl. Auf der Wiese eine Schar Kirschbäume in der Dämmerung. Eine Anhöhe, du kennst sie, hinter Watzenborn, das Dorf liegt im Tal in dichtem Nebel, bestrahlt von der Sonne, die schon nicht mehr zu sehen ist. Orangefarbener Nebel, dann rosarot. Zwischen untergegangener Sonne, zwischen dem Himmel, dem All und der Erde dieses vom Tag gebliebene Farblicht, das wandert, weiterzieht, bis es verschwunden ist. Während sich die Bäume hochrecken, höher und höher. Gehen aus an ihren Ästen und Zweigen, steigen in leichtere Luftschichten, wo sie eine lange Nacht durchatmen. In der sie ihren Blüten – blutjung wie wir – Blatt für Blatt so zart, weiß, durchlässig, ihrem Blühen und Vergehen entgegenträumen.
Wenn wir im Krofdorfer Forest unterwegs waren, auf den umliegenden Wiesen voller Obstbäume, nicht nur, wenn wir Engel waren, gingen wir am Rand des Tags der Dunkelheit entgegen. In der wir untertauchten ins leere Land. Kein Mensch mehr da, die Stadt, die Autos weit weg und über uns die Lichter der frühen Sterne. Wir wechselten die Haut, sahen den Bäumen zu, darum waren wir da. Schweigend hielten sie fest in der Erde,

ließen sich an den Ästen aus und weiter in die Lüfte. Wenn kein Vogel mehr fliegt, wenn sie ihren leichten Schlaf in Sträuchern und Höhlen unterbringen, in aufgeplustertem Gefieder, öffnet sich der Himmel für die Träume der Bäume, in denen sie erblühen. Ihre Leichtigkeit nehmen die Blüten in diesen Wintertagen an, wenn sie in der Dunkelheit erwartet werden. Das wollten wir auch. Jede einzelne Blüte.

Am Morgen sinken sie mit den Träumen zurück zur Erde. Was in der Kälte leise klirrt, sind die aus den Träumen der Bäume am Morgen, kurz bevor es hell wird, zu Boden fallenden Blüten. Da stehen die Bäume, knöchern, grau, als wäre nichts gewesen. Nacht für Nacht wachsen ihnen die Blüten, das Ornat der Sufis. Auch sie Brüder und Schwestern der Indienfahrer.

Scheißroman, sagt Helmudo. Wir kommen doch nicht aus Filmen.

Woher denn?

Die Erzählung eines endlosen Tags.

Und die Bäume im Winter?

Magischer Realismus.

Wie in *Hundert Jahre Einsamkeit*?

Nein, wie in Zweihundert Jahre Einsamkeit. All die Jahre mit ihren Geschehen, die sie in sich bergen, sie halten sich bereit, im Hintergrund, an der Wand, hinter dem Stuhl, reglos und warten, was wir tun werden. Es kommt auf uns an, Abdul. Bis sie sich gemeint fühlen, gerufen, angesprochen von dem, was sich in uns von ihnen wiederholt. Keiner fühlt allein. Wir wissen nicht, was für Geschichten das sind, welche es sein werden. Sie sind da, haben sich aber noch nie ereignet, verstehst du das?

Was früher wir waren, Helmudo, sagt Abdul, die wir im Winter in der Luft über den Kirschbäumen aufstiegen, uns in der Kälte festhielten und wie das Licht schwebten. Das gefährliche Licht, kurz bevor es dunkel wird, das alles einzeln macht, ausschneidet aus dem Raum, der Welt, die vor unseren Augen ein Schnittbogen wird. Bäume, Grashalme, wir selbst werden

durch einen scharfen Schnitt aus der Fläche geschnitten und zugleich in sie eingefügt, mit harter Kontur, die uns ins Blatt fesselt, wie die Bäume, die kahlen Äste, die Vögel haben sich schon in den Büschen geborgen, sie würden vom Himmel fallen, ihr Flügelschlag abgetrennt vom nächsten, das Übergangslicht ein Stillstand, als delirierte der Tag, nein, nicht der Tag, das Licht, als würde es, kurz bevor es verschwinden würde, verrückt werden, außer sich geraten und risse sich von allem los, was es beleuchtet hat, grüßte die Bäume, die Erde, die Wiese ein letztes Mal und sein Gruß wäre ein Schnitt, tief bis ins Fleisch des Raums.
Fünf vor fünf der Schmerz, dass das Licht geht. Tag und Nacht werden untrennbar in der Stunde zwischen Wolf und Mond, in der früher wir waren und uns vorstellten Kischblüten zu sein. Wo heute – und das sind vierzig Jahre, das ist der Unterschied, – die Toten sind.
Die waren schon vorher da, Abdul, sagt Helmudo. Ich bin nicht plemplem. Das habe ich dir schon mal gesagt. Täusche dich nicht, auch wenn du beim Theater bist. Die Toten waren schon vorher da und wenn wir da draußen auf der Wiese über den Bäumen schwebten, ich erinnere mich gut, so war das unsere Möglichkeit, ihnen nah zu sein, ihnen, und dem, wovor wir uns so fürchteten. All die Verwechslungen, Ununterscheidbarkeiten hatten wir wirklich überlebt. Waren wir auf der Welt, waren unsere Eltern noch am Leben? Warum sonst bin ich verrückt geworden, wieder und wieder, aber nicht plemplem. Und Alexander verschwunden, vor ihm Günther, und Véronique, wie sie zurückkam und nichts war wie vorher, beide fort, sie hat Günther nicht mehr gesehen, mit Alexander nur noch ein paar Worte. Sie waren doch ein Paar, unzertrennbar, und dann das, Alexander hat sie mitgenommen, viele Jahre lang.
Ja, Helmudo, Sehnsucht zu haben und nicht zu wissen, nach was, das Gesetz dieses Abstands, diesen Abstand finden. Wenn die Welt fort ist, wenn wir sie tragen müssen. Was wird gesche-

hen? Was wollen wir, dass geschehen wird mit uns? Wir brauchen die Zeit, die wir nicht haben, genau die. Und reisen ihr nach, der schnellen, der rasenden, Indien, Raum vor dem Raum, nie werden wir es erreichen.

Ja, Abdul, wir müssen fahren. Ins große Schneegestöber des Nichts, und der Schmerz wird unsere Lampe sein. Weißer Hauch von den Wiesen der Kirschbäume.

14. Lektion, wie wir so redeten, uns wieder anriefen, abnahmen, auflegten, daran dachten, wie wir in der kleinsten Bäckerei der Welt an dem Film weiterdrehten, mit dem wir schon in Köln nicht weitergekommen waren. Mit verzauberten Menschen, aus denen später Drachen und tote Revolutionäre wurden. Dazu kamen ein paar Dadaisten aus dem Zürich weit zurückliegender Zeiten, um mit Lenin über die Revolution, über letzte Rettungsversuche mit den sieben Raben, den Stadtguerilleros aus Brasilien und uns in der oberhessischen Garnisonsstadt Gießen zu diskutieren.

Es war kalt, der Frühling zögerte, Sonntag in der kleinen Stadt, in der noch viel kleineren Bäckerei, im winzigen Zimmer Lenins in der Spiegelgasse. Wir waren die Treppe runtergekommen, standen da, warteten auf unseren Auftritt. Wie lange schon? Wir fühlten uns als Schauspieler, wollten nicht noch weiter warten, nicht zögern, wir waren jung, was nie lange dauerte, bis es wieder zu spät war. Draußen sang die Amsel, dabei folgten wir in Gedanken den Linien unserer alten Griffel über den harten Grund der Schiefertafel bis an den Rand. Die Wörter waren unsere Schiffe im Strom der Sprache, den wir querten in reißender Zeit.
Wir trugen schwere Mäntel aus der Kriegszeit, wie der von Susan mit breiten Schultern von ihrer Mutter, lang bis zu den Knöcheln. In dem sie an den Fluss ging, wo die Lieder von Leonard Cohen auf sie warteten, sie berührten ihren Geist, ihren Körper, sie waren so süß, sagte sie leise unter dem Blick der Lehrer in der elften Klasse, im Seetang schwammen Helden, und sie kam nicht mehr wieder.
Abdul lag neben Lenin, seinem Genossen, beide auf Feldbetten, Aufruhr in den Adern, sie träumten von der Revolution. Sie erhoben sich, traten vor, gingen zurück, legten sich wieder hin, schlossen die Augen, als wären sie tot. Wir hatten das Café

mit den Stühlen, der Bank am Fenster, dem runden Tisch leergeräumt, die Betten standen im Hintergrund, wo es in die Backstube ging, neben der Türe mit dem Schild: Privat. Morgen musste, wo jetzt die Revolutionäre vor sich hindämmerten, aufstanden, kämpften und wieder niedersanken, alles wieder wie vorher dastehen. Helmudo hatte die faltbaren Betten aus Holz, mit grauer Leinwand bespannt, irgendwo in einer der vielen Kliniken, in denen er Nachtwachen machte oder für die er Blut transportierte, gefunden, hinten im VW-Bus mitgenommen. Es waren Lazarettliegen. Günther spielte Lenin, der zwischen Leben und Tod schwebt. Trotzki war nicht da, wir warteten auf ihn.
Meine Wunden sind unsichtbar und vergiften den Körper, sagt Günther als Lenin. Wenn ihr mich da liegen sehen werdet, bin ich schon tot.
Die Suche geht weiter, sagt Abdul. Nicht um etwas wiederzufinden, sondern um den Abstand des Unwiederbringlichen, auch des Unüberwindlichen dieses Abstands zu erkunden.
Dann stritten sie wieder. Auch im Schlaf, auch im Traum und in der Zeit. Sie waren auf der Flucht, im Exil, sie suchten und erwarteten, dass Trotzki kommen würde. Jeden Moment konnte es so weit sein, stand vielleicht schon vor der Tür. Einmal im Kino in einem Film von der Revolution zu Lenin sagen können: Ich wäre gerne Ihr Freund geworden. Aber nach allem, was geschehen ist, geht das wohl nicht mehr, sagt Abdul. Das wünsche ich mir.
Wo bleiben die Dadaisten, sagt Alexander. Er war der Regisseur. Da sind wir doch, sagen wir. Kannst du uns nicht sehen?
Schon wieder hat keiner meinen Wunsch gehört, sagt Abdul.
Was ist mit den Dingen, die, bevor sie zu Waren wurden, Menschen gewesen sind, die verzaubert wurden wie im Märchen die Schwester, die ihre Brüder, die sieben Raben sucht? sagte ich. Auch sie verzaubert, aber früher, vor der Schwester. Die Eltern wollten sie umbringen, da sind sie geflohen. Alles sehr schwierig. Es gibt auch noch die Prinzessinnen, diese wunderbaren

Mädchen, die dann Drachen werden und am Wegrand auf ein bisschen Aufmerksamkeit, Freundlichkeit, ein paar Küsse vielleicht warten. Wo sind die Ritter, die guten Pferde und Schauspieler?
Natascha tritt seitlich vom Laden her durch die Schiebetür als Gespenst auf, das von Anfang an in Europa umgeht. Sieht aus wie Karl Marx mit toupierten Haaren, doch ohne Hände, weil Gespenster keine haben. Darum können sie auch nicht schwören. Die Bäckersfrau spielt eine Bäckersfrau, die schreit, als sie das Gespenst sieht. Davon erwacht Lenin und sagt, warum schreist du, Frau, ich liege im Sterben.
Die Frau sagt, sprechen Sie ordentlich mit mir.
Fakten sind stur, sagt Lenin.
Die Einsamkeit der Geschichte, sagt Natascha.
Die Mädchen am Wegesrand, sage ich.
Was ist so tot wie ein toter Revolutionsführer? sagt Helmudo, was nicht abgesprochen war. Günther sagt, das müssen wir erst noch diskutieren, Alexander winkt ab.
Ich bin St. Just, flüstert Kamal, ich bin die Asche nicht wert, aus der ich gemacht bin. Die Freiheit wird die Freiheit bekämpfen.
Die Bäckersfrau tritt ab, kommt dann mit Bienenstich zurück, frisch gebacken, mit der Füllung, die dazwischen ist, aber immer oben schwimmt. Lenin nimmt sich ein Stück, beißt rein, die Füllung tropft an den Seiten raus, auf seinen Mantel, die Decke. So werden wir es mit der Konterrevolution machen, dem Schaum auf den Kronen der Wellen. Er ist durcheinander, sichtlich erschöpft, legt sich mit klebrigen Fingern wieder auf sein Feldbett, schließt die Augen. Schon so lange nicht mehr geschlafen. Endlich kommen die Dadaisten. Die Treppe runter, stürmen in Lenins Bude wie die Engel im Neusser Wall in einem anderen Buch. Da sind sie schon. Fangen ein Gespräch mit ihm an, er stellt sich schlafend. Wirst du auch diesmal unser Denken, die vielen Widersprüche, die Sehnsucht, die Unordnung, die uns aus

der anderen Hälfte des Lebens kommt, abtun, vor die Türe setzen? sagt Camille.
Uns, unsere Katze, den Schnee, der ins Haus fällt, kaum lernen wir das Schreiben? sagt Natascha.
Sprecht deutlich, sagt Lenin, die Augen öffnet er nicht.
Die Geschichte Trotzkis haben wir uns ausgeliehen, sagt Helmudo, bei Trotzki, bei dir, Lenin, bei Peter Weiss und uns, den Dadaisten.
Treten jetzt die Partisanen auf? sagt Abdul, der aufgestanden ist und sich als Matrose verkleidet hat wegen dem Kronstädter Aufstand.
Nein, sage ich, alle Pferde des Königs.
Wir bleiben bei den Dadaisten, ruft Alexander, filmt weiter. Helmudo macht die Klappe. Trotzkis Boot 17/5.
Sollen das etwa wir sein? sagt Camille. In unseren Herzen Traurigkeit, Enttäuschung, das Gefühl eines schrecklichen Scheiterns.
Nein, das ist Lenins Herz. Helmudo fällt mit Gitarre ein, *Yesterday*. Das ist improvisiert. Schon wieder. Wegen der Revolution.
Trotzki, sobald er kommt, wird denken: Was für eine schöne Bäckerei, sagt Natascha.
Was für eine schöne Nachhut, denkt er, sage ich.
Vielleicht ist es nicht so schlimm, Angst zu haben, sagt Camille.
Fakten sind sturer als Angst, sagt Lenin.
Wir müssen das Unwahrscheinliche wahrscheinlich finden, das Wahrscheinliche unwahrscheinlich, sagt Kamal. Alle Wahrnehmung muss zum Tanzen gebracht werden.
Wie unsere Mütter, sagt Helmudo. So haben sie uns aus den Nächten gerettet, in denen wir schreiben lernten und während wir schrieben, überrollt wurden von der Geschichte, der Sprache, ihren Versteinerungen. Es war nur ein Traum, haben sie gesagt, viele Nächte durch. Wir hätten es sonst nie überlebt.
Extrem unwahrscheinlich, sagt Lenin. Da fängt die revolutionäre Arbeit an.

Wir kommen mit der Szene nicht weiter, sagt Alexander.
Wir kommen nicht weg von Lenin, den Feldbetten aus den Kliniken, in denen die toten Revolutionäre liegen, sagt Natascha. Bring wenigsten die Betten wieder weg, Helmudo.
Ihre Särge sind leer, sagt er.
So weit waren wir schon mal mit dem Film in Köln, sagt Alexander. Lenin auf dem Feldbett neben dem von Trotzki, der dann doch noch kommt. Da sind ihre Kinder schon tot. Solange wir nicht aufgeklärt haben, wer tot ist und wer nicht, können wir nicht weitermachen.
Das finden wir auch. Versuchen wir es nochmal, sagt Kamal.
Was ist mit den Feen, wir sollten sie nicht gering schätzen, sagt Natascha.
Was ist mit dem Schaf, dem Bären und dem Walfisch im Fußboden, den ich aus dem Haus von Elsemarie kenne, mit dem ich, als ich jünger war, hinausschwamm, sage ich.
Wir fädeln unseren Roman ein, sagt Kamal. Den von der Revolution ohne tote Revolutionäre, in dem der Tod keine Lösung ist, wie im Traum.
Der kommt doch später, sage ich.
Das hat nie aufgehört, wir sind nur immer tiefer hineingeraten, sagt Kamal am Telefon, er hat mich angerufen. Angesteckt wie wir alle, die dabei waren in Gießen im kleinen Zimmer am Straßenrand, eines Sonntags, in dem wir uns unter Trotzkis Segel auf den Weg machten, kaum hatten wir uns versehen. Kamal, halber Inder aus dem Ruhrgebiet. Großgeworden zwischen den Kaminen, aus denen Ruß, Gas und Feuer in den Himmel steigen. Es ist schon spät, dunkel, ich sehe die Sterne über dem Tiefbauamt stehen, wie sie immer größer werden, heller.
Von Indien her, sagt er, als mein Vater noch nicht mein Vater war, als er sich umwandte, wegging aus seinem Land, seiner Familie und Schwindel ihn erfasste.
Wie uns, wenn wir daran denken, wovon wir uns haben trennen müssen, von Menschen, Dingen, sogar von Zeiten haben wir

uns trennen müssen, und wie sie dann ausbleichen, durchsichtig werden, kaum haben wir uns gelöst. Ganz dünne Trennungsschnitte in der Luft, hinter denen nichts sich verbirgt, sage ich.
Sogar das Nichts geht leer aus, sagt er.
Ihr fallt aus der Rolle, würde Alexander sagen, wenn er uns hören könnte, sage ich. Den indischen Roman hat Fritz mitgebracht, kurz nach dem Sonntag und dem Film, morgen, übermorgen, es könnte jeden Moment wieder so weit sein.
Ja, sagt Kamal, der hat uns lange fest ins Auge gefasst. Wartete nur auf uns, hielt still in der Zeit. Bis etwas anhob, atmete, ein, aus, sich füllte, groß wurde, schwebte, wieder sank.
Dann rief Helmudo an. Wir müssen fahren, sagte er, die Filme, Alexander, Trotzkis Segel, ich kenne den Weg, glaubt mir, ich bin ihn gekommen, aus dem Osten, durch das Gebiet der Verschollenen, in dem ich mich so lange aufgehalten habe, ganz für mich, getrennt von der Gesellschaft derer, die an Antworten glauben, an Lösungen, an das Ende der Geschichte. Weggesperrt. Am Rand der Zuständigkeiten den Traum der Zeiten weiter geträumt, vor, zurück, vor. Es waren diese Träume, die mich so rettungslos gemacht haben, schon damals. Ich drehe mich nicht um, so kann ich euch und was wir einmal gewesen sein werden, besser sehen. Ich will, was einmal war, all das Phantastische, Aufgewühlte, Ungelebte, das uns ausmacht, noch einmal haben, wiederhaben, was war, wovon wir uns getrennt haben, kaum daß wir uns aus den Augen verloren hatten. Wir müssen fahren. Ich rufe euch an. Liebe Freunde, wisst ihr denn nicht, dass es nur eins auf Erden gibt, und das ist, was wir aus unseren jungen Herzen einander zugerufen haben durch die Zeiten, uns grüßten, still, ohne Worte.
So sprach er, das sagte er uns bei seinem ersten Anruf nach den vielen Jahren, sage ich. Ich weiß nicht, wann er diese Worte sagte, vielleicht kommen sie auch aus dem Film an dem Sonntag mit Lenin und wir warten noch immer auf Trotzki.

Alexander filmte, sagt Kamal. Ich wollte ihn aufhalten, den Film anhalten, das Flickenwerk der Bilder und der Sehnsucht, doch Lenin trieb uns, zur Sache zu kommen.
Abdul sagte noch einmal: Ich wäre gerne Ihr Freund geworden. Später wird er als aufständischer Matrose erschossen, aber das würde im Film nicht gezeigt werden, sage ich. Die Bäckersfrau brachte nochmal Bienenstich. Wir setzten uns auf die Feldbetten, tranken Kaffee. Als wir vor den Fenstern ein paar Leute herumstreichen sahen, die versuchten reinzuschauen. Erinnerst du dich, Kamal. Das waren bestimmt Tarahumaras, hat Camille gesagt, oder Brahmanen, trotzkistische Iraner von vor der Revolution, schräge Vögl. Unsere Lieblinge. Sie wollten mitspielen.
Es gab auch Indianer in der Stadt, sagte Natascha. Das waren die Soziologen, Johannes, der alles besser wusste, Axel, der zaubern konnte, Hände küsste, alles umdrehte und jeden Satz mit den Surrealisten anfing, was für kühne Kerle die doch waren auf Pferden, die ohne Scheu ihre Pfeile abschossen. Sie saßen neben Häuptling Krüger, passten auf, dass niemand anderer in seine Nähe kam. Unser Star unter den Soziologen, schönster Mann des Fachbereichs weit und breit. Sie siedelten auf Hügeln vor der Stadt, in den Ruinen der Burgen, im Bergwerkswald.
Ja, sagt Kamal, manchmal waren sie in einem kleinen Boot auf der Lahn unterwegs, ließen sich der Mündung entgegentreiben.
Fortsetzung folgt, sage ich. Es muss sein.
Wir waren da, bevor wir da waren, sagt Kamal.
Die Schule der Indienfahrer, Kamal, von da kommen wir, dahin gehen wir. Dann legen wir ganz schnell auf.

15. Lektion vom Losfahren, vom Wind, der uns ins Segel geht, vom Jasagen, was auch immer uns zustoßen wird, uns aussetzen den alten Gespenstern der Sehnsucht, des Aufbruchs und des Aufstands, unsere kleine Medizin der Bejahung nach den vielen Schmerz- und Betäubungsmitteln, die nur alles noch schlimmer gemacht haben.

Ja, sagen wir uns, ja, wir fahren, wir müssen, Indien, Gebiet unendlicher Annäherungen und Entfernungen, imaginäres Land aus Vergänglichkeit und ununterbrochenem Gespräch. Sturm auf Delhi, Ende der Sepoy-Revolte, als die Stadt noch schön war, dann fiel, Karl Marx schrieb aus London für die *New York Daily-Tribune*, September 1857, die Trompeten der Rachsucht erschallten, auch die Grausamkeit besitzt ihre Mode, die nach Zeit und Ort wechselt. In unseren Taschen Flugtickets, den alten schmuddeligen Impfausweis, Typhus, Cholera, Hepatitis, Pocken, Tetanus, Fleckfieber, Gelbfieber, Tollwut, die Impfärzte des Tropeninstituts mit glänzenden Augen. Noch weitere Impfungen empfohlen gegen Würmer, Zecken, Hirnhautentzündung, Müdigkeit, Vogelgrippe, Denguefieber und die Malariatabletten nicht vergessen, von denen wir psychotisch werden, wenn wir sie nehmen. Macht nichts, sagen sie, besser als Malaria. Gegen die haben wir in unseren leichten Koffern Netze dabei, reisen aus allen möglichen Richtungen, Städten und Ländern an. Treffpunkt Bangalore, wo es Spuren gibt von Alexander, wie er hinter der Kamera stand, wir zuvor in den Feldbetten der Revolution, in Erwartung, dass Trotzki kommt, die Revolution, ihre Zerschlagung, unsere jungen Herzen und ihre Grüße ohne Worte durch die Jahre. Still, alles würde weitergehen, Flughafen Bangalore, wir werden aufeinander warten, bis auch das letzte Flugzeug kurz vor Mitternacht gelandet sein wird, vierundzwanzigster Oktober 2014. Kurz: Wir brechen auf. Also doch.

Ich fliege vor, allein nach Delhi. In die Stadt, aus der ich bald vierzig Jahre vorher weggeflogen bin, um nie mehr irgendwohin zurückzukehren. Was ich damals in der Nacht auf dem Flughafen ahnte, aber lange nicht ertragen konnte. Ich war außer mir, fassungslos, sollte ich Indien tatsächlich überlebt haben? Ich konnte es mir, seit wir ein paar Wochen vorher die Grenze hinter Lahore überquert hatten, nicht mehr vorstellen. Eines Morgens nach heftigem Regen, wir waren die ersten, als die Grenztore geöffnet wurden, und sofort war dieses Gefühl da, keine Distanz mehr zu finden, zu nichts. Alles kam viel zu nah, löste mich auf und mit mir den Raum, die Zeit, das Gefühl dafür, wo ich anfing, wo ich endete.
Auf einem Baum sah ich den Geier sitzen, von dem mir Alexander bei meiner Abreise gesprochen hatte, groß war er, kahler Hals, leicht geduckt, die geduldigen Augen, es würde schon kommen, was er erwartete, an seinen Füßen rostige Klingen. Er war da, wusste Bescheid, alles ging in Erfüllung und seitdem lebte ich von einem unwahrscheinlichen Moment zum nächsten, Hand und Mund, dazwischen atmete ich. Es gab keine Tage, keine Nächte mehr, nur helle und dunkle Membranen, durchsichtig, die Zeit reine Dauer, auch Stillstand, ich hielt mich am Rand der Existenz auf, schmal wie der Mond im letzten Viertel, fuhr durch hingeworfene Dörfer, die meisten Häuser Bretterbuden, übernachtete in den alten englischen Guesthouses des Nordens und nichts von dem würde je außer mir existiert haben, da war nur ich, ein schwankendes, ohnmächtiges, indisches Gefühl. Auch jetzt fürchte ich, die Reise nicht zu überleben. Anders als alle Länder, durch die wir auf der Reise gekommen waren, löste Indien mir jede Gewissheit auf, mit der ich bis dahin gelebt hatte. Alles existierte anders in Indien, das Wasser, das Licht, wie Häuser auf der Erde standen, Tiere, Menschen, wie sie lagen und schliefen neben Autos, am Straßenrand, in Gruppen unterm Mond, in der Asche, flach, eingefügt, ganz übergeben dem Raum, der Schwerkraft und

Vorsehung. Die Augen der Menschen, was mich aus ihnen anschaute, machten mich unvorstellbar. Was sahen sie, was war ich in ihren Augen, die alles durchschauen konnten?
Bald Mitternacht, ich stand bei der Abreise auf dem Flughafen in Delhi, der Flug nach Frankfurt on time, das Gepäck aufgegeben und ich flog davon, ohne je fortzukommen von dem, was Indien genannt wird. Ende und Zusammenbruch der bekannten Welt, Demarkationslinie, dahinter eine andere Zone als die der DDR, unseres Bruderlandes, auch im Osten gelegen, dem Osten Stalingrads, des Kriegs, der mit seinen Toten, Verschollenen, Vermissten den morgenländischen Osten unterwandert hatte.
Wo, wenn nicht in Indien sollten wir die, von denen alles voll war in unserer Kindheit und Jugend, als alle an das Wunder der Wirtschaft glaubten, das den Tod, die Zerstörung, die Angst leugnete, wovon alles durchdrungen war – wo anders sollten wir sie annehmen als in Indien. Wir wollten die Hoffnung nicht aufgeben, eines Tages doch noch sagen zu können, wer tot war und wer nicht: wir, oder die Vermissten, die Verschwundenen, die vom Krieg für immer Vereinnahmten, die an Wunder glaubten, während sie wie die Verrückten am Tod arbeiteten.
Als ich in Frankfurt landete, früher Morgen, Herbst wie jetzt, auch Ende Oktober, trübes Licht, keiner schaute mich mehr an, sofortiger Verlust des Ansehens, und was ich in Indien gefürchtet hatte, nicht zu überleben, hier wartete es auf mich. Von afghanischen Nomadenfrauen hatte ich mir Kleider gekauft aus Samt, in den Farben der untergehenden Sonne, reich bestickt, wild zusammengenäht aus älteren Kleidern, auch einen Seidenmantel aus Taschkent, weiße Hemden mit eingenähten kleinen Spiegeln aus Indien. Sie kamen nicht an, das Gepäck verloren gegangen, es waren ja nicht meine Kleider, tauchten nie wieder auf, ich trauere noch heute um sie und wer ich in ihnen hätte gewesen sein können. Dann sah ich Alexander. Ich hatte nicht gewusst, ob er kommen würde, seine Briefe seit Wochen aus-

geblieben. Er stand da, sagte kaum ein Wort, schaute nur kurz zu mir, dann weg.

Wir fuhren schweigend über die Landstraßen nach Gießen. Fahren da vielleicht noch immer, zwei alte Seelen, die sich unablässig weiter und weiter voneinander entfernen. Neben uns die Wiesen schwer von Wolken, oder es war der Himmel, zugrundegegangen am Grau, am Winter, der bevorstand, die Bäume mit gestreckten Ästen, kahl, ohne Laub als riefen sie um Hilfe. Dann konnte ich nichts mehr sehen, ging neben ihm unter.

Er setzte mich in Gießen vor dem Haus in der Ludwigstraße ab, wo wir zusammen gewohnt hatten. In meiner Abwesenheit war er aus dem Zimmer gezogen, in dem Fritz unter den Augen der alten Schlafpuppe Indien ausgesprochen hatte. Sofort waren wir zu Niemandsländern geworden, aus denen uns ein Wind entgegenschlug, der uns forttrieb von dort, wo wir sein wollten im Zimmer mit Wintergarten, noch voll vom Licht des Tages, wo wir waren.

Zeit vergeht langsam, wenn wir träumen, sie vergeht noch langsamer, wenn wir verlassen worden sind. Was weiß ich, ob ich es war, die das erlebt hat. Ich hätte fremd gewesen sein müssen, nicht jung wie ich war, auch nie zurückgekehrt, nie losgefahren mit dem Gefühl einer anderen Verbindung zwischen uns, um das überlebt zu haben. Gab es Alexander, mit dem wir Filme gemacht haben, waren wir jung, verliebt, lebten wir in der Zeit der Aufstände? Und unsere Reise jetzt, hundert Jahre später oder ein paar Momente? Angerufen von unserem Verrückten und alle kommen mit.

Wann genau Alexander gefahren ist, ich habe es nicht mitbekommen, lag wochenlang im Bett, Monate, den Winter durch, stillgehalten, gewartet, Trance. Auch von Günther keine Spur mehr. Richtung Indien habe er sich aufgemacht, hatte er mir aufs Postamt in Neu-Delhi vor ein paar Wochen noch geschrieben, die anderen hatten Postkarten aus Belgrad und Thessaloniki bekommen, danach nichts mehr. Kein Seminar zu Anarchismustheorien, keine Forschungsreisen mehr zu Bauplätzen, Kaiserstühlen, Siedlungsgebieten des Aufständischen, keiner, der mit uns zum Tunix-Kongress in Berlin gefahren wäre mit Foucault als Ehrengast oder König, bald, wenn es notwendig geworden wäre nach all den Ereignissen, die uns im deutschen Herbst bevorstanden.

Nur in die kleinste Bäckerei der Welt ging ich in dieser Zeit noch. Wir trafen uns wie nach Günthers Seminaren, stellten uns vor, was er in diesem Wintersemester angeboten hätte. Vielleicht eine Veranstaltung zum Buch von Hans Peter Duerr *Traumzeit*, das er auf der Suche nach dem Leben der Indianer, die ihn in die Bibliothek zurückgeschickt hatten, wo er besser aufgehoben wäre als bei ihnen im Reservat, wie er in seinem Vorwort schrieb, irgendwo dort zwischen Regalen und Schubladen gefunden hatte. Wir hockten auf den Zäunen zwischen Wildnis und Zivilisation, auf der einen Seite waren wir verloren, auf der anderen auch.

Günthers und Alexanders Fehlen lief wie ein Riss durch uns durch. Etwas hatte uns verloren. Hatte uns aus den Augen gelassen, aus seinem Mund, seinem Geist, antwortete uns nicht mehr.

Die Bäckersfrau schaute uns ernst an. Wir tranken Kakao mit Sahne, aßen ihren Bienenstich, vor dem Fenster draußen die Rasterfahndung, die Terroristen, bald tot in ihren Zellen, dieser Herbst in Deutschland, der kommen würde, schon da war, schon lange, sich nur immer mehr zusammenbraute, uns den Hals zuschnürte, und wir würden nicht wissen, ob sie nicht doch getötet worden wären. Bald schon oder bereits geschehen. Ohio oder der Aufstand, stellten wir uns vor, würde Günther sein Seminar genannt haben können, das von der Angst gehandelt hätte, die uns klein machte, bedrängte, unser Sprechen hart werden ließ, unbeweglich, und wir konnten nicht sagen, was war. Da war nur dieses Fehlen, das Gefühl, verloren worden

zu sein, ausgerissen. Etwas war explodiert. Wie bei denen aus Stammheim. In ihnen waren die alten Ladungen hochgegangen. Schuld, Gewalt. Nur noch Schatten ihrer selbst, in grauen Anstaltskitteln, um den Leib gewickelt, lange vorher abgestorben, unkenntlich geworden, gefährlich. Schallplattenspieler in der Zelle, grau wie sie. *Shine on you crazy diamond.* Kinder eines zerstörten Lands, das noch immer keiner beweinte.
Wären die beiden doch nur geblieben, bei uns, dem Lied von Neil Young, das uns nach den Toten in Stammheim nicht mehr aus dem Kopf ging. Four dead in Ohio. 1970, State University. Studenten, zwei junge Männer, zwei Frauen, erschossen von Soldaten. Bis heute ist nicht klar, ob sie einen Schießbefehl hatten. Und was, singt Neil Young, ist mit denen, die sie gekannt haben, die Toten, gerade noch neben ihnen gingen, dann waren die einen tot, die anderen nicht. Was ist mit denen geschehen, die sie gekannt haben, die mit ihnen jung waren, studiert haben, protestiert und dann sind die Freunde tot, brechen zusammen neben ihnen an einem warmen Tag an der State, auf dem Rasen, fliehend vor der Aufstellung von Soldaten, Maschinengewehre im Anschlag, bleiben liegen.
Warum haben sie uns nicht schon viel früher erschossen? Schießt es denen durch den Kopf, die ihn noch haben. Sie hocken neben den unbeweglich am Boden Liegenden, von einer Kugel getroffen wie sie von dieser ungewissen Gewissheit, auch gewissen Ungewissheit, warum sie nicht schon viel früher erschossen worden sind. Die kannten auch wir, in- und auswendig. Es half nicht, zu sagen, das sei eine Einbildung, keine Realität, wir wussten, wovon Neil Young sang. Vier tot in Ohio, drei in Stammheim, einer im Kofferraum in Frankreich. Deutschland war im Wunder wiedererwacht und mit ihm all seine Gespenster. All die Toten, die nicht tot sein konnten, auch all die Vermissten, die nicht vermisst werden konnten, die nach Gerechtigkeit verlangten, sonst würden wir keinem Wort glauben können, keinem in Deutsch gegebenen Wort. Die

ersten Auschwitzprozesse 1963 bis 1965, bei denen mehr als dreihundert Überlebende aussagten, die die gekannt hatten, die neben ihnen liegengeblieben waren, und es war nur eine Frage der Zeit gewesen, wann es auch ihnen so ergehen würde. Sie kamen auf eigene Kosten zur Verhandlung, auf den Straßen wurden sie beschimpft. Während ich in der katholischen Zwergschule saß, auf den gekreuzigten Menschensohn schwor, von seinem Fleisch aß und sein Blut trank. In einer Unterrichtsstunde sprach ich mit Theodor, der neben mir saß, ein Junge, zart, mit schwarzen Haaren, grünen Augen, den Mund leicht zur Seite gezogen. Wir mochten uns sehr und waren vertieft in unser Sprechen, weit weg von der Klasse, dem Klassenraum, was gesagt wurde, welcher Stoff und doch ist mir, als hätte ich gespürt, wie es um uns herum ganz still wurde, die Erde hielt den Atem an, nur wir flüsterten weiter, schnell hin und her, als die Schläge des Lehrers trafen, hinterrücks, aus der Stille, dem Weltraum, in dem wir trieben mit den Worten, dem sicheren Band, bis es riss und mit ihm der Weltraum. Kein Wort mehr kam uns über die Lippen, wir schauten auf, bemerkten, dass alle uns anschauten, alle hatten zugesehen, was geschehen würde. Keiner hat uns gewarnt. Dann Totenstille.

Wir sind am Ende, Freunde, würde Günther zum Lied von Ohio gesagt haben, unser Anführer, der uns im Krofdorfer Forest, der Heimstatt der Engel, denen schon lange Hören und Sehen vergangen war, durch den vietnamesischen Dschungel geführt hatte. Der Kampf ist vorbei, unser Auftrag hat sich erledigt, würde er sagen, auch wenn manchmal noch in Filmen mit Engeln am Himmel zu lesen stand: Fortsetzung folgt. Ein Volk träumt und wählt einen autoritären Führer. Das war damals so wie jetzt in Indien, im Frühjahr 2014.

Das Flugzeug setzt zur Landung an, kein einziger Hippie an Bord, wir sinken, es ist Nacht, unter mir Delhi, schwach leuchtend wie unter einem schweren Samttuch. Ältestes Land. Hier war ich schon mal. Endlose weite Gänge, gelber fleckiger Tep-

pichboden, rechteckige Pflanzenkübel mit kleinen grauen Palmen, die ersten Inder in braunen Uniformen, fahren in gelben Autos Passagiere oder sich selbst herum. Das Gepäck ist da, ich gehe weiter, als ich tief unter mir die Halle mit den Passkontrollschaltern liegen sehe. Gläserne Boxen, in denen Passbeamte ihre Stempel heben und senken. Darüber an der Wand riesige dreidimensionale Hände in unterschiedlichen Fingerstellungen, stellen die Sprache der Gehörlosen dar und für die vielen, die nicht lesen können in diesem Land. Die Hände mit ihren feinen Fingerstellungen, silbern, staubig wie die Pflanzen, schweben als übergrosse Feen in der Halle, jede sagt ein Wort, den Namen einer Landschaft, die wir jetzt hier betreten, Indien, Traum, Halluzination.
Rolltreppen führen in die Halle hinunter, die bis zur Decke mit grauer, dicker Luft gefüllt ist. Wie eine schwere Wolke schwebt sie vor mir und ich denke: Die atme ich nicht. Schon ist es geschehen, ich sinke hinein, durch die Wolke, nehme sie auf, Atemzug um Atemzug, reise ein unter den Händen der Feen, die sie kaum merklich über die Anstehenden halten, die eingelassen werden wollen von den furchtbaren Beamten Indiens, vor denen alles, was für dich spricht, auch gegen dich sprechen kann, vor denen es nur Glückhaben gibt, kein Recht. Sie lassen mich durch, sie sind gnädig. Draußen stehen Fahrer mit Schildern, auf denen die Namen derer stehen, die sie abholen sollen. John, Glenn oder Mister Wong.
Gedränge, Auflauf, auf mich wartet ein junger Mann, der seinen kleinen Bruder mitgebracht hat. Die beiden sprechen kaum Englisch, bedeuten mir mitzukommen. Wir gehen durch dicke, neblige Luft. Menschen, die vor uns hier zwischen endlosen Flächen von Parkplätzen und Containerlagern gegangen sind, haben raupenartige Tunnel in ihr hinterlassen. Es ist kühl, ein Uhr nachts, am Himmel fahler Schein, Licht aus den Sicherheitszonen, Kontrollsperrgebieten, Schranken mit Polizi-

sten, Soldaten, Stacheldraht, Scheinwerfern, die sich durch die Nacht drehen.
Ich erkenne nichts wieder. Wir verlassen die Flugzone, wechseln in eine andere, dunklere. Riesige Rasenflächen, üppige Beete, vierspurige Straßen, dazwischen Skulpturen aus Beton und Stahl, Kugeln, Stangen, weiß der Henker, wofür die gut sein sollen. Darunter schlafen Menschen, wenige Straßenlampen, bis auch die verschwinden, die Straßen enger werden, voller, Lastwagen tauchen auf, rasende Alpträume mit rutschender Fracht. Drei kleine Teufel hinterm Lenkrad schneiden jede Kurve, überschreiten jede Geschwindigkeitsgrenze, hupen wie die Irren, schleudern beim Überholen einmal quer über die Fahrbahn, die Ladung schleift über den Boden, Säcke mit Reis oder Beton, hinterlassen helle Spuren, jagen mit ächzenden Achsen ohne Rücklichter davon, dunkle, tödliche Masse vor uns, ratter, ratter, flache Häuser, hüttenartig, Zelte, beleuchtete Höfe, wo fünftägige Hochzeiten gefeiert werden, angestrahlte Schilder über dem Eingangstor von Braut und Bräutigam. Auch wir überholen, hupend, quietschend, die Straße ist einspurig, es fahren immer mindestens drei Autos nebeneinander, und wer betet, dass uns keiner entgegenkommt? Wieder Grünstreifen, die Straßen breiter, älter, wir nähern uns der Innerstadt, Büsche, Bäume, Blumen, wir rasen vorbei. So gut wie keine Hochhäuser, Menschen kauern am Straßenrand, Prostituierte auf einem Feld, wieder jagt ein Lastwagen mit klappernder Ladung aus Eimern und Krügen vorbei. Als ich das erste Mal in Delhi war, lagen überall an den Straßenrändern Menschen, sie schliefen, niedrige Hügel, die sich hoben und senkten, es war Nacht wie jetzt, die Straßen leer. Das hat sich geändert.
Wir biegen in eine ruhige Seitenstraße, kommen zu einem hohen Stahltor, Wachleute, der Fahrer muss seinen Ausweis zeigen, wir dürfen weiterfahren, Sunda Nagar, altes Villenviertel neben dem Zoo, viele kleine Hotels. Manchmal in der Nacht sind Tiere zu hören, Elefanten, Löwen, auch Wölfe. Es ist ein

Tag nach Vollmond, der Himmel leicht bedeckt. Im Hotel ein junger Portier in glitzerndem Silberanzug. Frisch aus der Disco, Gary Glitter. Für die Nacht bekomme ich das Zimmer zur Straße raus. Groß, geräumig, als ich spät am Morgen erwache, ist es überfüllt von Autos, Bussen, Motorrädern, der neuen Sprache Indiens. Die Sonne scheint. Auf den hohen Bäumen im Garten sitzen Milane, sehen wie Adler aus. Gary Glitter ist weg, vielleicht doch nur ein Traum wie die Feen in der Halle.

16. Lektion von Indien, dem unwahrscheinlichen, unmöglichen, wie es da ist, überall, lückenlos, brutal, zerschunden und zugleich voller Anmut, aufgerichtet, nach oben gezogen, an Fäden im großen All befestigt, schwebende Schwerkraft der Tänzer, die Nacht eine knisternde Hülle aus Zellophan. Wir kommen an Land, wenn Bangalore Land genannt werden kann, Hochplateau, näher an der Sonne, die Luft dünn, auch kühl; da seid ihr, alt geworden wie Indien und unsere Stimmen von früher.

Wir haben abgemacht, in der Flughafenhalle aufeinander zu warten. Mit wehender Mähne, scharrenden Hufen, wann kommt ihr endlich. Ihr Ritter und Fräuleins, Prinzessinnen, Drachen, verzauberte Kinder aus der kleinsten Bäckerei der Welt in Gießen, von Burgen und Schlössern umgeben, römische Straßen, Reste von Wachtürmen vor der Haustür und wir da herumgelaufen mit bangem Gefühl im Herzen, das uns schon damals in unausdenkliche Zeiten überging.
Ich bin am späten Nachmittag von Delhi losgeflogen. Nach zwei Tagen, in denen ich durch die Straßen taumelte, Staub atmete, den Lodi Garden besuchte, in seinem spröden Rosengarten schlief, umschwirrt von Krähen, grünen Sittichen, die mich mit Kreischen, Krächzen, Flügelschlag einhüllten. Während am Boden die graubraun gestreiften B-Hörnchen immer auf der Flucht waren. Rasten wie kleine Geparde von Baum zu Baum, würden bald in die Luft gehen, ihre Flügel ausbreiten, sich in eine pelzige Vogelart verwandeln und mit den Bussarden, Milanen, Falken ihre zurückgebliebenen kleineren Brüder und Schwestern jagen. Auf dem Weg vom Hotel sah ich neben einer Wohnanlage mit geschlossenem Innenhof zwei Frauen am Straßenrand sitzen, an einen Holzzaun gelehnt. Bei ihnen ein kleiner Junge mit roter Hose, blauem Hemd, gescheiteltem Haar, vor ihm, in einem Holzkäfig, ein Papagei. Sie schauten, hielten still, sich und die Zeit. Ein Bild. Dann stürzte mir Indien entge-

gen, heller Tag, ich erkannte alles wieder und erinnerte mich an nichts. Ich war Indien, hörte ich mich sagen, mit weit von mir in seiner ganz eigenen indischen Verfasstheit schwebendem Geist. Oder es war Alexander, ich träumte, bald würden die anderen da sein und sagen: Alles verfliegt, weine nicht, trauere nicht, rufe nicht.

Am Abend stieg der Mond auf, noch fast voll, helle Scheibe neben den Grabmälern der Mogulherrscher, glänzende Kuppeln über den Hallen mit Särgen, an den Wänden Glasmosaike. Überall in der Stadt lagen schlafende Hunde. Regten sich erst, wenn ich an sie stieß, aus Versehen im Dunkeln auf ihre Rippen trat. Sie bissen nicht, heulten nur.

Gegen Mitternacht sind auch noch Camille und Abdul gelandet, über Paris gekommen. Helmudo, Kamal und Natascha sind von Frankfurt losgeflogen. Völlig überdreht uns in den Armen gelegen, kaum gewagt, einander anzuschauen. Hatten wir überlebt? Uns, die Zeit, die Sehnsucht? Da waren unsere Stimmen von früher und blieben uns weg, irgendwie überglücklich, erschüttert, grau geworden die Haare, die Haut, kleiner geworden auch, anrührende Alte, Vogelscheuchen aus dem Dienst auf den Feldern entlassen, kein Vogel würde sich von uns erschrecken lassen. Nein, das konnte nicht sein. Damit hatten wir nicht gerechnet. Wie sahen wir aus? Wir sahen nichts, sahen durch uns durch, erkannten uns sofort.

Das ist alles so verdammt unwirklich, sagte Kamal und Natascha sagte: Niemand würde sich so was ausdenken können.

Also ist es wirklich, sagte Abdul. Immer ein sicheres Zeichen.

Ich kannte ein paar Leute, sage ich. Wir lebten in einer Zeit. Wir waren durcheinander. Ist es das, Kamal?

Fängt etwas an? sagt er.

Kraut und Rüben, sagt Natascha.

Damals? sagt Abdul.

Ein paar alte Kinder, sagt Helmudo, kommen aus Deutschland.

Da sehen wir ihn vor uns, wie er eine seiner schönen Freun-

dinnen küsst. Das ist jetzt vorbei, sagt er. Er hat nicht mehr so viele Haare, die Figur immer noch hager, ein bisschen krummer geworden. Ich will wachsam sein, treu, gerecht, sagt er.
Armer Ritter, sagt Abdul.
Andere sein in anderen Ländern, sagt Camille. Ihren Trotzkopf vorgeschoben wie immer. Hanni und Nanni, das kriegt keiner mehr raus, gestohlenes Pferd unter dem Arm, alter Zirkusschimmel, Verführung, dir schau ich ins Maul.
Schnell weg, sagt Kamal. Wie früher. Lange her.
Wovon redet ihr, sagt Natascha, wir sind hier nicht im Theater.
Nein, komplizierter, sagt Kamal.
Es gibt nichts Komplizierteres als Theater, sagt sie. Abdul, sag was.
Ich bin's, sagt Abdul.
Was?
Komplizierter.
Weißt du noch, sagt Helmudo und wir sagen: Nein.
Wie wir den Mercedes vom Dieter zu Schrott gefahren haben?
Nein.
Er wollte es so. Hat uns Geld dafür gegeben.
Nein, sagt Abdul. Camille lacht.
Haben tagelang überlegt, wie wir es am besten machen, sagt Helmudo.
Nein.
Und das Auto von Günther, das Camille kaputtgefahren hat im Krofdorfer Forest? Fahr mal hundert, hat er gesagt, sie voll aufs Gas.
Nein. Wir sind doch gerade erst angekommen, sagt Natascha.
Nein, sagt Helmudo. Wir waren hier schon, haben auf uns gewartet.
Vielleicht in einem Film, sagt Kamal.
Es schneite, die Bäume bewegten sich, es gab einen Schlag, wir wurden aus dem Auto geschleudert, durch die Luft, sagt Abdul, fielen zu Boden, ganz krumm und schief, gerade da, wo die

Fliehkraft nachließ. Lagen dann da, ganz unbestimmt, nicht wie kurz davor noch, als wir uns drehten, Schneeanbeter bei ihrem Tanz für die Nacht.
Wie jetzt, sagt Natascha.
Ihr bringt alles durcheinander, sage ich. Wirkliche Menschen reden nicht so. Das kommt alles erst später.
Aber da war das Auto, sagt Camille, wollten wir schon nach Hause fahren? Der lange Tag der Engel zu Ende? Kamal und Abdul hinten, Günther vorne. Sein Auto. Wo waren die anderen? Alexander, Véronique, Helmudo. Irgendwas war noch mit der Kamera, dem Ton. Ich mich ans Steuer gesetzt, Schnee und die Bäume kurz vor Weihnachten, liefen da einfach so herum, ganz schön schnell. Ich noch schneller. Kaum noch zu sehen, gleich oben über den Tannenspitzen, neben den goldenen Lichtern, verrückten Diamanten. Plötzlich hält die Erde an, hört auf, sich um die eigene Achse zu drehen. Warum seid ihr so still? Scheint weiter ihr Bären, ihr Inder, ihr Tiger und Affen.
Kannst du mich sehen, mich fühlen? hör mal zu, sagt Kamal. Wir sind in Indien, gerade angekommen. Er trägt ein weißes T-Shirt, blauen Schal um den Hals, halber Inder, noch immer. In Gießen ist er in so einer gesteppten blauen Plastikjacke herumgelaufen, jeden Winter, war immer die gleiche Jacke.
Wo hast du sie, sage ich, er weiß nicht, wovon ich spreche. Na die eine und einzige Jacke, in der du schon von weitem zu erkennen warst.
Vergessen, sagt er. Wir umarmen uns. Los, sagen wir, die Reise beginnt.
Camille sitzt auf der Bank unter Palmen in Hydrokübeln. Ihre Haare zerzaust, rotgefärbt wie früher, Hände im Schoß, fängt plötzlich an zu singen: *As Tears go by*. Sind wir das? Warten, vergessen, gehen vorbei?
Wunsch, in Indien zu sein, umherzuschweifen mit den alten Kräften, durch die Straßen mit ihren Wassergräben zu gehen, faulendes, graues Wasser, kleine Blasen auf der Oberfläche, un-

fertige, nebelhafte Wesen. Es wimmelt von Menschen, Tag und Nacht, überall kleine Stände, an denen Essen verkauft wird, Zigaretten, einzeln, in Zehnerpackungen, das Feuerzeug an der Theke angebunden, kann jeder benutzen, Berge von Kokosnüssen, werden aufgeschlagen mit Macheten, die Menschen trinken aus den bauchigen Früchten. Der Lieferant für süßes Gebäck ist schon früh unterwegs mit dem Fahrrad, an dem links und rechts große Aluminiumbehälter hängen, die Pedale stoßen daran, scheppern bei jedem Tritt, so fährt er von Kiosk zu Kiosk, verscheucht die Geister, Bretterverschläge meist, grün angestrichen, auf deren Verkaufstheken Glasbehälter stehen für das Gebäck, das er aus seinen Kanistern nachfüllt, macht seine Runde, Nacht- und Tagwächter, Gebäckwächter, stoisch. Bis wir nicht mehr wissen, was wir wünschen. Bis wir die Zeit vergessen, die alte, die neue, die der Gegenwart, in der wir vorbeigehen wie Tränen, denn da ist gar keine Zeit, da war keine, kein Land, aus dem wir kommen, in das wir reisen könnten. Wir sind schon jetzt ohne Indien, sitzen in einer Fughafenhalle. Wie konnten wir je das Gefühl haben, etwas verloren zu haben, dass uns etwas verschwunden wäre? Wie wir waren und wer, Alexander, Günther, das alles geht vorbei, und es ist zugleich nichts. Nicht, dass wir nichts wären. Alles, was vorüberging, was wir haben vorübergehen lassen, was wir verloren haben, ist da, zählt und es ist nichts. Wir wünschen uns schon ohne Indien, schon ohne uns, ohne Hand und Fuß, der Kopf rollt uns auf der Schulter hin und her, die indische Art, ja zu sagen.
Das ist der Moment des Absprungs, flüstert Kamal, und wir springen, es gibt kein Zurück, nie.
Verlangsamung tritt ein, die Flughalle wird leicht, galaktisch leuchtender Riesenhelm.
Kaum in Indien sehne ich mich nach Indien, sagt Helmudo. Was ich vorher nie getan habe.
Camille steht auf, wir nehmen unser Gepäck, treten vor die Tür. Kleiner Himmel da draußen, angenehm kühl, das Taxi steht be-

reit, los geht die Fahrt. Mehr als eine Stunde bis in die Stadt. Dunkelheit umgibt uns und überall Baustellen, hunderte von Betonpfeilern ragen in den leeren Raum, erwarten Autoströme. Noch fehlen die Fahrbahnen, die Schienen, die Schnellbahnen, dazwischen schlossartige Gebäude mit Wassergräben, Türmen, halbfertige Bürohauskomplexe säumen den Weg mit blinden Fenstern, die Stockwerke wie riesige Mäuler ohne Zähne. Stummes Band von Bauten, Gräben, Autobahnen, Kasernen mit Wachtürmen, Sandsäcken auf den Mauern, Stacheldraht, die das Land zerschneiden, durchtrennen, kontrollieren. Wer wohnt hier, wem gehört das hier, sind wir auf der Erde? Noch immer? Ab und zu tauchen Kühe aus der Dunkelheit auf, stehen auf Wiesen und Abfallhalden, fressen sich durch die Nacht. Bäume stützen den Himmel, groß, ausladend, dazwischen leuchten die Baustellenfahrzeuge gelb am Straßenrand, Bagger, Raupen stehen da, um ins Feld zu ziehen, warten auf das Zeichen für den Einsatz, den nächsten Tag, unermüdlich.
Es riecht feucht, die Luft leichter als in Delhi, süßlich. Gartenstadt hieß Bangalore, bevor es zur IT-Metropole wurde. Seitdem wohnt der weiße Tiger hier. Die Stadt ist völlig überfüllt, mit Tagesanbruch steht der Verkehr. Jeden Tag verändern sich die Straßen, Häuser verschwinden am Morgen und andere stehen am Abend da, ragen hoch in den Himmel. Die großen Firmen haben ihre Sitze außerhalb, eigene bewachte Siedlungen wie früher in Gießen die Kasernen und Depots der Amerikaner. Wir fahren an der Staatlichen Tuberkuloseklinik vorbei, an der Kreuzung ein Riesenbaum, biegen ab von der großen Straße, die Häuser werden niedrig, kleine Gärten, enge Gassen, das Taxi ist mit uns untergetaucht, die Gegend, durch die wir gekommen sind, wie von der Oberfläche verschwunden. Da, in einer Seitengasse, unser Hotel, großer Garten, ein Haupthaus, viele kleine. Helmudo hat es ausfindig gemacht, behauptet, Alexander hätte dort gewohnt. Sieht wie eine alte, letzte Hippieunterkunft aus. Der Frühstücksraum in einer offenen Halle, die Zimmer in klei-

nen Häusern untergebracht, dazwischen Wiese, schmale Gehwege, Bäume und Ruhe. Der Hotelier ist aufgeblieben, uns zu empfangen. Freunde von Alexander, sagt er, lacht, er könne sich gut an ihn erinnern. Er gibt uns die Schlüssel, zeigt uns den Weg. Wir beziehen unsere Zimmer, packen kurz aus, treffen uns zehn Minuten später bei Kamal, setzen uns auf sein Bett, alle nebeneinander, öffnen den Whisky und sagen: Die Sehnsucht will aus uns sprechen, davon, wie wir zur Welt gekommen sind. Dieses phantastische Geschehen, an dem keiner von uns vorbeigekommen ist, und ein Leben lang bleiben wir unterwegs dahin, etwas, was eingetreten ist noch ganz ohne uns und weitergeht, noch immer, wir hinterher, zu spät, auf Ab- und Irrwegen, Heimweh nach dem Ereignis, nach uns im Moment des Geschehens, auch diesem hier, so ganz unrealistisch auf einem Bett zu sitzen und nichts als dieses Sprechen zu wünschen, aus uns heraus sprechen. Nein, keine Erinnerung, wir antworten.
Antworten der Szene im Krofdorfer Forest, Alexanders Schneefilm und wir spielten an einem Samstag kurz vor Weihnachten Engel. Wieder wird es schneien, wir fallen vom Himmel, und mit uns etwas wie die in den Wörtern eingeschlossene Sprache. Das Innere der Flocken, ihr rieselndes Herz oder ihr wankelmütiger Geist, gefrierend, tauend, wieder gefrierend. Was keine Geschichte gibt, gehört zur Lektion des unwirklichen Aussprechens. So unwirklich wie die Annahme, es hätte je ein Volk einen Krieg überlebt, als hörte je, wenn er da war, der Krieg auf. Unsere Eltern, um zu leugnen, dass er blieb, haben sich vergessen, später auch uns.
Draußen vor dem Fenster ist die indische Nacht, die Duldsamkeit, Ergebenheit, darin der schnelle gezackte Blitz uralter Wut, ein Funke, nein, ein Stern. Beharren auf dem, was ist und was wir selbst sind. Wenig, aber in jeder Ohnmacht Gebundenheit. Dem Leben gegenüber gerecht sein, hier sein, hat uns gerufen, über die Jahre, Echo ohne Anfang, Nachtrag, ja, uns vereinen, so ruft Echo zurück, wie jetzt wir auf dem Bett, Whisky im Kopf

und wer hat Helmudo gerufen? Bericht aus Bangalore, Filmer in der Stadt, letztjähriges Dokumentarfilmfestival, wann war das? viele Franzosen dabei, auch ein Schweizer, lange in Indien gelebt, sein Name: Alexander. Sein Film: Etwas wie Schnee. Vielleicht Günther in Nepal, irgendjemand sprach davon, unsere Verschwundenen, ihr Fehlen. Wir können sie sehen, wie sie uns sehen, komischer Anblick da auf dem Bett nebeneinander aufgereiht wie Hühner, die Augen halb zu vor Aufregung, Müdigkeit, flatternde Lider und sie geben uns Zeichen, zu zart, als dass wir sie entziffern könnten.
In dieser Nacht haben wir keinen einzigen Satz zu Ende gesprochen, wir mussten so viel auf einmal sagen und immer zusammen. Dann gingen wir schlafen, schliefen unser indisches Merriment aus und durchs Gras strichen unsere Stimmen von früher, flüsterten Tara Tara Taratata. Und das war erst der Anfang.
Bald darauf meldeten sich die ersten bunten Vögel. Im Traum hörte ich meine Mutter sagen: Rolandseck. Das sei ihr Name, dort, unterhalb des Bahnhofs, am Rhein, nicht weit von der Fähre, habe sie übergesetzt mit den Wörtern, den Zeiten, den Namen und Landschaften, die sie mir mitgegeben habe. Wann endlich würde ich auf sie hören, wie weit ich noch fahren wolle, wollte sie wissen.
Rolandseck, von der Terrasse des Bahnhofs aus der Blick auf den Rhein, vor uns die Insel Nonnenwerth, Alexander bei mir, einer unserer frühen Ausflüge, mit dem Auto den Rhein entlanggefahren, Königswinter, Remagen, die Fähre gerade noch erwischt auf die andere Seite, schon legte sie ab. Da lebte mein Vater noch. *Down in the Valley of Shadows*. Ihm blieben noch wenige Wochen, auch mir. Vor lauter Liebe untergehen, das fing mit seinem Tod an. Viel zu früh, ich war noch keine achtzehn und suche noch immer nach einer Geschichte für diese Liebe. Da stehe ich mit Alexander auf der Terrasse über dem Rhein, da falle ich. Es hatte geregnet, war Sommer, dicke Wolken zogen über den üppigen grünen Baumgewölben dahin, die die Insel,

die Ufer und steilen Hänge überspannen. Eine Baumkrone neben der anderen, dichtes Zelt, dazwischen aufblitzend die graue Farbe des Flusses. Alles schien zu dampfen, in den Himmel aufzugehen, überzuquellen, und ich konnte mit einem Mal wie auf einem alten Gemälde den Fluss und das Land sehen, die Insel, wie sich der Fluss um sie herum biegt, sich in sein enges, tiefes Bett schmiegt, die Landschaft ausfüllt mit seinem Wasser, seinem Fließen, die Wolken sind sein Dach, auch seine Gefährten, der Regen ein schwerer Atem. Damals setzten die Menschen in hölzernen Kähnen mit Fenstern an den Seiten über den Fluss, die Landschaften auf beiden Seiten ausgedehnt, nicht zerschnitten, zermalmt von Autobahnen, brausendem Verkehr, donnernden Zügen durchs Tal. Die Ortschaften erheben ihre kläglichen Laute, hässliche Häuser, Straßen, jeder lebt hier für sich und alles wirkt wie verlassen, ausgestorben, die Schönheit der Lage – da der Fluss, die Hänge, das Licht, – ist noch da, bis auf die Knochen entblößt, schutzlos dem ausgesetzt, was anstelle der Menschen hier zurückgeblieben ist: Lärm, Ruhelosigkeit, Vergessen. Doch für einen Moment löst sich all das in der Ansicht der Landschaft, schwimmt mit im Fluss, in unserem Blick, das ist die Kraft des Stroms und wie er noch immer seine armen Ufer mitnimmt. Auf also, solange wir noch die Namen haben, unseren Schatz auf der Zunge, und draußen liegt Indien.

17. Lektion vom großen Morgenland, in das uns die Blumenkinder mit ihrem Blumensprachtraum vorausgefahren sind, *Sailing homewards* sangen sie am frühen Morgen in der Wüste, zur Stunde, in der sich die Kamele vermehren und vom Himmel fallen. Ihre Gewänder blähen sich im Wind, blühen auf an diesem Morgen, der Kopf überfüttert von Drogen, ganz weich geworden, noch liegen die Schlangen erstarrt von der Kälte der Nacht unter ihren Steinen, und von irgendwo glauben sie zu hören, dass jemand sagt: Ich war Hamlet, was sie unendlich traurig macht.

Schon bald Mittag, die Sonne scheint. Wir sitzen in der offenen Halle beim Frühstück, es gibt Hirseplätzchen, Kuchen, Toast, Strawberrymarmelade, genau lässt sich das nicht bestimmen, trinken Tee mit Milch, Geschmack von Kardamom im Rachen. Wir haben lange geschlafen und dann gleich weiter mit der Aufregung. Stand im Zimmer, wartete auf uns, erstmal umarmen.
Die Bäume, die uns gestern Nacht dunkel überspannten, jetzt sehen wir, dass sie blühen, lange Rispen, an denen sich Blüten reihen, gelbe, rote, dazwischen wuchern Kletterpflanzen mit orangefarbenen Trompetenblüten, hängen von Ästen, Dächern, ranken sich um Regenrinnen, an den niedrigen Wänden der kleinen Bungalows hoch. Bougainvillea, klar, dürfen nicht fehlen, blühen lila, weiß, an der Tischkante zieht eine Familie gelber Käfer vorbei, hält die Spur. Wie auf einem Gemälde ..., sage ich, als die anderen mir ins Wort fallen und losprusten: Von Gauguin.
Quatsch, sage ich, wo ist denn hier die Südsee? Bild von Max Ernst. Überwucherte Stadt, diffuses Licht, schwefliges Leuchten, alles in Trümmern, riesig aufragende Splitter, ungewiss wo, abgerückt, erhöht, längst explodierter Planet einer alten Milchstraße, kurz vor dem Zweiten Weltkrieg gemalt.

Das heißt, wir sind in Indien und keiner von uns hält es für wahr, sagt Abdul.
Wie auch, sagt Camille. Wo ist der Whisky?
Müssen bald schon los, unser erster Termin. Auf den Spuren von Alexander, sagt Helmudo. Wenn wir den haben, haben wir auch Günther.
Wir müssen lachen.
Gibt es nicht ein Buch von Conrad mit so einem Titel? sage ich.
Almayers Wahn, sagt Abdul.
Habe eher irgendwas mit Flüssen und Spuren im Kopf, sage ich. Verrückter Theatermann im Dschungel. Alexanders erstes Drehbuch, wollte daraus einen Film drehen.
Heart of Darkness.
Nein, mehr in Asien, Java, Borneo. Der Mann kommt aus Deutschland und wird dann da verrückt.
Das fängt klasse an, sagt Natascha. Als wären wir nie weg gewesen. Wird das denn nie aufhören?
Du meinst uns hier, die sind, wo sie etwas verloren haben, sagt Kamal, wo unser Fehlen lebt, seit du, Véronique, den Anfang gemacht hast mit Indien, ein Loch gerissen im Osten, aus dem es seitdem nicht mehr aufgehört hat zu ziehen. Wir haben es Alexander genannt, manchmal auch Günther, der uns vom Pflaster, vom Strand, von den Stones und dem Tigersprung unter offenem Himmel erzählt hat. Dabei sind wir es, darum sind wir hier.
Großes Indientheater, sagt Abdul, in dem, was einmal gesagt worden ist, nicht rückgängig gemacht werden kann. Und wie immer im Theater: Sprechen mit den Toten, alten, neuen, kommenden, gewesenen.
Schwieriges Stück, sagt Natascha, betrifft uns nur manchmal, nicht immer, lässt uns durchhalten. Wir wollten nicht umsonst gelebt haben. Wisst ihr noch?
Passt auf, sagt Kamal, um einen Film zu drehen, müssen wir eine Situation schaffen, die wie der Film ist, den wir machen wollen. Haben wir oft diskutiert. Direct Cinema, Improvisation. Ist die

Situation dann da, können wir sie aufnehmen und der Film ist fertig. Genau das werde ich machen. Es ist soweit. Kenne jemanden, der mir beim Drehen helfen wird, habe mit ihm schon gearbeitet. Vor ein paar Jahren einen Dokumentarfilm über die Bewegung der Landlosen gedreht, der Ureinwohner Indiens, denen die Regierung, zusammen mit internationalen Konzernen, ihre alten Lebensgebiete unter den Füßen weggenommen hat, überschwemmt, vernichtet. Es sind dreißig Millionen. Sie sagen, keiner kann uns vertreiben. Wir sind wie Tiger, niemals fressen wir Gras. Er kommt heute Abend, bin mit ihm verabredet. Einen Tonmann habe ich auch schon. Dachte, wir könnten sie auf unsere Reise mitnehmen.
Uns Kino vormachen, sagt Natascha, so haben wir das genannt. Kino werden bei lebendigem Leib, um zu spüren, dass wir es sind, die da miteinander sprechen, sich bewegen, Darsteller eines anwesenden Wissens um das längst Vergangene unserer Empfindungen und Reden, auch wenn die noch nie vorher da waren.
Mit der Zeit werden wir uns nicht mehr erinnern, was für ein Kino das war, das wir uns vorstellten, sagt Helmudo.
Atem, Blicke, Bewegungen, schon vorbei, sagt Kamal.
Eines Mittags in Bangalore, im Hof unseres Hotels, bei Tee und Marmeladentoast fallen uns verrückt gewordene Erinnerungen an, sage ich.
Film von ein paar Leuten in Indien, sagt Abdul. Plötzlich weiß ich, wer uns fehlte an dem Abend, als wir den Frühling empfingen, den die Amsel vom nahegelegenen Hochhaus des Dachcafés herbei gesungen hatte. Wir waren noch alle da, feste Besetzung unseres kleinsten Cafés der Welt, in dem wir Indien erwarteten, das noch nicht eingetreten war.
Kurz darauf trat es ins Zimmer von Alexander, sage ich, und nannte sich Fritz.
Wir waren gerade aus dem Café gekommen, sagt Kamal, hatten der Bäckersfrau ›Gute Nacht‹ gewünscht, ihr Mann schlief

schon, und mit uns liefen die Häuser, die Zimmer, die Abendnachrichten, Bericht aus Teheran. Liefen durch die Straße an der Wieseck entlang zum Bahndamm, der Fluss war die Seine, wir die *Absolute Beginners*, *Heroes* und *Major Tom*, alles zusammen, verglühend auf der Umlaufbahn, verbannt in die Provinz, weiter in den Holzwurm gestürmt, durch die Spiegel gegangen, wo uns höhere Wesen befahlen, uns nicht vorschreiben zu lassen, wie wir uns eines Tages an diesen Abend hinter den Spiegeln erinnern würden.

Nach all den Jahren, sagt Abdul, an denen wir nicht wussten, wer uns gefehlt hat an dem Abend und jetzt bei uns sitzt, neben uns, ansehbar, gestern auf indischem Boden gelandet wie nie weg gewesen, nahtloser Anschluss.

Der eine war Helmudo, sagt Helmudo, der an dem Abend Blutkonserven durch die Gegend fuhr, eine seiner vielen Beschäftigungen, mit denen er Geld verdiente, die andere Natascha. Nichts Besonderes war daran, dass wir fehlten, nur fehlten wir.

Ich musste ins Theater, Premiere, sagt Natascha. Fréderic, ihr erinnert euch, mein damaliger Freund, hatte die Bühne gemacht. Ein Franzose.

Sah auch so aus, ging uns auf die Nerven, sage ich. Alles Theater, was er machte. Du hattest es zu einem Franzosen gebracht, Bühnenbildner, ihr wohntet zusammen, oben beim Schwanenteich, strittet euch unablässig. Dann zogst du aus oder er, ihr kamt bei Freunden, oft bei einem von uns, unter, bis ihr euch wieder versöhnt hattet. Wenn ich sagte, er ist eingebildet, dazu auch noch langweilig, sagtest du, ja. Aber er sei ein Franzose. Womit du recht hattest.

Bei unseren Filmen hat er nie geholfen, sagt Kamal. Der erste, den Alexander gedreht hat, im Winter. Wir haben lange gewartet, dass es endlich schneite. Wegen dem Vergessen, Versinken, den Schneewestern, dem Erinnern in Flocken, Schneegedächtnis, Tuch der Zeit.

Fréderic sagte: Wozu soll denn das gut sein, eure weißen Kostüme, Schnee? Was wollt ihr damit sagen? Es war ihm zu blöd, sagt Natascha. Er war sich zu gut dafür.
In deinem Zimmer hast du wie in dem in Köln, wo ich dich das erste Mal besuchte, mit blauer Farbe an die Wand über dem Bett geschrieben: Don't piss off the Fairies, sage ich. In diesem Gedanken will ich übernachten, hast du gesagt, und einmal hast du geträumt, dass ein Tisch, ein Bett, ein Tannenbaum in dein Zimmer gekommen seien.
Ja, sagt Natascha, an der Wand tauchten nacheinander Bär, Schaf und Hund auf. Sie liefen zur Decke hoch, dazwischen blühten Mohnblumen, im Holzboden schwamm ein Kahn. Als ich erwachte, ich weiß es bis heute, war es schon wieder hell, ein neuer Tag war angebrochen, und ich hörte von fern, als wäre ich eine andere Person, vielleicht eine Figur aus einem Theaterstück, das in der Wüste spielt, sagen: Was singt mir mein Kahn so schön ein Lied vom Meer und wie auf ihm in einer Nacht zur See zu fahren ist im kleinen Gedanken. Daran halte ich mich noch immer.
Fréderic fand auch das albern, sage ich. Aber dann stand der Spruch mit den Fairies groß an die Bühnenwand geschrieben, in einer Inszenierung von Jeanne d'Arc, gleich über ihrem Lotterbett, denn Jeanne d'Arc war eine Hippiebraut, ihre Traumgesichter Folge von zu viel Drogen, der König wurde als Baghwan persönlich dargestellt. Trug rote Gewänder, auch seine Krieger, und einen langen weißen Bart wie Gott. Irgendwie ging die Idee der Inszenierung nicht auf. Gab es nicht auch ein Pferd auf der Bühne? Stand da, wieherte nicht, drehte ab und zu seinen Kopf nach hinten. Wartete auf Beuys. Wahrscheinlich haben sie ihm Beruhigungsmittel gegeben. So ein Quatsch, ein Ashram ist doch kein Königreich, haben wir gesagt, nachdem wir es uns angeschaut hatten. Nein, sagte Alexander, es ist das Fegefeuer. Nein, eine Anstalt, fand ich.
Beides, sagt Natascha. Das Theater in Gießen war klein, Dreispartenbetrieb, mit Ballett und Oper. Sogar Operetten wurden

gespielt, waren amüsant, hätten beinahe dadaistische Manifestationen sein können, oder die Situationisten hatten ihre Hand im Spiel, wenn die Schauspieler mal so richtig zeigten, was in ihnen steckte, was sie gelernt hatten auf der Schauspielschule kurz nach dem Krieg. Als der Zigeunerbaron der König der halbtoten Krieger war und all der anderen, die zwar überlebt hatten, aber als was, das wussten sie nicht. Was war es denn noch? Wir waren in einer Garnisonsstadt. Das Publikum, das sonst nie einen Mucks machte, sang bei Operetten immer mit.
Beim Schauspiel durften die Schauspieler nicht einfach spielen, wie sie wollten, da die Regisseure, vor allem, wenn es junge waren, etwas ausprobieren wollten, hinderten sie am Ausleben ihrer Schauspielkunst, was sie unendlich verbitterte, sagt Abdul. Ich habe damals angefangen dort zu arbeiten, Statisterie, Requisite, Regieassistenz, bin so reingerutscht und geblieben. Manchmal hatte mich Natascha mit auf eine Probe genommen, wenn Fréderic neben dem Regisseur im dunklen Theatersaal saß und auf die Bühne schaute, als wäre sie eine Fata Morgana, die nur er sehen konnte. Mir fiel der Satz ein, über den wir in Günthers Seminar oft gesprochen hatten: Wer die Tänzer ohne Maske sieht, stirbt. So ähnlich ist das mit den Schauspielern.
Nie im Traum hätte ich mir vorgestellt, dass es eine Stadt wie Gießen geben könnte, sage ich. Ich fuhr mit dem Zug von Köln über Siegen, wo ich umsteigen musste. Ich ging vom Bahnhof die Bahnhofstraße hinunter, überquerte die Wieseck und kam an ein Ungetüm von Fußgängerbrücke. Als wären Ufos hier gelandet und hätten ihr Raumschiff zurückgelassen. Vielleicht mussten sie fliehen, konnten es nicht mehr mitnehmen. Sind dann im Bergwerkswald oder auf der Gummiinsel untergetaucht, wo sie sich als Tiere durchschlugen, die manchmal in der Dunkelheit aufleuchteten. Der Name des Raumschiffs war das Erste, was sie mir in der Stadt anvertrauten: Elefantenklo. Wegen dem Loch in der Mitte, dem Zentrum der Stadt. Ich hätte auf der Stelle umkehren müssen, stattdessen überquerte ich die Brücke, unter

der die Autos durchbrausten, und es war um mich geschehen. Ich ließ den Seltersweg hinter mir, bog in die Plockstraße ein, links sah ich das Theater liegen, alter Bau mit kleinem Park und Auffahrt für die Kutschen, überquerte die West- oder Ostanlage. Vielleicht war es auch die Süd- oder Nordanlage, das konnte sich in der Stadt keiner merken, war eine Ringstraße, und je nachdem, wo man gerade war, war es der Osten oder der Westen. Anhaltspunkte gab es dafür nicht. Durch die Goethestraße lief ich weiter, überquerte erneut den Fluss, der hier von seinen schönen Bleichwiesen eingefasst war, nur wenig Müll im Ufergesträuch, die Reihe der Linden darüber, alte Allee, dann sah ich bald schon das Uni-Hauptgebäude vor mir liegen. Der erste, auf den ich bei der Studienberatung traf, war Günther. Zusammen mit Müller-Hülst. Zwei junge Professoren aus Frankfurt, noch nicht lange im Amt. Unterschiedlicher nicht vorstellbar. Günther hatte dunkle kurze Locken, sprach vorsichtig, wie zur Seite, wo irgendwas anders war. Auch melancholisch, tastend, mit langen Spinnenbeinen. Müller, wie wir ihn nannten, trug einen Anzug, war blond, glich meinem Geographielehrer Krämer, der für die Schweiz schwärmte. Er spielte Saxophon in einer Freejazz-Band und hatte keine Angst, uns zu sagen, was wir alles nicht verstehen könnten. Warum? tobten wir dann los. Einfach weil wir zu jung seien, sagte er. Na, der kann was erleben, sagten wir und überlegten uns, nicht mehr in seine Veranstaltungen zu kommen. Bis zur nächsten Sitzung. Dann waren wir wieder da, merkten uns genau, was er uns zumutete, was nicht, und das mutete er uns auch zu. Die beiden waren in Ordnung. Das empfand ich gleich. Nicht wie die anderen Soziologen, auch wenn die nicht schlimm waren, nur eitel, besserwisserisch, irgendwie gekränkt, wie Schauspieler. Ein eigenes Völkchen. Krüger war der Dienstälteste, Oberanführer der schönen Männer und sah aus wie George Clooney, als der noch nicht George Clooney war oder Krüger. Er war nicht eitel, hatte es nicht nötig. Braungebrannt, lässig gekleidet, bewegte sich elegant, sprach langsam,

besonnen, immer gewählt. Dabei war er freundlich, höflich, saß in einem kleinen Büro in der Ludwigstraße im vierten Stock eines Hinterhauses, trank Kaffee aus französischen Bistrotassen, hielt Hof und aß sein von zu Hause mitgebrachtes Butterbrot. Belagert von seinen Assistenten, Novizen, sie umschwirrten ihn, passten genau auf, dass niemand mehr beachtet würde als sie. Eine eifersüchtige Bande selbstverliebter junger Männer, die sich gerne sprechen hörten. Von Freiheit, vom Handeln des einen und Tun des anderen und wie es zusammenhing, vom Surrealismus, vom Zufall, vom Alltag in der modernen Welt, sogar vom Feminismus sprachen sie und kannten lange Jahre keinen Spaß. Während ihr Chef, Häuptling Krüger, mit uns im ersten Semester Mikrosoziologie machte. Wir gingen in Schuhgeschäfte und befragten Kunden. Warum sie dort seien, was für Schuhe sie gut fänden, was ein Schuh sei und wie er zu verbessern wäre. Bei einer zweiten Runde fragten wir dann die Verkäuferinnen. Was ist ein guter Kunde? Was macht Ihnen ihre Arbeit angenehm? Welche Schuhe gefallen Ihnen am besten? Dazu lasen wir mit Heidi, unserer Tutorin, *Alice in Wonderland* und *Hinter den Spiegeln*, von wo her uns all das hier wieder einfällt und wie wir uns damals ausgedacht haben, was wir dabei alles erkennen könnten. Das war ein Traum.
Natascha war an dem Abend nicht mehr in den Holzwurm gekommen, ein gutes Zeichen, sie hatten sich nicht gestritten. Das Stück, für das Fréderic das Bühnenbild gemacht hatte, hieß ›Tod der Familie‹, sagt Abdul.
Ein großer Schlafsaal in einem Irrenhaus, in dem die Insassen – alle Familienangehörige – Familie spielten, sagt Natascha. Kurz darauf hat es einen von den Schauspielern erwischt, ist verrückt geworden. Nicht die Familie.
Wir dürfen nicht vergessen, dass wir versuchen müssen zu leben, hast du immer gesagt, sagt Kamal. Wir haben uns lange nicht gesehen.

Eines Tages, sagt Natascha, ich fing gerade an mit ersten Regiearbeiten in Detmold und Essen, nach ein paar Wochen in New York, es war Ende August, bin ich einfach dageblieben, nicht ins Flugzeug gestiegen, stand dann da mit dem Koffer in der Hand, New York glühte, am Abend vorher hatte ich meinen Mann getroffen, Bowery, Ecke Canal Street, in einem italienischen Café und dann vergingen viele Jahre.
Noch keine Spur von Alexander oder zu viele, sagt Helmudo, der schon seit einer Weile unruhig herumläuft. Am Nachmittag gehen wir auf den Citymarket. Vorher müssen wir zu swissnex, wir sind angemeldet.
Das Auto von gestern steht vor dem Hotel bereit, der Fahrer hat auf uns gewartet, wird uns die Tage, die wir hier sind, herumfahren. Auf seinem Armaturenbrett sitzt der Elefantengott, eine Kette aus Orangenblüten um den Hals, er strahlt uns an. Wir stürzen uns in den Verkehr, der meistens steht, immer ein Gedränge, wieder vorbei an der Staatlichen Tuberkuloseklinik, Kühe auf der Straße, Hühner, Busse voller Schüler, die, kaum haben sie uns gesehen, winken, gestikulieren, toben und wir zurück. Swissnex, eine Schweizer Einrichtung zur Förderung des Austauschs von Kultur und Wissenschaft. Nennen sich Go-To Partner. Es gibt noch weitere Institute wie dieses in Shanghai, San Francisco und so. Ruhige Gegend, Villen, große Bäume, überall stehen Wächter. Sie tragen Waffen. Das Haus sehr gepflegt, von einer Mauer umgeben, auch von Wächtern, im zweiten Stock das Konsulat der Schweiz. Das Eisentor öffnet sich, die Chefin kommt uns entgegen, lacht, sieht wie ein junges Mädchen aus, trägt ein indisches langes Hemd mit passender Hose, schwarz, dezent, ihre Haare blond, lang. Sie geht leicht, als wäre sie der Frühling, lädt uns zum Essen auf die Terrasse eines nahegelegenen Restaurants unter Palmen ein. Vorher stellt sie uns noch ihre Assistentinnen vor. Zwei sind für ein Jahr hier, arbeiten an historischen und geographischen Projekten über Wasser. Eine ist gerade erst aus der Schweiz gekommen, zwanzig Jahre alt,

will dann Ökonomie studieren. Sie kommt mit ins Restaurant. Die Kellner stehen in einer Reihe, verwackeltes Bild, schauen neugierig, eilen herbei, bevor wir uns setzen können, flirren herum, sind viel zu viele, das übliche Chaos, das uns in Restaurants sofort in Empfang nimmt. An das wir uns von nun an gewöhnen müssen. Südindische Küche, viele kleine Gerichte in silbernen Schalen auf rundem Tablett. O wie schön ist Indien.
Die Leiterin hat einen Mann in der Schweiz, einen großen Sohn, sie kommen sie oft besuchen. Fliegen dann an den Wochenenden mal kurz auf die Malediven, ist nicht weit. Alexander, ja, hat sie gekannt, es wird eine Vorführung geben, sagt sie, in Delhi, vielleicht wird sie auch kommen.
Ja, sagen wir, darum sind wir hier, ob sie wisse, wo er sei. Wer? Alexander.
Ach so, sagt sie. Schon lange nicht mehr gesehen. Die Filmhochschule, da wissen die mehr, da hat er unterrichtet, das weiß sie. Wann? Na vor ein paar Jahren. Hat auch mal einen Film im Rahmen eines Dokumentarfilmfestivals im Institut gezeigt. Irgendwas mit Nepal, einen gefundenen Film von ein paar verschollenen Maoisten. Wohnte ein bisschen außerhalb. Sprach oft von Hampi. Wollte dort einen Film drehen, wenn sie sich recht erinnere, von einem Einsiedler. Die Finanzierung schwer. In Indien unabhängige Filme machen, eine Sache der Unmöglichkeit, sagt sie. Eine Frau, Familie? Weiß sie nicht. Ihre Assistentin wird uns bestimmt weiterhelfen können.
Die nickt, will uns für morgen einen Termin mit dem Leiter der Filmhochschule organisieren und uns dorthin begleiten.
Toll, sagen wir, und dass wir sie morgen um zehn abholen kämen. Bestens, sagt sie. Am Abend wäre dann ein Vortrag.
Wir sollten doch kommen, sagt die Chefin, wird interessant, ein indischer Künstler spricht von seinem Projekt einer Künstlerkolonie im Dschungel mit selbstgebauten Häusern und so. Morgen, nicht vergessen, es gibt anschließend auch ein Buffet, und dass sie weiter müsse, ein Vergnügen, uns getroffen zu ha-

ben, ihr seid eingeladen, bis morgen. Sie springt auf, federt davon, dreht sich noch einmal um, winkt, und wir sitzen da mit offenem Mund. Haben vom Essen kaum etwas angefasst, außer Atem, schauen uns an, die Kellner stehen wackelnd in Reih und Glied. Helmudo sagt: Dieses war der erste Streich. Bis morgen, sagt jetzt auch die Assistentin, nachdem sie uns ihre Handynummer gegeben hat. Und noch viel Vergnügen auf dem Citymarket, den würde sie auch gerne mal sehen.

Mittlerweile ist der Verkehr noch dichter geworden. Schon ist es Nachmittag, wir verbringen endlose Zeit zwischen Autos, Fahrradfahrern, Motorrädern, Bettlern, Verkäufern, Bussen. Dann sind wir da, der Fahrer lässt uns am Straßenrand neben einem kleinen Tempel aussteigen. Dahinter erhebt sich eine riesige Moschee. Er will uns in zwei Stunden dort wieder abholen. Schon läuft uns der Eiermann in die Arme, wenn das nicht Humpty Dumpty ist. Zieht mit einem Turm aus hart gekochten Eiern auf dem Kopf durchs Gedränge. Die verkauft er. Für unterwegs. Jeden Tag ein Ei. Findet guten Absatz. Immer wieder nimmt er das Tablett vom Kopf, die Kunden bleiben stehen, wählen ein Ei aus, er gibt es ihnen, baut den Turm um, sie schälen das Ei, Prise Salz dazu, essen.

I'm the Eggman, sagt Abdul.

He's the Eggmann, sagt Natascha.

I'm the walrus, sagt Helmudo. Während wir zusehen, wie der Eiermann seinen weißen Eierbau auf dem Kopf balancierend, in der Menge verschwindet. Wir folgen ihm, geraten in das Gebiet der kleinen, improvisierten Stände um die riesige Markthalle herum. Hier lagern die Händler, hocken am Boden, preisen ihre Ware an. Früchte nach Stückzahl, zehn oder fünf, keine Waage. Äpfel, Limetten, Bananen. Sie thronen auf Bergen von Ingwer, Curcuma, Pfefferschoten, vor kleinen gleichgroßen Hügeln von Spinat, Koriander, Erbsenschoten. Verkaufen farbige Beutel, Bänder aus Seide, Tücher aus Baumwolle, Hosen, Hemden, gebrauchte Schuhe, Brillen. Hantieren, gestikulieren, rufen, berühren alles, Autos, Straßen, Fahrräder, den Jungen, der mit Teegläsern durch die Menge geht, die Formen zittern, Häuser, Wände, die Körper, was hier sich bewegt, ist größer als was da ist, sie lösen den Raum auf, alles vermischt sich, Licht fällt, die Dämmerung bricht ein, der Boden unter den Füßen gibt nach, es wird mir leicht in den Beinen, die Füße heben sich, vor den Augen schwankt die Luft, schweben die eigenen Hände, und sofort merken sie etwas, die Händler, ihre Kunden, die Früchte, Kohlköpfe, halten inne, schauen, was geschieht da, da geschieht was mit der Frau, sie schwankt, sie scharen sich um sie, ihre Blicke, die immer da sind, lange vor uns dagewesen, starren, machen Löcher in die Atmosphäre, gehen durch mich durch, halten die Luft an. Wo sind die Schlangenbeschwörer mit ihren Tieren? Was Citymarket genannt wird, ist eine Umstülpung, die Erde wirft sich auf. Langsam unter meinen Füßen wieder das Gefühl von Boden, Abdul hat mich festgehalten, hat mir über die Haare gestrichen, gesagt: Es ist nicht schlimm, die Höhe, ungewohnte Sonne. Die anderen sind schon zur großen Halle weitergelaufen, die wie ein Parkhaus aussieht. Schwarz angelaufen die Fassade, zerfallen, verwittert, wie die meisten Häuser in Indien, setzen sofort Grünspan an, faulen vor sich hin, kaum sind sie gebaut, sehen wie uralte Gebäude aus der Kolonialzeit aus, gerade einmal zwei Jahre alt. Armierungseisen ragen aus dem Betonverputz, stehen verbogen aus den Decken, werden als Halterungen für Dächer und Abdeckungen benutzt. Über die gesamte Länge der Eingangsfront reihen sich Stände, an denen Farbpulver verkauft wird. Grüne, blaue, gelbe, rote, lilafarbene Berge von Farbpulver. Die Intensität der Farben, nichts als Pulver, aufgeschichtet, zermahlenes Licht. Was waren die Farben, bevor sie zu diesem Pulver wurden? Blumen, Rinden, getrocknete Gräser, Knochen von Tiefseefischen, fluoreszierende Nachtkäfer, Augen von Affen? Einer neben dem anderen hocken die Händler zwischen ihren Farbbergen, Räucherstäbchen glühen, lassen ihren Rauch aufsteigen, schmale Rauchfahnen ziehen zur

Decke, weicher, süßer Geruch. Sie fordern uns auf, ihr Pulver zu probieren. Auf die Stirn aufzutragen wie früher das Aschekreuz am Aschermittwoch, ein Tupfen, Auge der Sonne, drittes Auge, sie leuchten, wachsen uns fest an der Stirn, Bienen kommen, holen sich ein bisschen Honig, süße Farbe, Gruß von einem der vielen indischen Götter. Die sind hier überall unterwegs, hausen in Nähmaschinen, Motoren, Bohrmaschinen, die ein Stockwerk höher verkauft werden. Auch Motorräder, ganz und in Teilen, Bagger.
In der Kelleretage und auf den höheren Decks des Gebäudes, wo für Hochzeiten oder Beerdigungen Kränze gebunden werden aus Rosen, Orangenblüten, Tagetes, tanzen die höheren Wesen als Blumen verkleidet. Wenn sie nicht tanzen, liegen sie klein, verwachsen, zusammengefaltet unter den Bergen aus Blüten, die hier täglich angeliefert werden aus der umliegenden Landschaft. Die Augen aufgerissen, starren in die Luft, dann flattern die Lider und hohe, ganz unmelodiöse Schreie dringen aus ihnen hervor, steigen wie Pfeile zur Decke, wo sie verklingen, bis sie wieder ruhiger werden, schlafen und irgendwann beginnt wieder ihr Blumentanz oder der der Schlangen. Die Kranzbinder zeigen keine Reaktion, sie kennen ihre Wesen, binden sie zu Ketten unter die Blumen, die sich die Gläubigen am Abend um den Hals hängen, wenn sie den Tempel besuchen oder wenn sie ihre Kühe schmücken, die Elefanten, Autos und Bäume am Straßenrand.

18. Lektion einer langen Belichtungszeit, in der tausend Einzelheiten, Bewegungen, Tage vorbeiziehen, verschwinden, das Negativ schwärzen. Mitten in Indien erstrahlt wie auf einer Leinwand im Kino der Ablauf unserer Jahre, der unendlichen Zwischenzeiten unseres Lebens von einem Augenblick zum nächsten als leuchtend helles Licht vor uns. Alle Zeit der Welt ist da, kostbar und nichts als eine der vielen Lektionen unserer Schule der Indienfahrer.

Nachts kommen uns Zweifel. Wie auch sonst kann es Nacht sein? Wo sind wir? Was sind wir? Sind wir eine Geschichte? Finden wir eine Sprache zu sagen, was mit uns geschieht? Da ist die Bewegung der Wörter, der Spiegel und Echos, unser Versuch, in den unsagbaren Kleidern der Träume zu antworten. Am nächsten Morgen ziehen wir in einer festlich gestimmten Prozession übers Land, es ist der erste Tag des indischen Lichterfests, Dhiwali, auch Rückkehrfest genannt. Nach vierzehn Jahren im Dschungel kommen sie wieder, Gott Rama, seine Frau Sita, Bruder Lakshmana, es ist dunkel, die Menschen zeigen ihnen mit ihren Lichtern den Weg.

Der Tag breitet sich vor uns aus, wir heben die Arme, winken, in den Händen halten wir organgefarbene Blumen als wären wir verrückt geworden, während die Kinder des kleinen Dorfs uns in der Schule an ihren Plätzen erwarten, bis der Kleinste von ihnen in Ohnmacht fallen wird, und wir mit ihm ins Land, in den Tag, in die Ewigkeit oder wie das heißt, eingehen werden, was hier, wo wir sind, in dieser langen Belichtung die Zeit ist.

Kasrawad, mitten in Indien, irgendwo zwischen Mumbay und Delhi, nahe Indoore. Auf dem Land. Der Himmel flach, weit, als wäre er kein Himmel, sondern eine riesige, schwebende Untertasse. Gestern losgefahren von Mumbay, letzter Blick auf das Arabische Meer, in dem die Hadshi Ali Moschee mit allen Bettlern der Welt fest vertäut schwimmt. Den ganzen Tag im Bus

verbracht, bei uns die beiden Fahrer, die sich abwechseln, der kleine Beifahrer, der nicht fahren darf, nur Hand- und Klopfzeichen geben, die uns durch alle Kurven und um alle Ecken bringen. Name des Busses: Destiny. Steht groß auf beiden Seiten unter den Fenstern. Hat uns noch gefehlt.
Wir gehen über einen breiten Feldweg, es ist staubig, Baumwollfelder ringsum, später Morgen, nicht viel geschlafen, Kamal dreht, rennt herum, manchmal müssen wir anhalten und erst wieder weitergehen, wenn er uns ein Zeichen mit der Hand gibt. Durch seine Vermittlung können wir ein paar Tage auf einer Biobaumwollfarm in kleinen Gästehäusern und Zelten mit gemauerten Bädern wohnen. Bei Kamal und Abdul sind Frösche im Bad, sie rufen uns, wir kommen gelaufen, sehen sie auf dem Beckenrand sitzen, sie sagen nichts. Bei mir im Zimmer sind Geckos, die sich im Lampenschirm versammeln. Einer von ihnen muss vor Jahren dort verbrannt sein, seine Konturen als Schattenriss im Schirm übriggeblieben, der Rest zu Asche zerfallen. Camille im Haus neben mir hat das größte Zimmer von uns und eine kleine Ratte, die gleich verschwunden ist als sie sie sah, gestern Nacht, als wir ankamen.
Gefrühstückt haben wir in einer offenen Halle neben der Küche, durch die Streifenhörnchen springen. Es gibt Tee, Kaffee, Reis, Chapati, Toast und die Strawberrymarmelade for ever. Der Koch kommt zu uns raus, bringt in ein weißes Baumwolltuch gewickelte frische Chapati, strahlt uns an, begrüßt uns und will wissen, wann wir Mittagessen serviert bekommen wollen. Spät, sagen wir, zwei oder drei Uhr, nach der Führung durch die Webereien und das Dorf mit der neugebauten Schule, auf die sie sehr stolz sind.
Wir sind alle noch recht verschlafen, am Abend vorher erst gegen Mitternacht angekommen, langsam mit dem Bus von der Straße abgebogen über einen Feldweg und einer Familie ins Schlafzimmer gefahren. Lagerten da auf dem Weg vor dem Eingang des Besucherzentrums. Vater, Mutter, zwei Kinder und als

kleiner Leuchtturm mit glühenden Augen stand die Kuh daneben, bewachte sie. Haben sie gerade noch rechtzeitig gesehen. Die Familie blieb unter ihren Decken liegen, der Vater spähte hervor, stand schließlich auf, mit einem Tuch bekleidet, rieb sich die Augen, schaute einmal durch uns durch, dem Bus entgegen und weiter bis in die Unendlichkeit. Wir waren ihnen in den Schlaf gefahren, über den der große Bär seine gewaltige Tatze hielt. Der Fahrer stellte Motor und Scheinwerfer ab. Portier und Wächter des Besucherzentrums hatten auf uns gewartet, kamen mit Taschenlampen gelaufen. Wir luden die Koffer aus, Hin- und Hergerenne, Verteilung der Zimmer, dann waren wir in unseren Räumen, endlich wurde es ruhig, nur noch das Quaken der Frösche von den umliegenden Feldern, das Bellen von Hunden aus den Dörfern, die Dunkelheit umschloss uns, wir trieben über der Erde, schwebten durch die Nacht in den ersten Tag des Lichterfests.

Fest wie bei uns Weihnachten, die Menschen seit Tagen unterwegs, fahren zu ihren Familien in die Dörfer, die kleinen Städte, die Straßen sind voll, die Autos, die Busse, überall Menschen, die transportiert werden, sitzen auf den Dächern, hängen zu den Fenstern raus, ihre Bündel gepackt, die Köpfe im Fahrtwind, die Frauen mit ihren leuchtenden Tüchern, die Fahrer wie die Teufel hinterm Steuer und liefern sich Rennen. Sobald sie uns bemerken, winken sie, zeigen mit Fingern auf uns, stecken die Köpfe zusammen, hupen, treten nochmal fester aufs Gaspedal, der Motor heult auf und sie jagen davon.

Nachdem wir die Webereien besichtigt haben, gleich hinter den Häusern für Gäste, uralte Webstühle, die sie mit Händen und Füßen bedienen, fahren wir ein Stück mit dem Bus, bis er auf freiem Feld hält. Die Straße eine Piste, hört hier auf. Wir steigen aus, verabreden uns mit den Busfahrern und gehen zu Fuß weiter. Helmudo vorne weg. Kamal will das so.

Helmudo, hat er ihm beim Frühstück gesagt, du bist in unserem Film unser Zirkusdirektor, wir deine Artisten und ratlos.

Lieber wäre ich Ariel, könnte zaubern und in Blütenkelchen schlafen, hat Helmudo gesagt und Kamal, dass das in Ordnung sei. Darum geht er jetzt in unserer kleinen Prozession vorne. Eines Tages hat es ihn ins Hochland der Aufregung verschlagen, was eine Umschreibung für Wirrwarr ist. Keiner weiß, warum er in dieses Hochland geraten ist, wie viele Jahre vor ihm Antonin Artaud zu den Tarahumaras in Mexiko.
Die Tarahumaras, sagt Natascha, haben die Eigenschaft, immer zu laufen. Sie können nicht in gemäßigtem Tempo gehen, sie müssen laufen, laufen. Alles, was sie machen, machen sie im Laufen. Essen, verdauen, sich lieben, nur schlafen tun sie im Liegen, wobei sich ihre Beine oft traumwandlerisch erheben und in der Luft herumlaufen. Sie sind Meister des Peyotels. Sie schicken sich auf die Reise und begleiten sich dabei. Sie sind mehrere, jeder von ihnen, haben auch mehrere Leben. Darum ihr Laufen. Nie nehmen sie den Pilz allein. Helmudo ist mit seiner Freundin Ines zu ihnen gereist. Noch während des Studiums.
Er hatte immer die schönsten Frauen, sagt Abdul. Und die verrücktesten.
Neidisch? sagt Natascha.
Na klar.
Auch sie war hochlandkrank, sagt Helmudo. Die Tarahumaras haben uns beide auf die Reise geschickt, wie sie das damals noch so machten, ein paar Tage lang, danach war sie wieder gesund, bei Sinnen. Nur für mich kam alle Hilfe zu spät. Was auch die Tarahumaras nicht beheben konnten, war, dass ich ein Bewohner des Ungeschickten blieb. Armes Kindlein, ach, ich bitt. Dort bin ich zurückgeblieben, als ihr euch auf der Suche nach dem Glück in alle möglichen Himmelsrichtungen zerstreut habt.
Es geschah schnell, in Schüben, haben sie uns erzählt, kostbarer Ariel, sage ich.
Erwischt hat es mich in Griechenland. Unsere legendären Griechenlandreisen, sagt Helmudo.

Jahr für Jahr bist du mit einer wilden Gruppe nach Griechenland gefahren, in deinem Arielauto, VW-Bus, sagt Camille. Auch ich oft dabei. Wir fuhren zusammen los, stritten uns schon bei der Auffahrt Wetterau. Das ging so bis nach Griechenland, wo wir uns trennten und auf irgendwelchen Fähren wiederfanden. Überglücklich uns getroffen zu haben, reisten wir ein Stück weiter, trennten uns nochmal, gleiche Szene mit Fähre und Wiedertreffensglück und wenn wir wieder zu Hause angekommen waren, sagten wir, nie mehr fahren wir zusammen nach Griechenland, das war das letzte Mal. Womit die Reise für den nächsten Sommer wieder feststand: zusammen und in Ariels Auto.
Auf so einer Reise, das zweite Staatsexamen stand mir bevor, ich hatte lernen wollen, irgendwo in Griechenland am Strand, unter Pinien, in einer einsamen Bucht, musste auch noch eine Hausarbeit fertigschreiben, noch nicht einmal angefangen damit. Wir fuhren und fuhren, fanden unsere Bucht besetzt, andere hatten sich dort breitgemacht, wir suchten weiter, wechselten jede Nacht unseren Schlafplatz, kamen nicht zur Ruhe. Nach ein paar Nächten, in denen ich nicht geschlafen habe, mich nur noch von Zigaretten und Kaffee ernährte, kein Rasieren, kein Waschen, wollte nicht einmal mehr Gitarre spielen, hatte sie wie immer dabei, fuhren mich die anderen nach Hause, schnell, sie waren plötzlich ernst, voller Sorge, brachten mich zu befreundeten Ärzten, Analytikern, Psychiatern. Ich kam in die Klinik. Es ging nicht anders. Dort blieb ich viele Jahre in einem Hochland des Ungeschickten gefangen, das ich nie mehr verlassen konnte.
In unserem Film, sagt Kamal, suchen wir nach Erlösung aus diesem Gebiet, wir reisen ihm nach, es ist hier, bei uns.
Seit wir in Indien sind, ist alles anders geworden, sagt Camille. Noch unwirklicher als wir dachten. Oder hat es die blauen Hunde von Dharawi gegeben? Das Fest beim Konsul in Mumbay, seine Wohnung mit Blick auf die Arabische See, grau unter Palmen, in deren Kronen Adler und Krähen hocken, die Panther am See neben dem Campus der Hochschule, die Fahrt durch die

Stadt bei Nacht von einer Unterwelt zur nächsten, die Toten auf den Gehsteigen, Passanten, die an ihnen vorbeigehen, achtlos, der Abend im Golfclub, Heimat der Diamantenhändler, Besuch der Petit Library, in der alles aus Papier zu sein scheint, Tische, Stühle, auch die Lesenden, gleichmäßig vergilbt, und als ich eine Schublade mit Karteikarten aufziehe, der erste Eintrag, den ich lese: Georg Groddeck, *Buch vom Es*.
Wir sind wie die Tarahumaras immer mehrere, sagt Abdul, und unsere Verwirrung eine Frage der Zusammenhänge.
Für Helmudo haben wir zwei Tarahumaras dabei, die schon Artaud beigestanden haben, ihm ihre Pilze gaben für die Ausritte des Körpers und des Geists. Was wären wir, wenn wir nicht die hätten, die diese Ausritte wagten, immer bedingungslos, sagt Natascha.
Die Tarahumaras werden von Kamals indischem Tonassistenten Kanjar und seiner Cutterin Ashanti gespielt. Er trägt eine grüne Kurta, sie eine rote mit Punkten. Seit Mumbay reisen sie mit uns. Schon blasen die beiden in ihre Zeitungstrompeten, *The Times of India*, tätärätätä. Helmudo tut so, als griffe er über den Grashalmen des Wegrands in die Tasten. Papageno war nie ein Vogel, schreit er und intoniert seine Arie, Abdul trommelt auf einer Wasserflasche, bumm, bumm, bumm.
Erinnert euch, sagt Kamal, damals im Wald, unserem Krofdorfer Forest. Nach einem Auftritt als Engel. Das war in Gießen. Anarchisten – und wir waren welche – hielten etwas auf sich, überlegten sich Überraschungen für die Bevölkerung der Stadt. Unsere Engel waren ein Aktionsplan, so was wie Weihnachtsmänner, sage ich, nur waren wir Engel. Wir hatten auch Flügel, selbstgemachte aus Pappe, weiß angemalt wie Gefieder, hingen an Bändern festgebunden auf unserem Rücken. Es war Samstag, kurz vor Weihnachten, großes Fest der Patrioten. Wir schlenderten durch die Kaufhäuser, durch die Ladenstraßen, setzten uns als Gruppe in ein Café, taten so als kennten wir uns nicht, sprachen nicht und beunruhigten nicht nur die Ladendetekti-

ve, die Polizei, die Feuerwehr, auch Kinder und Hunde zeigten deutliche Zeichen von Nervosität, in der Luft das Gefühl von Aufruhr.
Wir hatten uns als echte Engel verkleidet, sagt Natascha. Kamal und du, Abdul, als Orientalen aus dem Ruhrgebiet, hattet euch Turbane um den Kopf gewickelt, trugt lange dunkle Kaftane, wie manchmal die Iraner in der Stadt, wenn sie im Studentenheim eine Party feierten. Flügel hattet ihr keine.
Ja, schade, sagt Abdul.
Ich hatte welche, sagt Helmudo.
Hingen schon am Morgen, als wir uns trafen, lang und schwer an dir runter, sagt Camille, weich geworden, zerquetscht, flappten dir müde wie Flossen am Rücken. Wer weiß, was du mit denen gemacht hast.
Geflogen, sagt Helmudo und steht auch jetzt kurz davor.
Ja, Challenger, sagt Camille, das sah man ihnen an. Nach der Aktion fuhren wir noch in den Krofdorfer Forest, machten ein Feuer, es dämmerte schon, wir standen herum, hatten das Gefühl, Wind in den Flügeln zu spüren, wir lauschten, ob wir Rehe hören würden.
Wie sie zur Nacht beten, kichert Helmudo und sagt uns den ganzen Reim mit den Rehlein auf, die zur Nacht beten: Halb acht, halb neun, halb zehn, zehn, die Rehlein beten zur Nacht, habt Acht.
Der Himmel hing voll Schnee, sagt Abdul, der langsam in feinen Flocken zu Boden zu sinken begann, dann wurde er mehr, die Flocken größer, fielen schneller, wimmelten vor den Augen, Flirren.
Wir hatten Rotwein dabei, sagt Camille. Rauchten durch den fallenden Schnee große Wolken aus uns heraus. Wir sahen zum Himmel auf, dem Herabsinken der Schneeflocken entgegen. Sie fielen uns auf Augen, Wangen, Mund. Unsere Flügel wurden schwer.

Es schneit, es schneit, rief Véronique, sage ich. Sie sprang in die Höhe, Natascha nahm sie bei den Händen. Komm, sagte sie, und sie tanzten mit angewinkelten Armen, den Oberkörper weit nach hinten gelehnt, einen Kosakentanz.
Die anderen standen um uns herum, schauten zu, sagt Natascha. Wie wir uns mit den Fersen in den schneebedeckten Boden wühlten, als wollten wir Löcher in die Erde hacken, um auf die andere Seite zu kommen. Wir riefen und jauchzten, bis uns der Atem ausging. Dann warfen wir uns, wo wir gerade noch tanzten, in den aufgewühlten, mit Erde vermischten Schnee. Die Arme weit ausgebreitet, das Gesicht dem Himmel zugewandt, der Schnee fiel auf unsere Augen, die Flügel lagen weit aufgeklappt neben uns. Weiße Schneerochen. Und was flüsterten wir einander ins Ohr? Sage ich.
Willst du die Welt sehen? sagt Natascha, immer wieder dieses: Willst du die Welt sehen? Dann schließ die Augen.
Auch Kamal und ich fassten uns an den Händen, sagt Abdul. Günther war da, Alexander filmte. Schneefilm, rief er und drehte sich wie wir mit der Kamera in der Hand, drehte die Kamera, die Bilder, erst langsam, im kleinen Kreis um die beiden am Boden. Dann wurden wir schneller, unsere Bewegungen weiteten sich. Im Schein des Feuers zogen wir große Bögen in die Dunkelheit. Während das Fallen und Schweben des Schnees uns umgab, uns aufnahm und aufhob.
Mit den Bewegungen im Kreis um Natascha und Véronique glichen wir einer Uhr im stillen Zimmer der Nacht, wo die Zeit schläft und zählt, sagt Helmudo. Bis alle nicht mehr wussten, was sie waren. Wo kam all der Schnee her? Wo war die Erde? Wo der Raum der hohen Bäume, die Spiegel der Welt?
Seitdem sind viele Jahre vergangen, sage ich, in denen es nie mehr aufhörte zu schneien, wie ein großer unablässiger Irrtum. Alles fällt, weht, verweht und besteht aus nichts als Flocken und dem, was zwischen den Flocken die Luft und die Dunkelheit ist. So haben wir ausgeharrt, haben gewartet und gedacht, eines Ta-

ges werden wir wissen, warum das alles. So lange wollten wir im Schnee bleiben und uns drehen mit der Erde, den Sternen, dem Schicksal, bis nichts sich mehr an uns erinnern würde, sagt Kamal. Bis wir verschwunden wären wie Schnee von gestern. Dann würden auch wir nichts mehr wissen von uns, wären nur da. Wie erste und letzte Menschen.

Jetzt hält unsere Prozession an. Was ist los? Sind wir in Indien? Wir wollen anfangen, ruft Camille mit lauter Stimme. Sie spielte schon in Gießen ganz allein, Nacht für Nacht in ihrer Küche die *Rocky Horror Picture Show*. Das ist ihr nachrevolutionärer Traum. Auch eine Art Nachhut, in der sie sich mit toupierten Haaren, die Augen dick umrandet, in schwarzem langen Umhang, in der Hand einen dreiarmigen Leuchter, selbst erschreckte. Nacht für Nacht trat sie so in ihrer eigenen Küche von hinten an den Stuhl, auf dem sie saß. Will auch jetzt wieder anfangen, am helllichten Tag. Sie steht in einem dunklen Umhang bereit, keiner weiß, wo sie den her hat, ihre Augen leuchten rot. Das ist der Himmel über Indien mit seinem Licht, sagt sie. Los, Kinder. Doch halt, Helmudo schreit in die Szene und wir neigen ihm gegenüber immer zu Nachsicht: Was machen wir mit den Gefolterten, den immer zu unrecht Getöteten, was machen wir mit der endlosen Geschichte der Gewalt, der Vernichtung, des Unrechts der Rechtstaatlichkeit, die an den immergleichen Stellen versagt, wo es um die Rechtsstaatlichkeit der Folterer, der Henker, der Kriegsführer, Pharmakologen und Ärzte geht? Was machen wir mit den unsagbaren Schmerzen, mit der Vernichtungsarbeit, die in allen Teilen der Welt getan wird, emsig, produktiv. Hüten wir uns, uns ausgenommen zu fühlen. Jetzt kreischt er. Wo sind die Basaglias, die Antonionis, die Filme drehen wollen mit den Irren in ihren Gehäusen. Wo sind die Irren? Tragen von nun an ihre Zwangsjacken immer bei sich, festgekettet an ihr Medikament, das sie mondgesichtig macht, echte Lunatics, abwesend, abgeschickt in die Umlaufbahn der großen Betäubung, auf der bald kein Platz mehr ist. Alles überfüllt. Frauen, die vor Medikamenten nicht mehr gerade stehen können, auch das ist ein Unrecht. Vor dem kein Gesetz schützt. Die Brüder von Eichmann lernen weiter. Sie kalkulieren scharf. Sie vernichten die Dokumente, die Videos, Filme, auf denen sie die Folter, den Fortgang erweiterter Verhörmethoden aufgezeichnet haben. Sie sagen, es sei besser so gewesen. Der Sturm der Entrüstung, den die Vernichtung von Beweismaterial ausgelöst hat, ist nichts gegen den Sturm, der ausgelöst worden wäre, wenn die Dokumente veröffentlicht worden wären.

Das Gefühl, in dem wir gerade eben noch steckten, hat einen Ruck gemacht. Das war damals im Wald, wir waren Engel und etwas geschah, sagt Camille. Es schneite, die Bäume bewegten sich, es gab einen Schlag, dann ein Riss. Lagen im Schnee, ganz auseinander, nicht wie kurz davor noch, als wir uns drehten, Schneeanbeter bei ihrem Tanz für die Nacht. Warum seid ihr so still? Kein Schneefall mehr. Es hatte aufgehört, auch die Zeit, die Geräusche. Dann von weit her eine Stimme. Natascha, war es Nataschas Stimme? Nein, es war Helmudo, wie er rief: Wer waren nur diese schönen blassen Menschen? Ich höre es noch heute. Bis hierher.

Warum küssten wir sie nicht, warum weinten wir nicht mit ihnen? sagt er. Warum zogen wir nicht los mit ihnen durch die Nacht? David Bowie würde *Absolute Beginners* singen, für einen Tag, für eine Nacht. Wir würden weinen und uns küssen, immer abwechselnd, im Winter, in einem wilden Film in Paris mit einer Menge toller Leute. Warum wurden wir nicht, was wir so gerne gewesen wären? In einem Film mit den schönen bleichen Menschen, die keiner küsst, mit denen keiner weint, an die sich keiner erinnert, ohne Aufenthaltsort auf der Erde, eingehüllt in eine Haut aus Schnee, die da draußen neben einem Feuer ihre Kreise ziehen wie Kraniche. Ebenso fern von uns wie der Himmel von der Erde, ebenso zweifelhaft und leer wie der Film, in dem sie uns erscheinen, in dessen Licht sie herumirren. Während er das sagt, breitet sich auf unseren Gesichtern ein

Schimmer aus, und uns ist, als hörten wir die Verschwundenen sprechen. Wie sie sagen: Erinnert euch, einst wollten wir die Meere bereisen, wollten gen Osten ziehen. Einem anderen Osten entgegen als dem, in dem sich unsere Eltern verloren hatten, noch bevor sie unsere Eltern geworden waren. Zusammen mit den Verschollenen aller Länder und Kriege. Wir suchten den Osten der Wiederkehr, der ewigen, ganz in der Nähe des Nirwanas, wo die Mächte der Dunkelheit umherschweifen und die Kompassnadeln durchdrehen. Damals gingen uns die Richtungen davon, jetzt kommen sie uns von überall entgegen.

19. Lektion von Konstantins Traum, schönes hellblaues Stück Licht mit dem Fingerzeig Gottes über dem Feldherrenzelt, winziges Kreuz und in den Augen der Wachenden schlafen die Verkündigungen. Reise zu den Bildern von Piero della Francesco nach Arezzo, für einen kurzen Moment in der Geschichte vom Traum einer offenen Psychiatrie erfasst, immer wie eine Halluzination der Zeiten, sie sind da, wiedergekommen, andauernde Prozession der *Recording Angels*, denen wir folgen, bewacht von den Irren, deren Blick streng das Land durchstreift.

Wir gehen weiter, noch immer unterwegs zum Dorf mit der neu gegründeten Schule für die Kinder der Bauern, die für die Biobaumwollfarm arbeiten. Unser Besuchsprogramm. Auf den baumlosen Hügeln gegenüber sehen wir ein paar Menschen in langen Gewändern, sie haben Stangen in der Hand, wirken abgehoben, fast schwebend, alte Wanderschauspieler unterwegs zu ihrer nächsten Vorstellung des Mahabaratha. Die Männer tragen Turbane, enge kurze Westen über den langen Hemden, bauschige Hosen, die Frauen Kleider aus Samt, reich bestickt über der Brust, um den Kopf schwarze Tücher. Hinter ihnen tauchen ihre kleinen Kamele auf, tragen Betten, Decken, Kochgeschirr, manchmal auch ein Kind zwischen den Höckern. Gefolgt von Ziegen, die rasch mehr werden, aus dem Hügel hervorzuquellen scheinen, sich ausbreiten, kleines Meer, das den Hang leckt, ein einziger gefleckter Tierrücken, hebt und senkt sich, Schattenriss unserer Gesandtschaft auf dem Weg in die Schule zu den Kindern.
Alles, was wir an diesem Morgen erleben, kommt aus der Landschaft, der Weite ihrer sanften Hügel unter dem nahen Himmel in der Mitte Indiens, erfüllt uns mit einem entfernten Gefühl von Ähnlichkeit, das wir von früher kennen. Wenn es schon spät war am Abend, nachdem wir uns in der kleinsten Bäckerei der Welt getroffen hatten, geredet, Günther und Alexander schon lange

weg. Dann weiter in die Oktave, den Holzwurm, das Scarabé gezogen, und wir wollten nicht nach Hause gehen, wollten bleiben, warteten; es würde auf jeden Augenblick ankommen, jetzt, nie, beides zusammen, unauflösbar, bis wir den Tag überlebt, ihn noch einmal, nun vielleicht voller Freude, umrundet hätten. Wir wollten ihn uns vorstellen, uns vergegenwärtigen, dass alles da war, alles gerettet. Erst dann, hatten wir das Gefühl, könnten wir gehen. Manchmal entschieden wir uns nach solch einer weiteren Umrundung, wegzufahren. Geschah immer wieder, mitten in der Nacht der Entschluss und gleich ins Auto, Richtung Süden, über die Alpen, die ersten Pässe im Morgengrauen, Felder von Dunkelheit zwischen den Berggipfeln, Geröll, steinernes Wintermeer, wir noch immer in diesem Jubel, überlebt zu haben, weg von dort. Der Himmel, wie er langsam blau wurde, Natascha, Abdul, ich in Abduls Auto, schwarzer Citroen DS, irgendwann der Gardasee vor unseren Augen. Lag da zwischen den Bergen, eingeschmiegt in die nach Süden offene Ebene. Es war Herbst, die Sonne aus Gold. Unterwegs hinter Verona in einem Waldstück ein paar Stunden geschlafen, dann weiter und am Abend in Arezzo angekommen, Stadt von Piero, der in seine Bilder Tote malte, die schöner sind als je ein Lebender sein kann. Die Kirche, in der seine Bilder hängen, war bereits abgeschlossen. Würde schon bald wieder dunkel werden, die Tage kürzer, langsam einsetzende Dämmerung, Übergang, uralte Angst im Herzen des Lichts, dass es vergeht, von der Dunkelheit abgelöst werden wird, kein Aufschub, die Stunde des Verlusts, jeden Tag; nie ist das Licht dichter. Abschied, Wiederkehr, Zwielicht, Tag und Nacht.

Wir liefen über die großen Plätze, den einen, den anderen, der in einen weiteren mündet. Wie Strudel solche Plätze, drehen sich um ihre stille Mitte, ziehen dich hinab. Taumel ergriff uns unter dem offenen Himmel, erste blasse Sterne zogen auf, auch sie schienen zu kreisen, und da waren sie, die Irren, die Freien, die ehemaligen Internierten, herausgeflogen aus den Kliniken, in denen sie jahrhundertelang eingekerkert waren. Wie wir, schauten auch sie dem Himmel zu, schützten ihre Augen mit der Hand oder dem Arm gegen das Schwinden des Lichts, den täglichen Verlust, die aufsteigende Bedrängnis. Als ich sie so auf einem der Plätze stehen sah – nicht lange, ein Augenblick nur –, dachte ich an Alexander. Keine Spur von ihm, von Günther nicht, verschollen, wir waren ohne jeden Anhaltspunkt, wo sie sein könnten. Außer in Indien. Das glaubten wir. Von wo sie vielleicht eines Tages, wie die Verrückten in der Stadt aus ihren Gefängnissen, zurückkehren könnten.

Die Stadt war voll von Rückkehrern, Wiederkehrern, alles schien nachzugeben, weich zu werden, durchlässig, als wenn die Öffnung der Gefängnisse für den Wahnsinn wahnsinnig machen würde. Dabei war es umgekehrt, wahnsinniger als jeder Wahnsinn war die Idee, ihn einsperren zu wollen, und die Öffnung – auch die der Idee –, ein erster Schritt der Heilung. Sie liefen herum, lachten in den Bars, saßen in den Cafés, und nur gegen Abend, wenn die Stunde der Dämmerung anbrach, sahen wir sie für einen kurzen Moment ihre Hand, den Arm erheben, die Augen bedecken. Konstantins Traum, sagten wir dann, saßen auf dem Platz, betrachteten sie wie alte Gemälde, tranken Rotwein, luden sie ein, mitzutrinken. Waren sie schon in uns gefahren? Die Tore waren geöffnet worden und alles in der Stadt halluzinierte. Häuser, Plätze, die Bäume mit ihren gelb gewordenen Blättern, Straßen schlingerten, legten sich um Kirchen und Parkplätze. Sie schienen sich aus den Vorräten an Psychopharmaka bedient zu haben und kleine schamanistische Reisen zu unternehmen. Sogar die Dämmerung hatte ein bisschen Delysid geschluckt, so nachgiebig ließ sie sich fallen, glitt sie am Abend ins Zelt, unter dem Konstantin weiter ohne Ende seinen Traum austräumt. Wie er da liegt, sein Schlaf langgezogen wie der Horizont, gekreuzt vom Stützpfeiler des Feldherrenzelts, der im Bildhintergrund aufragt, Längsbalken des Kreuzes, an dem Jesus gehangen hat, von dem Konstantin gerade träumt. In Jesu Namen ist er auf dem Feldzug gegen die Türken. Seine Bettstatt ein rundes Zelt, rotes Dach, die Wände wie ein Theatervorhang aufgehalten, zur Seite gezogen, Szene frei. Im Innern des Zelts Dunkellicht, Körperhöhle, hier wird empfangen; es spricht im Traum. Konstantins Kopf auf weißem Kissen, vom Laken eingerahmt, Geistesbruder der heiligen Ursula, die sich in Venedig einem anderen Traum ergibt. Zu seinen Füßen wacht ein Diener, der mit offenen Augen das innere Geschehen des Schlafenden begleitet, die Verbindung sichert. Er hält seinen Kopf auf die Hand gestützt, leicht zur Seite geneigt, horcht. Ist mit einem hellen Gewand angetan, wie es sonst nur Engel tragen. Weicher, fließender Stoff, der Saum ein lila Streifen, durchsichtig, darunter seine Beine, die Füße, stehen nicht auf dieser Welt. Am oberen Bildrand weist eine Hand ins Bild, von Mondlicht beschienen, zeigt dem Schlafenden das Kreuz, der Finger ausgestreckt, gebietend über die nächtliche Szene darunter. Daneben ragt ein hellblaues Lichtsegel; Zuversicht, Verkündigung, ja. Und Stille, in der auch Tote die Zeit finden, lebendig zu sein. Stehen da vielleicht wie der Jüngling auf Pieros Bild der Geißelung Christi. Blond, schön, es war einmal in Urbino, mit leicht abgewandtem Gesicht wie der Wachende zu Füßen Konstantins, ein bisschen blass, das Kleid rosa, neben ihm zwei ältere Männer, sein Vater, sein Lehrmeister, der eine spricht, der andere zögert, ihr Blick unsicher mit dem da in ihrer Mitte, den sie nicht sehen können, der seine Augen offen hält auf andere Geschehen. Auch Jesus ist da, im Bild, wird gegeißelt, als stünde, was geschehen ist, bereit, immer bereit, erneut zu geschehen. Anwesend, doch für die darin Lebenden nicht zu sehen. Wie die Geschichte, wie wir auf der Erde, gerade noch da, gleich schon verschwunden, ohne dass wir es sehen könnten.

Wie der Traum Konstantins lädt uns auch dieses Bild ein, in die Geschichte einzutreten, die nicht zu Ende ist. Dabei zu sein, uns zwischen Zeiten, Menschen, Begebenheiten und Augenblicken einzufügen, Platz zu nehmen wie die beiden Männer neben dem Jungen, der der Gemeinschaft der Lebenden widersteht; er ist schon tot als er gemalt wird, was das Bild schon damals flüchtig machte und seither. Der Tote ist stärker, hat mehr Zeit als jeder Lebende. Nur für den Maler sind wir alle da, er kann uns sehen, versammelt uns in Indien, wo wir stehen und uns erinnern. Alles im Bild wirkt zusammen, die Zeiten, die Geschichten, lebt wie der Traum in Konstantins Schlaf, der sich sofort auf uns übertragen hat.

Wir waren hingerissen, kaum hatten wir ihn am ersten Morgen in der Stadt gesehen, gleich nach dem Frühstück, fanden die Sanftheit der Farben, die Stille im Bild und wie der Schlafende die Worte Gottes empfängt. Keiner träumt allein. Keiner unter dem offenen Himmel über Arezzo. Etwas sprach zu uns, dass der Wahnsinn unser Bruder sei und wir fühlten uns sofort erlöst von der Angst vor dem, was nicht aufhören wollte, zu uns zu sprechen. Aber vielleicht tranken wir auch nur zu viel Rotwein. Gingen jeden Abend in ein Kellerlokal, in dem es Wildschweinbraten gab, das Fleisch lange eingelegt, schmeckte nach Kräutern, nach Wein, wild. Morgen, nahmen wir uns vor, würden wir nach Monterchi fahren, uns unter den Mantel der Madonna stellen, der Frau mit dem schwangeren Leib, den sie uns entgegenstreckt. Ihr Kopf, ihre Augen, ihr Mund, alles rund an ihr, ihr Gesicht der Mond, die Augen Neptun und Pluto auf ihrer Bahn. Eine Irre, mit ihrem Schlitz im blauen, üppigen Kleid, der Wunde, die nichts bezeugt, außer der Öffnung der Erde, aus der wir alle hervorgegangen sind. Klaffender Spalt, hell zwischen Brust und Schoß, und darüber ihre Hand, aufhaltend, zeigend mit angehaltenem Atem. Wir wollten ihre Kinder der Liebe werden, Blumenkinder von Monterchi, im Geleit der Irren von Arezzo, die still hielten wie die Menschen in den Bildern von Piero, lebende und tote. Das konnten sie.

Monterchi ist nicht weit von Arezzo entfernt, die Sonne schien, wir fuhren durch eine leuchtende Landschaft, alt gewordene

Sommerkraft des Herbsts, die Konturen scharf, Felder schon abgeerntet, die Reben leer, der Boden feucht, am Morgen lagen Nebel auf den Wiesen, die gegen Mittag wie schleierhafte Wände aus der Erde aufzusteigen schienen. Das Bild der Schwangeren hängt in einem ehemaligen Schulhaus, einstöckiges schmales Gebäude an einer Ausfallstraße mit einer Palme davor. Als wir ankommen, finden wir die Tür geschlossen, Mittagspause. Der Ort liegt oberhalb, wir steigen hinauf, großer Platz, eine Kirche, Schatten, unter hohen Bäumen Bänke, wenige Menschen. In einer kleinen Gasse ein Lebensmittelgeschäft, runde kleine Käselaibe liegen im Schaufenster neben stacheligen Kastanien und großen Flaschen Öls. Das Geschäft hat noch nicht geschlossen, wir treten ein, düsteres Licht umfängt uns, es riecht nach Trauben, nach Most, hinter einer langen Theke steht der Ladenbesitzer in weißem Kittel, groß, alt. Neben ihm sitzt ein Mann auf einem Stuhl, hat ein Brot mit Mortadella in der Hand, eine Bierflasche steht neben ihm auf dem Steinfußboden. Der Händler schneidet uns von dem runden, ungesalzenen Brot der Toskana Scheiben ab, belegt sie mit Peccorino, die Rinde so fein wie möglich, hält sie uns hin zum Beweis, antwortet dem Mann auf dem Stuhl, der etwas gemurmelt hat, weiter kaut, einen Schluck aus der Flasche nimmt, erneut ein Stück von seinem Brot abbeißt, uns nicht beachtet. Drei Brote mit Peccorino liegen auf der Marmortheke, er wickelt Wachspapier von einer Rolle, schlägt die Brote darin ein, wie er es schon lange macht, ein Hirte der Pilger in diesem Dorf, in dem die Madonna ihre Schwangerschaft öffnet, obszön dieser Spalt in ihrer Leibesmitte, ihre Finger, die hineinweisen, als wäre sie losgelöst von ihrem Tun, von dem ihr der Atem stockt, bei lebendigem Leib diese Spaltung in ihr, aus der es hell, weißlich leuchtet. Kein Blut, keine gewalttätige Szene – auch sie wie Konstantin, wie der schöne junge Mann in seinem rosa Gewand, angehalten langsam, sie trägt den toten Jesus in sich und den ungläubigen Thomas, der dessen Wunde berührt wie sie ihre Öffnung im Leib. Die keine Wunde ist, sondern ein

Spalt, der sie triumphieren lässt: Der Tod ist noch vor der Geburt überwunden. Doppelte Auferstehung. Nach der Überwindung des Todes als Beweis der Auferstehung lässt sie uns in eine andere Auferstehung blicken, die nichts überwindet. Sie weiß, was diese Öffnung in ihrem Kleid an Spaltung hervorbringen wird, ihre ungleichen Augen, Neptun, Pluto, die Augenlider wie Wellen, das eine aufgezogen, das andere niedergeschlagen. Sie ist gefasst über alle Maßen. Hier ist etwas zugegen, sie weiß es und zeigt es uns, etwas, was weder Tod, noch Auferstehung, noch Beweis oder Wiedergutmachung hervorgebracht hat. Etwas, das dem Körper entspringt in einem Riss, eine Rundung, Fülle, ein im Rund sich ergebender Körper, ein dritter Körper zwischen Gewand und darunter Verborgenem, das Aufsprengen des Moments, das Stocken des Atems in dieser Öffnung, die von zwei Engeln gerahmt ist, verdoppelt, sie halten einen riesigen Schutzmantel mit spitzem Giebel auf, auch eine Öffnung, herzförmig, in deren Mitte das Beil dieser Madonna. Sie steht leicht zur Seite gedreht, in Position, eine Hand in die Taille gestemmt, sie trägt schwer an dem, was sie in sich birgt. Ihr Gesicht völlig nackt, und lässt nichts erkennen.

Wir kaufen noch einen dieser frischen Käselaibe aus dem Schaufenster, der Lebensmittelhändler verpackt ihn sorgfältig wie vorher unsere Brote, der Mortadellabrotesser ist noch lange nicht fertig mit seiner Mahlzeit, schaut zum ersten Mal auf, zu uns hin, scheint zu bemerken, dass er nicht allein ist im Laden, murmelt etwas, nimmt einen Schluck aus der Bierflasche. Als wir uns verabschieden, grüßen sie beide. Wir gehen auf den Platz ganz oben im Dorf, schauen aufs Land, Felder in Braun, Okker, Gelb. Hier hat Piero gemalt, hat Aufträge angenommen, hat Szenen nachgestellt, Bilder von Bildern, und darin Menschen und Figuren versammelt, die schon damals auf etwas schauten, was sie entrückte. Wir konnten sie sehen in ihrer Entrücktheit, kamen ihnen ganz nah, spürten sie beinahe atmen. Sie waren auf der Erde ein Traum, erwacht in seinen Bildern. Diese Erde,

es gibt sie, langsam, still, und wir stellten uns vor, wie am Ende des Tages die Engel, der eine im grünen, der andere im roten Kleid, den Mantel um die Szene der Madonna schlossen, sie ihre Arme sinken ließ, sich gerade hinstellte, ihr Kleid zusammenraffte, während das alte Schulhaus seine Läden herunterließ, die Alarmanlage anstellte und die Dunkelheit fiel.
Hier, unter dem indischen Himmel, in ungewisser Zeit, frage ich mich, ob wir je von dieser Reise zurückgekehrt sind. Gibt es Rückkehren? Wohin? All die Träumenden, Empfangenden, Schlafenden, denen wir dort begegneten, denen wir etwas absahen, von denen etwas auf uns überging. Die Linien des Schlafs, wo Himmel und Erde aufeinander liegen, kaum merklich, seither unser Horizont. Und die anderen, die noch leben, noch wach sind, die sie begleiten, ihren Schlaf kreuzen, bezeugen, dass es spricht in der Nacht. Die Wörter des Wahnsinns, Konstantin träumt sie, Gott gebietet sie ihm, die Madonna wölbt sich ihm entgegen, brütet ihn aus, der blonde Tote wird jeden Moment zurückkehren. Wir gehen nicht, wir schweben weiter auf unserem Weg zum Dorf, sind längst selbst zu sich drehenden Recordern der Engel geworden, fliegen wie Schneeflocken durch die Zeit und schneien in Häuser. Einst in Begleitung der Bilder von Piero, am Ende eines langen Tages, an dem wir ihn noch einmal umrunden wollten, sind wir ein kleines Volk gewesen, das uns fehlte.

20. Lektion von der Kindergesandtschaft, die uns in Empfang nimmt, sie trommeln auf kleinen silbernen Trommeln, die sie umgehängt haben, die Trompete bläst der Gehilfe des Lehrers, hinter dem das helle Trällern einer Klarinette aufspielt. Sie stehen am Rand des Dorfs, haben ihren Auftritt seit Tagen geprobt, warten auf uns, wie die anderen Kinder seit Stunden an ihren Plätzen hinter den niedrigen Pulten ausharren, ihre fremden Brüder und Schwestern in ihrer Schule zu begrüßen, bis der Kleinste von ihnen aus der hintersten Reihe zusammenbrechen, in Ohnmacht fallen wird und wir ihm folgen.

Nochmal, bevor wir uns den Kindern und der Ohnmacht überlassen – wer sind wir? Wir reisen, sind auf der Reise von ein paar Leuten zum Ort der Rückkehr, wo sie die Richtung wechseln wollen wie in der Liebe. Alt geworden, ging schneller als sie dachten. Einer von ihnen filmt. Er will es so, sein Tonmann mit der Angel dicht hinter ihm her, hält das Mikrofon in den Himmel als würde es von dort sprechen. Ein anderer läuft voraus, spielt auf einem imaginären Klavier die Melodie von Papagenos Arie. Nie, nie war der ein Vogel, ruft er. Dazu gibt es Fanfarenstöße aus Zeitungstrompeten. Vielleicht sind sie dabei, einen Roman zu erfinden, von dem sie lange nicht wussten, wie er geschehen könnte.
Ja, sagt Abdul, einen Roman ohne Roman. Papageno hält inne, reißt die Augen auf, schaut uns an mit seinem dünnen Reiherhaar, er sagt: Ein Roman ohne Pointe, fängt irgendwo an, hört irgendwo auf, völlig phantastisch und keiner weiß mehr, was dann geschah.
Wie im Leben, sagt Kamal hinter seiner Kamera.
Unser Roman handelt von unglaublichen Romanen, von ihrer Sinnlosigkeit, ihrem Todesmut, sage ich.
Wie wir vergessen haben, dass Zeit vergangen ist, sagt Abdul.

Früher wurde auf Uhren geschossen, heute lernen wir zu vergessen.
Eben noch Schnee. Unser gerissener Film. Und wir verkleidete Engel, die den Tag umkreisen, sagt Natascha.
Keiner weint mit uns, Arezzo dreht sich, die Wahnsinnigen der Psychiatrie sind auf einem blauen Pferd durch die Tore auf den Platz geritten, bis hierher, sagt Abdul. Indien, Troja verloren, in eine schwierige Geschichte geraten, das, was Vergangenheit genannt wird, auch unsere, Anfälle am helllichten Tag, wir kennen sie alle, kommen aus den Leugnungen, mit denen wir heranwuchsen, Wange an Wange. All die Toten: geleugnet, der Schmerz: geleugnet, die Angst: geleugnet, die Verschollenen: geleugnet, die Kriegsheimkehrer, die nie mehr heimkehrten: geleugnet, die den Tod mehr liebten als das Leben: geleugnet.
Geographiekrämer, sage ich, der uns die imaginäre Landeskunde näherbrachte. Karten mit den Ostgebieten, Schlesien, Pommern, Mitteldeutschland und jeden Monat kamen die Frauen von der Kriegsgräberfürsorge vorbei, brachten ihre dünne Zeitung mit, voll mit Fotos von Gräbern, für die sie Geld sammelten. Unsere Brüder und Schwestern im Osten, in der Zone, für die wir, als wir klein waren, in den Zimmern, an den Fenstern im Winter zwischen üppigen Eisblumen Kerzen aufstellten. Der Osten fror, sie froren, waren halbtot, verschollen, verschwunden, bekamen Päckchen geschickt mit Kakao, Kaffee, Nylonstrümpfen, die sie mit kargen Dankeskärtchen und »Alles Gute für die Festtage, ihre Familie Fischer oder Becker, Hein oder Jung« beantworteten.
Die Kerzen sollten ihnen Hoffnung bringen, sagt Camille, Licht, denen, die des Lichts entbehren. Es schauderte uns, wenn wir neben den Kerzen wachten, hinter den Fenstern nichts als Dunkelheit sahen, Kälte, die Undurchdringbarkeit der Leugnungen, von denen wir nichts wussten, die wir nur spürten, überall in uns, an uns, um uns.

Die Erwachsenen brauchten uns Kinder, um sich ihrer Leugnungen zu vergewissern. Das waren die Romane, die alles fälschten, sagt Abdul. Sie machten uns glauben, was sie nicht glauben konnten, – dass sie überlebt hatten, dass sie zurückgekehrt waren, dass ihnen nicht die Welt zugrundegegangen war. Wir kamen nicht gleich, wir kamen später, fünfziger Jahre, dran glauben mussten wir trotzdem.
Nicht wir träumen hier, wir berühren Träumendes, sage ich, sehen es an, sehen ihm zu mit verlorener Besinnung. Es antwortet uns, spricht im Traum, auch wenn es stillhält, wenn es Indien geblieben ist, wie unsere Schneezeit und alles ist träumend da. Ausharrendes Indien, schaut uns an, als würde es unablässig vor sich hin spinnen. Kann sich nicht umdrehen, nur sich vorstellen zu leben, zu fließen, sich weiter hervorzubringen als Traum. Wer könnte sagen, dass das nicht wirklich ist? Am späten Abend in Mumbay, gleich hinter dem Sealink, eine Kreuzung, langes Warten, Autoschlange an der Ampel, graue Luft, auf dem Gehsteig liegt ein Mensch, rücklings, schläft, träumt, stirbt. Die dünnen Beine angezogen, das Gesicht zum Himmel, die Augen unverdeckt, offen, Passanten stoßen fast an ihn, steigen über ihn, laufen um ihn herum, mit Tüten bepackt, tragen Anzüge, weiße Hemden, als wäre da nichts am Boden. Kein Aufmerken, sie drehen sich nicht um. Als wir weiterfahren, sehe ich andere wie ihn liegen, ausgestreckt auf ihrem Schlaffeld, sind vielleicht schon tot. Die Leichensammler ziehen erst gegen Morgen los, gehen von Schlafendem zu Schlafendem, wecken sie auf, sagen ihnen, dass sie nur träumen. Wieder halten wir an, denken an unsere kleine Exkursion nach Arezzo. Fahrt nur, haben die anderen gesagt und berichtet uns. Schaut euch das blaue Pferd an, mit dem sie losgeritten sind aus den Häusern des Wahnsinns, auf ihre Fahnen hatten sie »Freiheit heilt« geschrieben. Was für ein Triumph, den wollten auch wir uns auf die Fahnen schreiben, in den Wind, die Trompeten bitte! Wir entbehrten des Jubels so sehr, uns fehlte

der Mut. Stattdessen verloren wir uns in Indien, große Teile von uns rissen uns mit sich, die große Liebe, der Lehrer unserer kleinen Gruppe von Widerständigen, die es liebten und darin sich trafen, abends in der kleinsten Bäckerei der Welt den Tag und alles, was er war, was er hervorgebracht hatte, was verloren worden war in ihm, vergessen, nicht beachtet, noch einmal zu bedenken, zu uns zurückzuholen. Jeden Tag wollten wir noch einmal den Tag umrunden wie ein zweites Leben, ohne das es auch kein erstes gab. Weniger als zwei Leben waren kein Leben. Das hatten wir mitgebracht, mit uns, jede und jeder hatte es als Gefühl, als Wunsch, Antrieb. Vielleicht war es die Jugend, eine Maskerade, die nicht lange dauerte, wir lebten schnell und darum abends die Umkreisung noch schneller.
Dann waren wir da auf den Plätzen unter dem toskanischen Himmel, im Tal floss der Arno, am Morgen stieg Nebel aus der Erde, zog als Schleier übers Land, die Felder, bald würde es Winter werden und in der Stadt die Belagerung der Reiter des Blauen Pferds, sagt Abdul. Alles drehte sich und wir gerieten in die Bilder von Piero, der in seinen Figuren Träume zum Sprechen brachte, wie sie dastehen, uns anschauen wie die hier in Indien. Sie warten, die Augen offen, die Augen zu, sie sind aus Farbe und Licht, sie sind wirklich, auch wenn sie tot sind und unsichtbar für die, die neben ihnen im Bild stehen. Lebende sind die, die träumen, sagt Natascha, die erwarten, die Zeit haben, die es nicht gibt. Bilder von ihnen haben wir bis hierher getragen, ein ähnlicher Himmel über uns, und sie öffnen sich, breiten sich aus. Wir haben das Gefühl, dass keine Zeit vergangen ist, wir stehen auf einem der Plätze in Arezzo, die Trommeln, noch entfernt, leise wie Schnee. Erinnerung an sein Fallen im Wald, als wir verkleidete Engel waren, rieselnde Erinnerungen, winzige hauchdünne Plättchen, kristallisiert, gezackt, gekreuzt, in jedem ein schwaches Licht, in dem wir uns spiegeln, wie wir tanzten, sprangen, wie das blaue Pferd der geheilten Freiheit, bereit für die Umkreisung des Tages, da-

mit es Tag wird in unserer Schneezeit, die an uns haftet, die mit uns zieht als kleine Prozession und weiter.
Allons, mes enfants, wir sind viel zu spät dran, die Sonne gerade über uns, Mittag, wir tragen Tücher um den Kopf gewickelt, ziehen kleine Hügel auf und ab, Schule der Indienfahrer, sagt Helmudo, vom Leben lernen, von uns und denen, die gelebt haben und leben.
Da sehen wir das Dorf in der Mulde liegen, eingeschmiegt, kleine Häuser, Hütten, gepflegt, kein Plastik, das herumliegt, wie sonst überall in Indien. Auf den Dächern Kamine, und die Kinder, Gesandtschaft, die uns in Empfang nimmt, trommeln lauter, kaum sehen sie uns. Auch Ziegen sind mitgekommen, große, kleine, einige auf den Armen von Männern, die sie küssen und streicheln, ihre braun-gelben Augen, sie meckern. Bemalte Kühe stehen herum, Streifen und Punkte auf dem Rücken, rot, blau, Hühner bleiben stehen, gurren, der Hahn kräht. Die Kinder trommeln auf kleinen silbernen Trommeln, die sie umgehängt haben, die Trompete bläst der Gehilfe des Lehrers, die Klarinette der andere Lehrer. Sie stehen am Rand der kleinen Siedlung, warten auf uns, wie die anderen Kinder an ihren Plätzen hinter den niedrigen Pulten in der Schule ausharren, ihre fremden Brüder und Schwestern zu begrüßen. Die Trommler gehen uns voran, vorbei an niedrigen Häusern, Frauen treten vor die Türe, immer mehrere, schauen, winken, lachen, kleine Kinder auf dem Rücken, im Arm, auch wir winken. Einige kommen und fassen uns an, Arme, Hände, die bleiche Haut, unsere hellen Augen, sie kennen Besucher aus dem Westen, sind ein Modelldorf mit Schule, gemauerten Kaminen in ein paar Häusern, eine Seltenheit, das Land arm, viele Bauern bringen sich um, die Familien bekommen eine kleine Entschädigung, um die Schulden zu bezahlen, bald wird ihnen ihr Land weggenommen. Eine Frau zieht uns ins Haus, wir sollen den Kamin anschauen, und wir wissen im ersten Moment nicht, was daran Besonderes sein soll. In einer Hängewiege

ein Kleinkind, schläft, bekommt von all dem nichts mit, wir lächeln, bedanken uns, sind beschämt, gehen hinaus. Das Musizieren hat aufgehört, wir sehen die Trommeln vor der Schule auf der Erde in der Sonne liegen, wir treten in den Schulraum, groß, licht, vor uns nach Größe und Alter geordnet die Reihen der Kinder. Ihre Augen auf uns gerichtet, die Mädchen in der ersten Reihe in hellen Kitteln über ihren Blusen und Faltenröcken, dahinter die Jungen. In der letzten Bank die Kleinsten. An der Seitenwand, viel größer als die Kinder, ein gemaltes Reh und sein Kleines, das sich der Mutter zuwendet, um den Hals haben sie rote Bänder gebunden, können nicht laufen. Darüber scheint eine Sonne mit Gesicht und ist gelb. Die anderen Wände hängen voll mit Schautafeln. Die Fahrzeuge der Welt: das Kamel, der Büffel, die Kutsche. Die Teile des Körpers: in der Mitte ein Junge mit kurzen Hosen, die Haare gescheitelt, umgeben von seinen Teilen, jedes einzeln, bis auf den Leib, der bleibt ganz.

Der Lehrer gibt ein Zeichen und die Kinder singen ein indisches Lied, wie bei einem Staatsempfang. *My Bonny is over the ocean*. Nein. Mehrere Strophen. Wir klatschen, verneigen uns vor ihnen mit gefalteten Händen. Als wir es wimmern hören. Einer der Kleinsten aus der hintersten Reihe kann nicht mehr gerade sitzen, sinkt immer wieder in sich zusammen, schluchzt auf, krümmt sich, wird geschüttelt. Die Kinder sitzen starr neben ihm, wagen nicht, sich zu bewegen. Wieder legt er den Kopf aufs Pult, sein Wimmern wird lauter, heftiger, er dreht sich, erträgt uns nicht, sich nicht, da sind sie, die Fremden, die Besucher, die Schrecklichen. Er bricht in Tränen aus, sein Weinen ein Klagen, weit weg von der Welt, den Menschen, als wäre er hier mitten unter uns aus der Menschheit gefallen und wir mit ihm. Seine kleinen Mitschüler aus der Reihe sind hingerissen, sie schauen ihm zu, stehen ihm bei, wie er liegt und klagt, er spricht nicht, ächzt nur, seufzt, schon fangen die ersten an zu weinen, wimmern wie er, Tränen fallen ihnen auf die Hände,

die sie ruhig auf das Pult zu legen versuchen, wie der Lehrer nicht müde geworden ist, ihnen beizubringen. Sie sollen still sitzen, zeigen, was sie können, dankbar sein gegenüber den Besuchern, dabei ist heute ihr Lichterfest. Die Türschwellen aller Häuser sind bemalt, große Ornamente in weißer Kreide zieren die Schwellen, jedes Haus hat sein eigenes Muster. Sie wollen herumlaufen, heute soll kein Stillsitzen sein, kein Warten und die Teile des Körpers lernen: Auge, Arm, Hand, Wimper, Bein, Finger, Junge. Sie wollen über die Hügel laufen, in die Luft gehen, ihr sagenhaftes Land, ihre Zeit, ihr Kindsein haben. Der Kleinste der Schüler ist ausgerissen, in Ohnmacht gefallen, nimmt uns mit in unsere, die wir Indien nennen – la folie Indienne, – unsere Sehnsucht, das ist der Fall aus der Zeit in den Raum vor der Sprache. Der Lehrer eilt herbei, hebt den Kleinen auf, Häufchen voller Tränen und bringt ihn nach draußen. Die anderen schauen ihm nach. Er kann uns nicht sagen, was mit dem Kleinen ist, es war nichts, sagt er, ein bisschen heiß, sagt er, und dann bittet er die Schüler noch ein Lied zu singen, was sie tun und schon rennen sie los, haben frei, jagen davon.
Auch wir brechen auf, tragen uns über die geschmückte Schwelle – bemerken sie erst jetzt – zum Dorfplatz, wo noch ein paar Ziegen auf uns warten, mit kleinen Hörnern und langen, lappigen Ohren. Helmudo versucht eine auf den Arm zu nehmen, der leicht starre Ausdruck des Ziegengesichts, das schmale Maul, das sie ihm entgegenstreckt, darüber sein alt gewordener Schädel, hervorstehende Backenknochen, die kahle Stirn, schon früher sein hoher Haaransatz, jetzt noch höher, die Haare dünn, seine gebeugte Haltung, die Ziege hält still in seinen Armen. Camille streichelt sie, ihr rotes Tuch um den Kopf gewickelt, trägt ein langes gelbes Kleid, sieht wie ein Althippie aus, junge haben wir auf der Reise noch keine gesehen. Sie ist breiter geworden, die Haut müde, die Wangen weich, lassen wir's, sie sieht so aus wie früher, nichts hat sich geändert, nur ein bisschen älter. Auch Natascha, ihre Haare rot

gefärbt wie immer, ein bisschen heller das Rot, sie trägt eine Bluse mit kleinen lila Blumen, Turnschuhe, ihre kleinen Füße, Kamal, alter Brahmane, wenn auch nur halb, seine Seele altert nie, er will noch immer, dass sie wächst, das Haar schwarz, voll, schöne braune Haut, wie ein Junge. Abdul groß, töricht, als hätte er mit allem, was geschieht, nichts zu tun. Wir stehen da, blinzeln in der Sonne, keiner filmt. Die einheimischen Vögel, sagt Camille, zählt sie auf: Krähe, Geier, Adler, Milan, Ente, Gans, Huhn, Eisvogel, Eule, Truthahn, Nachtigall, Schakal. Der Grund unter unseren Füßen gibt nach. Das kennen wir schon. Wie am ersten Tag in Bangalore. Wir noch im Taumel des Wiedersehens, in Indien sein, und was haben wir erkannt? Wen? Nach wenigen Stunden auf indischem Grund, nach dem Besuch bei swissnex, die Assistentinnen-Mädchen aus der Schweiz, die Chefin, auch ein Mädchen, die uns von Alexander erzählt, von ihrem großen Sohn, den Malediven, wie schön, wie interessant Indien sei, wir müssten nach Varanasi, das sagen immer alle, ihr müsst nah Varanasi, vom ersten Moment an, jeder, den wir treffen, sagt es, ist Teil des Schwindels, der uns erfasst, Varanasi, der Ort der Wahrheit, der Offenbarung, wo doch Indien sich überall offenbart, reine Diesseitigkeit, die zugleich nichts als Jenseitigkeit ist, überall liegt Indiens Geist offen da, es gibt ihn sogar gebraten, im Restaurant. Fright Ghost las ich auf der Speisekarte an einem der ersten Abende, ich war begeistert und erst beim dritten Lesen war ich bereit, anstelle des Geists die Goat zu entziffern.

Als wären wir nach all den Jahren, dem Suchen, Wünschen und Träumen, in dieses nun ruhig gewordene Dorf gekommen – allein auf dem Dorfplatz zurückgeblieben, die Lehrer haben sich verabschiedet –, um anzuhalten, nochmal, wieder, innezuhalten, Schwindel im Herzen, still, als fiele alles von uns ab, alle Aufträge, Leugnungen, Sehnsüchte, und was wir erlebten, wäre dieses Abfallen. Wie ein Zusammensacken von Anspannungen, Richtungen, Aufrechterhaltungen, Orientierungen, in uns ein Sinken, Gewicht verlieren, Taumel, wie der am ersten Tag in Indien, als wir den Citymarket besuchten, wo sich diese Leichtigkeit, auch Besinnungslosigkeit, zum ersten Mal unter den Füßen ausbreitete, im Kopf, als wir zwischen Bergen von Blüten, Düften, Menschen, umhertrieben. Blumen, Farben, Bewegungen, losgelöst von ihren Wurzeln, ihrem Boden lagen in Haufen, Kinder tobten, schliefen, schrien, alles wurde zu Kränzen gewunden, Girlanden, Ketten, die Menschen im Kreis, Blüte um Blüte im Kellergeschoss eines Betonungeheuers, halb Tiefgarage, halb Gefängnisbau, schwarz angelaufene Wände, überall Löcher im Beton, hervorstehende, rostige Armierungseisen, längst eingebaut ins Getriebe, riesiges Blütenwerk, die Nähmaschinen, Mähdrescher, Automotoren, die sie als Ganzes und in Teilen verkaufen. Sägen, Motorräder in allen Zerlegungsstadien treiben den ewigen Wechsel der Dinge, Gestalten, Seelen an. Es stürzen die Bilder, die Menschen, die Zeiten, alles ist angegriffen, mit einbegriffen ins Rad der Zeit, des Seins, wir alle aufgefordert, die Liebe loszulassen, die Suche, das Sein, sie sind da, bedürfen des Festhaltens nicht, füllen uns wie der Atem, sein Ein und Aus. Es war ein Leichtes für die Kranzflechter, uns zu verbinden, aufzunehmen in die schönen Ketten aus Orangenblüten, Tagetes, Rosen. Blumenkinder haben sie aus uns gemacht, nachdem der Grund nachgegeben hatte, uns die Sinne kreisten.

Der Himmel hat sich geöffnet, das Licht der Blüten, Arezzo, das sich dreht mit uns und den Irren auf ihrem Pferd, sie hatten sich eingeschifft in den Bildern Pieros, waren durch die Jahrhunderte gesegelt gekommen und grüßten jeden Abend die Dämmerung, die Stunde des abnehmenden Lichts, in der alles sich löste, überging und eins wurde. Troja vor uns, in den Bäumen die Stimmen der Fürsten, nach Indien gelangt, über Griechenland, Persien, griechische, arabische Gelehrte, die Wissenschaft von den Sternen, von Mond, Venus, Saturn und Pluto, von dort wieder zurück zu Piero in die Dauer und Stille des Traums Konstantins und seiner Hervorbringungen. Wir, noch immer, und das ist, was weitergeht, auf der Suche nach der Geschichte, die uns umkehren macht.

21. Lektion von den Landschaften der Ohnmacht, in die uns die Kinder entführt haben, denen wir folgen, wir sind vorbereitet, haben sie gesucht, da sind sie, Gegenden voll alter Träume der Indienfahrer, auf die sich der Staub gelegt hat, Bruder des Schnees, sein Tuch ein graues. Unter dem er auch die Tiere in ihren Glaskästen zusammenhält, den künstlichen Paradiesen der Naturhistorischen Abteilung des Museums in Mumbay, sie sprechen zu uns unter Tränen, möchten sich auflösen, verschwinden, nicht länger mehr den Blicken ausgesetzt, unter denen sie nur weiter absterben, ersticken. Keine Freude, kein Leben, nichts, was zu ihnen dringt, nur der Staub, der überall durchsickert, ihr Fell zersetzt, ihre Flecken und Streifen, ihr Horn, die zarte Haut ihrer Flossen, das Haar ihrer Wimpern. Alles fahl an ihnen, kein Leuchten, keine Rührung. So lange schon harren sie aus, untergegangene Lebewesen, können nicht sterben, halten noch immer als wären sie wie in Ewigkeit. Und wir sinken hin vor ihnen, gehen auf die Knie, wie einst die Weisen aus dem Morgenland vor dem Kind in der Krippe, im Stall der Tiere.

Das Dorf nun wie ausgestorben. Wir stehen auf dem Platz vor der Schule. Auch die Ziegen haben sich hinter die Häuser in den Schatten zurückgezogen, kein gurrendes Huhn, kein Scharren, die Trommeln liegen vor der Schule, nichts rührt sich. Hoch steht die Sonne. Mitten in Indien, im Innern Indiens, in uns, dazwischen – taumeln wir, drehen uns um, sehen uns in Indien auf einer riesigen Bühne, in einem Theater, nach dem wir uns gesehnt haben, ein Leben lang, ohne zu wissen, dass wir es tun, aber was wissen wir schon. Wir schauen aus Indien heraus, aus uns, und sehen, vielleicht zum ersten Mal, ein Land, eine Gegenwart, Figuren, die fallen, als hätte es nie eine Zeit gegeben, als existierte Zeit nicht, nur ein Vergehen, Kommen, Dasein.

Hier auf dem Platz im Dorf öffnet sich der Raum, Wände sinken, wir wenden uns dem zu, was abwesend ist und uns ganz anders zugehört. Es sieht uns an, sagt: Kommt rein, auch wenn dort kein Innen ist, die Wände fehlen. Boden hatten wir noch nie unter den Füßen. Auf denen wir uns langsam in Gang setzen, Schritt für Schritt, sehen uns über die ausgetrockneten Hügel gehen, zurück zur kleinen Straße, wo der Bus auf uns wartet. Wir könnten uns für verlassen halten, wären da nicht wir, die uns begleiten, Wange an Wange mit nichts.
Der Busfahrer schläft auf seiner schmalen Liege hinter dem Fahrersitz, unser Führer von der Bio-Cotton Farm sitzt an den Bus gelehnt auf dem Schotterweg, telefoniert. Wir schauen übers Land, noch einmal zurück zum Dorf, wie es daliegt, eingeschmiegt in seine Mulde, aus der Erde gewachsen, waren wir dort gewesen? War was geschehen?
Auf unserem Besuchsprogramm steht noch die Besichtigung der Fabrik, wo die Baumwolle gesammelt, geprüft, gekauft und weiterverarbeitet wird. Der Baumwollprüfer erwartet uns am Tor, ein älterer Herr, großgewachsen, helle Haut, in weißem Hemd, grauer Hose, Lederschuhen. Wir sind allein auf dem Gelände, heute wird nicht gearbeitet, er geht uns mit dem Führer voraus. Auf dem Vorplatz der Fabrikhalle riesige Berge von Baumwolle, frisch angeliefert, alter, an Sträuchern gewachsener Schnee, aufgeblühte kleine weiße Wolken in dunklen Schalen. Schon nimmt Helmudo Anlauf, rennt, springt in den warmen weichen Berg, schreit. Kamal will das filmen. Mach das nochmal, sagt er. Wieder nimmt Helmudo Anlauf, dreht in der Luft eine Schraube, landet rücklings im aufgetürmten Baumwollfeld, liegt da, Arme und Beine ausgestreckt.
Wie gerne würden auch wir ins Schneeblütenmeer tauchen, darin herumkraulen, die Blüten in die Luft werfen und rufen: Es schneit, es schneit. Doch unser Führer winkt uns zu sich, hält die Tür zur Fabrik auf. In der Halle sieht es ähnlich wie in einer Teefabrik aus, nur wird hier nicht fermentiert. Überall

stehen hohe Baumwollballen herum, hinter einem taucht Abdul mit einem weißen Bart auf. Hat er sich zurechtgezupft. Als wir ihn sehen, müssen wir lachen, wollen aber nicht unhöflich sein, was uns nur noch hysterischer macht. Auch Kamal hat plötzlich einen Nikolausbart um, steckt hinter seiner Kamera als wäre nichts. Während uns die einzelnen Schritte der Verarbeitung erklärt werden, wie der Verkauf, die Verträge mit den Bauern aussehen. Der Baumwollprüfer zückt seinen kleinen Kamm aus der Hosentasche, mit dem er die Qualität der Baumwollfasern messen kann. Er geht von Ballen zu Ballen, zupft ein paar Flocken heraus und kämmt sie, kämmt sie, bis sie ganz dünn geworden sind. Dann gibt er sie uns in die Hand, wir sollen sie anschauen, wiegen, fühlen, sind sie nicht fein? Dabei lächelt er in sich hinein und wir, so gut es geht, zurück. Viel verstehen wir von dem, was sie uns sagen, nicht. Unser Gekicher, heimliche Blikke, das Tuscheln, die umgehängten Bärte, Versteckspielen hinter den Ballen, lenkt uns ab. Wir sind fahrig, müde, haben Hunger. Ja, sagen wir, ja, vielen Dank. Der alte Mann gibt uns zum Abschied die Hand, galant, begleitet uns bis zum Eingangstor des Fabrikareals, und wir fahren über den schmalen Feldweg, auf dem wir in der Nacht zuvor der Familie ins Schlafzimmer gefahren waren, zurück. Auch unser Führer verabschiedet sich. Das Besuchsprogramm endet mit einem späten Mittagessen auf der gedeckten Terrasse, das uns der Koch unter Tüchern warmgehalten hat. Alles ist still. Von nun an sind wir uns selbst überlassen. Wir sprechen nicht viel, ab und zu müssen wir lachen, jeder für sich, wie aus der Luft gefallen. Bis heute Abend, sagen wir, gehen auseinander, die Erde dreht sich weiter um.
Als wir uns auf der Terrasse vor der Küche wiedersehen, ist es schon dunkel. Der große Tisch, Stühle, wir wollen im Freien essen. In der Küche gleich daneben, das Fenster steht weit auf, arbeitet der Koch mitten im Raum an zwei Feuerstellen. Unter den bauchigen, schwarzen Pfannen lecken die Gasflammen. Auf der Anrichte Berge von Chili, Knoblauch, Koriander, Kartof-

feln, Blumenkohl, in einer Schüssel die bereits geformten runden Brote, die, wenn alles fertig ist, noch schnell über dem offenen Feuer gebacken werden. Er rührt in den Pfannen, jagt seine Angestellten, zwei Männer in Unterhemden, sie schwitzen, laufen hin und her. Wenn wir durchs offene Fenster schauen, lacht er uns an, spricht ein paar wenige Worte Englisch. Camille hat zwei Flaschen Whisky mitgebracht. Auf der Rückfahrt im kleinen Ort in der Nähe gekauft. Sie bietet ihm ein Glas an, er will nicht. Spielt zwischen seinen Feuerstellen, dem zischenden Öl in den Pfannen, den Kartoffeln, die er anbrät, einen Betrunkenen, fuchtelt mit einem übergroßen Kochlöffel in der Luft herum, macht einen Schluckauf nach.
Da kommen Abdul, Helmudo, Kamal. Frisch gewaschen, haben sich umgezogen, unterm Arm ein paar Flaschen Bier. Na, Prinzessinnen, wie hättet ihr's denn gerne, sagen sie. Und sofort ist wieder das hemmungslose Kichern da. Sie sind völlig aufgelöst, können nicht sagen, was mit ihnen ist, wo sie waren, lachen immer wieder, stehen auf, versuchen, etwas zu sagen, schwanken, holen Gläser von der Anrichte, setzen sich wieder hin. Sie erzählen von den Fröschen in ihrem Zelt, es sind viele, sagen sie, mehr geworden, einer, sagt Kamal, auf seinem Bett. Gelb oder grün, nein, rot, gepunktet. Sie schütteln sich vor Lachen, halten sich die Bäuche und kaum haben sie sich beruhigt, sehen sie sich kurz an, schon bricht es wieder los. Tränen laufen ihnen über die Wangen, sie schwitzen, krümmen sich. Sie waren schwimmen, sagen sie. Im Dorf, am Fluss. Haben mit ein paar heiligen Männern zusammengehockt, sich mit ihnen vergnügt. Helmudo sagt, die waren am Fluss, um einen Toten zu verbrennen. Er hat den Kopf gesehen, wie er brannte, die Flammen schlugen aus seinen Augen.
Nein, sagt Kamal, das war kein Toter, nur ein Feuer.
Kühe waren da, Kinder, Frauen haben ihre Saris gewaschen. Dann ist die Sonne untergegangen. Das war so schön, sagt Ab-

dul, und wir wissen nicht, ob wir uns nicht doch Sorgen um sie machen müssen.
Seid ihr wirklich in dem Fluss geschwommen? sagt Natascha. Lebt ihr noch? Habt ihr keinen Ausschlag? Kein Erbrechen? Kreislaufzusammenbruch? Die Zähne noch fest, die Haare?
Nein, soweit in Ordnung, sagt Kamal. Schon prusten sie wieder los. Wie am Nachmittag in der Fabrik, nur schweben sie jetzt auf mittlerer Höhe über dem Tisch, schauen uns zu, wie wir da auf der Terrasse sitzen, unterm dunklen Himmel, alte Sommergäste, über denen Leuchtraketen hochsteigen von den umliegenden Dörfern her, Bengalische Feuer knallen, Funken regnen, die Nacht des Lichterfests bricht an, anstelle von Mondlicht seine Detonation.
Neben Camille steht der Whisky, ihr Glas halb voll, halb leer. Beides, sagt sie. Für den Magen, für den Kopf, auch für den Geist, kichert sie, macht mich ruhig. Ja, sagen wir, nicken brav. Wie wir immer ja gesagt haben zu ihr. Sonst hätten wir was erleben können. Das wollten wir nicht. Wir fürchteten uns vor dem, was zu erleben uns von Camille in Aussicht gestellt wurde. Schaut es euch an, so wird es euch gehen! Wir kannten es gut. Alle haben wir es erlebt, ihre Wut, ihre Attacken, Anfälle, zum Fürchten. Irgendwann musste jeder von uns dran glauben, für ihren Feind gehalten zu werden, den sie Tag und Nacht bekämpfte. Mich hat es eines Morgens in einem elenden deutschen Gasthof erwischt. Es war im Vogelsberg. Da wir uns kaum noch in unserem kleinsten Café sahen, nur einzelne von uns, selten die alte, zurückgelassene Gruppe, als wäre der Schmerz, verlassen worden zu sein, gemeinsam nicht erträglich, hatten wir uns zu einem Ausflug verabredet. Wann war das?
Wir studierten noch, das Ende war absehbar. Helmudo hatte den Gasthof ausgewählt. Er kannte ihn von früher, ein alter, ehemals prächtiger Gasthof an der DDR-Grenze, der in die Krise geraten war. Zum Lamm hieß er, die Besitzer waren freundlich, entschuldigten sich für den schlechten Zustand der Zimmer. Die

Fenster undurchsichtig, beschlagen, erste Thermopenscheiben, undicht geworden. In den Zimmern roch es feucht, Stockflecken in den Ecken, hinter dem Schrank, im Bad schwarze Ränder in der Dusche, am Waschbecken, der Teppichboden löchrig, grau. In den Gängen hingen Schwaden von Kochgerüchen, lagerten in den Tapeten, den Deckchen auf kleinen Tischen, den paar Sesseln, die in den Ecken lauerten. An den Wänden hingen überall Geweihe von Hirschen, Gämsen, Steinböcken, in einer Ecke thronte auf einem der ranzig riechenden Sessel ein großer Plüschtiger von der Kirmes mit hellblauen Augen und Schnurrbarthaaren aus Plastik. Der Frühstücksraum war einmal ein Festsaal, die Decke hoch, die Wände getäfelt, hölzerne Bänke rundum, darüber Schränke mit Glastüren voll von Standarten und Speeren, Lanzen, Gewehren, großen und kleinen Säbeln, Pfeilen, Messern, Schwertern. Als wären wir bei Räubern untergekommen.
Camille hatte am Abend vorher als Letzte ihr Zimmer bezogen und musste mit dem schäbigsten vorliebnehmen, es gab kein anderes mehr. Wir waren essen gewesen im Ort, hatten viel geredet, viel getrunken, uns im Kreis gedreht, wie es uns gefiel und nichts war geschehen. Bis zum Morgen. Mich sah sie als Erste, wie ich zwischen all den Waffen im ehemaligen Festsaal meinen Kaffee trank, und sie fuhr mich mit der ganzen Wut ihrer schlaflosen Nacht an. Mich oder meinen Charakter, wie sie sagte. Ein Mensch mit so einem Charakter zu sein, der ihr nicht das Zimmer angeboten hätte, zumindest anbieten, sagte sie, was ich doch hätte tun müssen, wozu ich doch verpflichtet gewesen sei ihr gegenüber. Das, sagte sie, hätte sie nie von mir gedacht. Mit mir, einer Person solchen Charakters, hätte sie ihr letztes Wort gesprochen, das wäre nicht mehr gutzumachen, und war sich ihres Rechts so gewiss, das keine Widerrede sie erreichen würde, wie sie selbst von sich sagte und sich dabei die Ohren zuhielt, um mir, samt dem schlechten Charakter, der neben mir zu sitzen schien und sich noch mehr fürchtete als ich, zu zeigen,

dass nichts, nichts sie würde umstimmen können, nichts würde noch an sie herankommen, da könnte ich bitten und flehen, so viel ich wollte. Zum Henker, sagte sie, drehte sich verächtlich von mir ab, schaute die Waffen in den Schränken an.
Die Angestellte brachte ihr Tee, verschwand schnell wieder. Ich blieb noch eine Weile sitzen, unschlüssig, erstarrt, stand dann auf, ging, zog hinter mir meinen klappernden Charakter nach. Schon wussten alle von unserem Streit, der kein Streit war, nur eine Attacke, und waren erleichtert, dass es nicht sie erwischt hatte. Es hat wieder Krach gegeben. Fast jubelnd sagten sie es, sie waren mit dem Leben davongekommen. Nicht sie mussten ihr Feind sein, nicht sie mussten bekämpft werden; für dieses eine Mal hatte es eine andere getroffen. Wir gingen auf unseren Spaziergang, bedrückt und bemüht, uns nichts anmerken zu lassen. Der Tag war verdorben, wir machten mit. Ein paar Tage später entschuldigte sie sich bei mir für die Heftigkeit ihres Angriffs, nicht aber für den Grund, den sie zu haben geglaubt hatte, mich vernichten zu können. Sie hatte mich tatsächlich bekämpft, ihre Wut war maßlos gewesen. Durch Camille wussten wir, dass die Feinde da waren, dass sie jeden Moment bekämpft werden mussten und dass es jeden treffen konnte, irgendeiner würde dran glauben müssen, Feind zu sein. Ihre Ausbrüche beherrschten uns. Wir nannten ihre Art, uns zu regieren, denn nichts anderes war es, wie sie mit uns umging, Stalinismus. Sie gab Zeiten und Pläne vor, wie wir uns, wie wir ihren Angriff, den Zwischenfall, den es gegeben hatte, zu verstehen hätten. Es gab Wochen-, Monats-, Jahrespläne, wann sie wieder mit uns sprechen würde, wann es wieder gut wäre, miteinander zu tun zu haben. Irgendwann verkündete sie dann, dass sie das Ganze nicht für so wichtig erachte, wir sollten uns nicht so anstellen. Dabei war es eine alte deutsche Krankheit, die tobende Wut, die nur immer vor sich hinsingen kann, ach wie gut, dass keiner weiß, wie wütend ich bin. Heißt du etwa Wut? Wir lebten unter Feinden, wir konnten nicht auf sie verzichten und ahnten,

wenn wir sie aufgäben, würden wir ihnen in unserem Badezimmer begegnen, am Morgen, wenn wir in den Spiegel schauten. Der Terror der Seele herrschte in einer deutschen Gegend der Ohnmacht, Camille hat uns an sie erinnert, durch sie blieben wir damit verbunden, wir wussten, dass es da war, dass sie nah war, und Verschwinden war eine der Auswirkungen dieser zertrümmerten Gegend.

Seit ich Camille kannte, fürchtete ich mich vor ihr, hielt mich von ihr fern. Wir hatten keine nahe Beziehung, auch wenn wir in Günthers Seminar waren, uns um ihn versammelten, so lange wir konnten. Nur am Anfang freiwillig, danach waren wir in der Gemeinschaft der Verlassenwordenen zusammengeschweißt, aus der wir uns lange Zeit nicht lösen konnten. Denn verlassen zu werden, die lebenslange Angst davor, ist unser Auftrag. Ihn wollen wir zurückgeben, den Auftrag der Angst vor dem Verlust, den wir doch schon längst überlebt haben, und dennoch fürchten wir uns vor ihm wie am ersten Tag.

Waren wir also darum hier? Fielen in Ohnmacht wie die Kleinen in der Schule, weil sie uns sahen? Geharnischte, verhärtete Wesen des Westens, betäubt, verhornt, vernarbt, unberührbar, in sich kreisend, gefangen. Wie sie sprechen, lachen, wie sie die Schüler anschauen, den Raum, alles eine Waffe. Und ist unser Fallen nicht das, worum es geht? Was sie uns in der Schule gezeigt haben? Wir sind zum Fürchten. Vor lauter Angst, die wir mit uns tragen, sind wir zum Fürchten. Das haben die Kinder sofort gespürt. Und wir durch sie. Im Innersten Indiens begegnen wir der Angst der Kinder vor uns. So wie wir einmal Kinder waren und uns fürchteten. Am Abend der Ohnmacht, in der Mitte Indiens, öffnet sich erneut der Weg allen Fallens, der die Welt ist.

In der Schule die Kinder, ihr Weg der Ohnmacht, ihre Nachrichten. Nicht des Regens, sondern die der Ohnmacht, des Fallens, wie die Tiere im Museum, ja, da sind sie wieder, zu Staub geworden und halten noch immer als wären sie in der Ewigkeit untergegangen. Das war in Mumbai, eines Nachmittags, vor ein paar Tagen. Besuch im Chhatrapati Shivaji Maharaj Vastu Sangrahalaya Museum, alter Kolonialkasten in indo-sarazenischem Stil. In den ersten Sälen haben wir Fotos von Li Gotama gesehen. Die meisten vom Himalaya, groß, klein, mit Schnee, mit viel Schnee, auch ohne, Wand zum Himmel, Reich über den Wolken, Tibet, als es noch Tibet war, immer in schwarz-weiß und was dazwischen liegt. Gemälde der zwei Königinnen, die den Buddhismus nach Tibet gebracht haben, die Weiße Tara und die Grüne Tara. Die eine kam von China, die andere von Nepal, und beide waren einmal Tränen. Wir starrten Shiva an mit blauem Hals, wie er auf der Schlange schläft, Shiva frisst Feuer, Shiva will von seiner Mutter den Mond, Shiva wird von einem Dämon in Form eines Kranichs geschluckt, wird aber so heiß in dessen Leib, dass der ihn wieder ausspeien muss. Nachher reißt Shiva ihn vom Schnabel her entzwei. Hanuman fliegt schnell wie der Wind, treu, klug, ergeben seinem Herrn, manchmal reißt er auch Berge aus und Wolken. Auf Miniaturen aus dem 18. Jahrhundert jagen schöne Frauen Rehe, Elefanten stehen im Busch, Bäume stoßen an den Himmel, überall prächtige Männer, Pferde. Den liebenden Frauen und wie es ihnen mit Geliebten ergeht ist ein ganzer Saal gewidmet. Da sitzt die Verlassene und ist für immer verlassen, die Wartende hält es nicht mehr länger aus, die Verratene sinnt auf Rache, eine verzehrt sich, eine andere macht sich schön, ist voller Hoffnung, eine träumt, vielleicht auch sie von Rache, die alles vernichten wird. Wir schauten und schauten, irrten durchs Museum, fanden keinen Anfang, kein Ende, weder am Anfang noch in der Mitte oder am Ende. Was sahen wir hier? Große Sammlungen von was? Begräbnis einer alten Kultur? Erhaltung von Maßregelung, sinnloser Ordnung? War Indien je ein Land? Hat es eine Geschichte, ist es eine Geschichte? Hier hing nichts zusammen. Auf halbem Weg zu den Schätzen Indiens wurden wir von einer düsteren Melancholie ergriffen. Wir wurden immer trauriger, hielten es nicht mehr aus, fingen an zu laufen, schneller, wir flohen, rannten durch die Gänge, vorbei an Statuen, Bildern, Tankas, Fahnen, auf einem Podest ein paar goldene Becher, schön, schlank, von wo? Wir liefen wie die Außenseiterbande durch den Louvre gelaufen ist. Es waren kaum Besucher da, die Wärter schauten streng, wagten nichts zu sagen. Treppen rauf, runter, über den Hof, durch die Türen der naturhistorischen Abteilung, wo wir sofort anhielten. Hunderte ausgetrockneter Tiere, durstige Fische, kein Schäfer, kein Fischer, kein Himmel. Erstarrter Staub in Tierform unter Glas. Panther, Tiger, gestreifte Kojoten, ihr Fell gesträubt, die Tupfen des Leoparden bleich, Fischhunde mit Schwimmhäuten, stumpfes Licht, die riesigen Krokodile lagen entblößt da, die Schuppen hatten sich gelöst von ihrem Rücken, dem flachen Kopf, Elefantenbabys, älter als die Erde, stehen im fahlen Gras der Prärie. Ein Hai, ein Walfisch, kommt bestimmt aus Ungarn. Wale kommen immer aus Ungarn, wo sie in großen Wohnwagen von Dorf zu Dorf ziehen, liegen in riesigen Becken voller Formaldehyd, treiben im Trüben, lösen sich langsam in ihr eigenes Walmeer auf, diffundieren, träumen von festen Körpern. Nein, dieser ist ein indischer Wal, er schwimmt im Trockenen, lange Risse in seinem Rücken. Sie alle sprechen zu uns, wir hören sie, sprechen vom Land, das sie einst durchstreiften und das es nicht mehr gibt. Ihr Leib ist zerfressen, ausgestopft, droht jeden Moment zu zerfallen. Keiner, der sie noch ansieht, glaubt, dass sie je Tiere waren, wild lebten und mit ihnen eine ungeheure Natur, Tag, Nacht, der Wechsel der Jahre und hier jetzt das traurigste Museum der Welt. Den Tieren die Seele genommen, ihr Fell, ihre Haut grau, ausgebleicht.

In einem Kasten Schwingen von großen Vögeln –, Adler, Schneeeulen, erheben sich mit letzter Kraft, fliegen auf, wollen entrinnen, stoßen schon gegen Glas, dumpfes Geräusch, dann ein Wischen ihrer zarten Federn über das harte Glas, erkalteter Sand. Schatten nicht mehr ihrer selbst. Da der Wiedehopf mit aufgestelltem Kamm, eine Nachtigall, Papageien, Pfau,

Rebhuhn, Feueradler, Falken, Reiher, die alten Kinder der Dinosaurier. Sie können sich an nichts erinnern. Verlassen vom Geist der Lebewesen, als die sie einst herumschweiften, flogen, sich durch den Himmel treiben ließen, im Busch lebten, auf Bäumen, an Flüssen. Abgestellt, angehalten, aus der Zeit gefallen. Der gute Geist der Tiere hat sich mit Schaudern von ihnen abgewandt. Er kann sie nicht mehr erkennen, wie sie aussehen, wie sie sich ängstigen bei Tag und in der Nacht, wenn es dunkel ist in den Sälen, die Klimaanlage auf low geschaltet, die Luft so dick. Und sie träumen von einer alles mit sich reißenden Explosion, den Traum von Gefangenen.
Wir sahen sie an, der irre Blick uralter Tiergeister, hörten sie flüstern: Wir sind bereit, ewig wieder – Feder, Flügel, Fuß, Kopf, Kralle. Wann werden wir auferstehen, wann uns erheben? Wann wird diese Geschichte der Geschichtslosigkeit enden, wann werden wir aus ihr entlassen werden, wann der Auslöschung entkommen? Geht nicht allein, rufen die Nebelparder, die Marmorkatzen, die eleganten, wendigen Schneeleoparden mit ihren tausend Tupfen.
Und ich spürte die Hand des Bettlers wieder, die sich in meine schob, blind, trocken, ihm fehlte ein Bein, das andere war lahm. Es war an einem der vorherigen Abende, ich war allein unterwegs, über uns die von Abgasen vernebelte Dunkelheit, dämpfte das Licht der Straßenbeleuchtung, löschte die Spiegelungen. Diese Luft, die wie die grauen Wasser Indiens war, die stehenden Kloaken, fleckig, Blasen auf der Oberfläche, voller Müll, Lumpen, Plastik, versickerte nicht, kein Verdunsten, kein Atmen, zu giftig, zu schwer für Erd- und Himmelreich. Er hat sich unbemerkt, kaum hörbar zu mir hinbewegt, umtost von Lastwagen, Bussen, Motorrädern, flink trotz allem, die Glieder in Lumpen gewickelt, sein Kopf, die verfilzten Haare, die Hand, wieder in meiner, wie die eines Kindes, vor Schrecken still, um uns herum der Verkehr, schließt uns ein, er hat mich geangelt. Die breiten Straßen der Engländer, auf denen die Teufel rasen, getrieben von

einer Energie, jenseits von Gut und Böse, unbezwingbar, dazwischen Verkehrsinseln, bevölkert von Bettlern wie dem an meiner Seite, Piraten der Inseln, lauern den Gestrandeten auf.
Er wartet, kauert zu meinen Füßen, sagt kein Wort, nur seine Hand in meiner, die Knochen aus Stroh, der Leib mit Holzwolle ausgestopft, wie der der Tiere, nach Mottenkugeln riechend. Für immer würde ich mit ihm da an meiner Seite stehen bleiben, unter seinem durchdringenden Blick, als erinnerte er sich meiner aus einer anderen Zeit, aus einem anderen Leben, als wir der Erlösung nicht bedurften.
Schnell zog ich das Geld aus der Hosentasche, streckte es ihm hin, die Hand ließ mich los, griff zu, und ich fühlte mich unendlich verlassen. Good bye, sagte ich, irgendein Gut wollte ich ihm sagen, ihm mitgeben, bewirken, dass es ihm gut gehe, und meinte mich. Auf Wiedersehen, einen schönen Tag noch, sagte ich, schon mitten im Strom der Autos, habe mich hineingestürzt, von einer Todesangst zur nächsten, das ist Indien, es geht dir ans Leben, jeden Moment. Ich schaute mich um, wo war er, ich konnte ihn nicht sehen, den Einbeinigen, den Lahmen mit den Kinderhänden, der mich verlassen hatte. Ich ging weiter, da waren Bäume, zu ihren Füßen lagen Reiskörner, orange Blüten, eine kleine Statue von Ganesha, dem Elefantenköpfigen.

22. Lektion von der Reise der toten Tiere durch die Nacht, Diener der Erde, der Zeiten, auch sie unterwegs zum Ort der Rückkehr, jenseits von Erlösung, Beschwörung all der geopferten Wesen aufzuerstehen. Alles, was wie eine indische Kulisse aussieht, ist Indien, soviel Indien, wie nur möglich. Es schaut, sieht uns an in dieser Nacht, ist da, wacht, immer erfunden, unfassbar und fasst uns an. Unser Gefühl für Nähe und Ferne überlagert sich, wird eins, wir sind uns so nah wie fern, alles, was wir sagen, ist da und schon lange vergangen.

So sitzen wir mit unseren Wörtern unterm Zelt der Sterne, klein, freundlich, arm. Ab und zu erheben sich noch Lichterraketen, sprühen Funken, wir treiben im Weltraum, werden immer unwirklicher. Sind wir also zurückgekehrt? Sind wir schon da? Als wir jung waren und mit uns die Zeit in dieser einen Gegenwart? Wie wir vorwärtsstürmten in unserem Glück und Unglück, unseren Aufbrüchen und Täuschungen, ungläubig, dass wir es sind, die erleben, was sie leben. In uns erstreckte sich eine ungeheure Distanz. Vielleicht, auch wenn wir uns mit den Jahren näher betrachten können, wenn wir wissen, dass es kein zweites, kein weiteres Leben als das, was wir leben, gibt – wie es uns selbstverständlich schien – auch wenn wir wissen, es gibt nur dieses eine Leben, so ist dennoch das Gefühl von Staunen geblieben, dass wir die sein sollen, die da als Sommergäste einer lange vergangenen Zeit in der Nacht sitzen, alt geworden, ferner, Nirwana-Schüler auf den Spuren der Verschollenen, wie sie der Sehnsucht folgen und dem Fehlen.
Hatten wir das Nichts gestreift? Sprachen die toten Tiere zu uns? Strichen uns um die Beine, soufflierten uns die Rede ihrer Auferstehung, eines Tages, den Aufstand der Landschaften, der Wälder, Wüsten und Berge, die Geschichte würde Tiger sein, Hai, Krokodil, Schlange. Ihre Augen Opale, Mondsteine, Saphire. Sie würden uns rufen und wir würden ihnen die stille Beharr-

lichkeit, mit der sie uns erduldet haben, zu erwidern versuchen. Seit wir uns in ihrem Museum, schon bevor wir zu den Kindern in die Schule kamen, der Ohnmacht überließen, eintauchten in ihre vage Zone, gelöst wie im Traum, wenn eines das andere gibt. Ja, sagen wir, ja in dieser Nacht. Zauberische Beschwörung, dass das Vergangene unserer Rede da sei wie die Tiere und mit ihnen wir. Das Leben taumelt, schwankt, wie manchmal in der Zeit als Kind, wenn der Himmel sein Lasso auswarf und der Nachmittag zum Kreisen unter freiem Himmel wurde, alles kam mit. Die Innigkeit der Erfahrung, die wir in Indien machen, ist etwas Äußerstes. Da sind die, die wie die Verrückten arbeiten, die an ihrer Arbeit sterben, sich vergiften, verbrennen, ersticken im Qualm der Brennöfen, die mit abgetrennten Armen, Beinen, Händen, die sich verlieren in den alles fressenden Schreddermaschinen, und die, die eines Morgens vor der Tür einer der vielen Militärakademien stehen, um Einlass bitten, unterkommen möchten in einer Armee, die ihre eigene Bevölkerung bekämpft, zerstört, vertreibt. Auch die, die sich verdingen in unausdenkbaren Formen der Arbeit, Enteignung, nur um zu leben, noch diesen Tag und dann vielleicht noch morgen. Die Kinder mit angemalten Schnurrbärten, die als Akrobaten arbeiten, fünf oder sechs Jahre alt, tragen eine Mütze mit langem schwarzen Bommel, der, wenn sie ihren Kopf drehen, weit um sie herumfliegt, um den Hals scheppernde Eisenbänder geben den Takt dazu, ein als Kind verkleideter kleiner Bär aus den Höhen des Himalajas, auf der Straße, zwischen den Autos, bittet um eine kleine Gage. All die Fahrer, Haushälterinnen, Diener, die Pulks von Wärtern vor ihren Häusern, Hotels, die Tag und Nacht da stehen, nie schlafen, mit und ohne Gewehr, die Eierköche in den Hausecken, Teehändler, Händler von nichts, die Beraubten, Vertriebenen von ihrem Land, die einbeinigen Hirten, die Frauen auf den Baustellen, sie tragen Backsteine auf ihren Schultern, sind in leuchtende Saris gekleidet, kerzengerade, schreiten an Zement-

säcken, Balken, Betonmischmaschinen vorbei – sie alle Erscheinungen einer anderen, widerständigen Welt, trotz allem.
Auge in Auge mit den toten Tieren werden wir gewahr, wie lange vor uns sie da waren. Sie waren es, die uns kommen sahen, nicht wir sie. Die Erde stand ihnen offen, sie belebten sie und wie die Katze Baudelaires konnten sie lange Sätze sagen, wofür sie keine Worte brauchten. Nicht dass sie etwa nicht hätten sprechen können, sie brauchten es nicht, denn sie selbst waren Wörter. Sie sahen, antworteten, mussten noch nicht bekennen, wer zuerst da war.
Ihr werdet schon noch sehen, sagten uns die Tiere. Auf dem Grund ihrer Glasaugen sahen wir uns in unserer Nacht entblößt, bloß jeder Zuversicht. Sie fragten uns: Werdet ihr euch an uns wenden? Werdet ihr uns rufen? In wessen Namen? Als erinnerten sie sich an die Zeit, in der sie vor uns waren, in der sie noch keine Namen trugen, die dann wir ihnen im Auftrag Gottes gaben und sofort zu Despoten wurden. Seitdem fürchten wir uns.
Ein Kind fällt in Ohnmacht in der Schule, und wir wissen nicht mehr, wie wir unseren Tag umrunden können. Als wer, als was? Konnten wir es je? Wir trauern nicht, wir rufen nicht, weinen nicht, sitzen nur da, auf unserer Nachtbühne, erheben uns nicht, der Raum dreht sich weiter, der Boden ist ein Fehlen unter unseren Füßen, wir sprechen mit den toten Tieren, den Krüppeln, den vor Armut irre Gewordenen, den heiligen Männern, schreitenden Frauen. Sprecht weiter, sagen wir auf unseren Stühlen, sprecht uns gut zu. Alles schwebt wie der helle Nebel in der Landschaft um Arezzo, der Schneefall im Krofdorfer Forest, die Ekstase der Tänzer in den Kostümen der Engel, die Kirschbäume im Winter, wie sie ihre Arme zum Himmel erheben, von ihrem Blütenkleid träumen, dem aus Schnee und Vergänglichkeit, wenn es Frühjahr wird. Unordentliche Tropen der Erinnerung. Reise der Trauer und des Entbehrens. So sind wir also unter die Indienfahrer geraten, treiben Tag und

Nacht auf dem Kontinent ohne anzulegen, alte Sperber aus den Bäumen des Neußer Walls in ihrem Nachtgebet. Nirwana-Schüler auf der Suche nach den Verschollenen und haben sich, je näher sie ihnen kommen, verloren. Wir weichen zurück, die alte Angst, oder werden wir in der Unwirklichkeit Indiens erst wirklich? Jedenfalls möglich? Ist das unsere Schule, die Reise in ein Gebiet der Unwirklichkeit, in der es ungeahnte Möglichkeiten gibt, Verbindungen, nicht nur gespenstische? Und wie weit sie sich spannen.
Die beiden Whiskyflaschen vor uns auf dem Tisch sind leer, auch die Gläser. Das Bier getrunken, letzte Zigaretten, auch wenn wir alle nicht mehr rauchen.
Larger than life, sagt Kamal.
Die Grillen stimmen ihm zu.
Bollywood, sagt Abdul.
Unser indischer Roman, sagt Natascha.
Die Segel sind gesetzt, sagt Camille. Sie hebt ihr leeres Glas, trägt dasselbe gelbe Kleid, das sie am Morgen auf unserem Schulbesuch anhatte, das rote Tuch nun um den Hals gebunden. Einmal, vor vielen Jahren, sagt sie, ich war mit meinem Kind unterwegs, eine kleine Reise, kurz vor Weihnachten, es war Nebel, wir kauften Fisch, einen Wal, mein Kind und ich, die Dämmerung setzte ein, es wurde dunkler, der Nebel milchig, wir waren am Meer, in der Luft schwamm das Licht der Glühbirnen, mit denen sie die Geschäfte beleuchteten, die Schiffe. Kleine Kugelfische im Wasser, in der Luft, über den Dächern am Himmel, die Schiffe mit Ketten aus Glühbirnen geschmückt, Dampfer voller Auswanderer, Menschen auf der Flucht, die Kinder an der Reling winkten, auch wir trieben mit dem Wal in unserem Einkaufsnetz durch den Tag. Vielleicht war es auch ein Karpfen, ein halber Thunfisch, ein Lachs, den wir bei uns hatten. Sollten wir ins Wasser fallen, würde er uns auf seinen Rücken nehmen, in seinen Bauch und ein paar Tage später wieder an Land bringen. Vollgepackt mit Käse, Öl, Gewürzen, mit Nebel

und schwimmenden Konturen, die sich unablässig bewegten, ineinander übergingen. Wir lösten uns auf, wurden undeutlich, brauchten keine Sprache, kein Sprechen, wir glitten durch die Zeit, durch Wasser und Luft in der Stadt der Lagune, in der es kein Halten gab. Alles schwamm, Bäume, Häuser, Paläste, Möwen, egal ob Fisch, ob Fleisch, Holz oder Stein, Licht, Farbe, ging und kam wieder, verwandelte sein Aussehen, seine Konsistenz, löste sich vom Festland und wurde irgendwo am Strand eines nächsten festen Lands wieder angetrieben. Als es dunkel geworden war, sahen wir von weitem den Bahnhof, wo ein Zug auf uns wartete. Mit einem Mal spürten wir wieder, wie schwer das Netz war, das wir mit uns trugen, der Fisch zappelte. Mein Kind hatte eine Fellmütze auf, in den Haaren des Fells hatten sich feine Wasserperlen gebildet, in denen sich die Lichter des Bahnhofs spiegelten, vervielfachten, aufs Meer hinaus blitzten. Ferrovia leuchtete es aus der Mütze. Wir mussten uns beeilen, saßen bald im Zug, fragten die Mitreisenden, nicht wahr, das ist ein Zug, er fährt nach Milano? Ja, ja, sagten sie. Dann fuhr er los. Wir schauten zum Fenster hinaus, sahen links und rechts des schmalen Fahrdamms das Wasser, die Spiegel, wir atmeten tief ein. Ob aus Erleichterung oder Bedrängnis, wir wussten es nicht, der Fisch sprang ein letztes Mal, lehnte sich auf, es war kein Entkommen mehr. Wir entfernten uns, fuhren den Alpen entgegen, ließen den alten Ozean hinter uns, der seitdem die Erinnerungen an einen langen Tag der gedämpften Lichter und des Untertauchens aufbewahrt, die bei jedem Nebel, bei jedem Fisch, wenn die Tage kürzer werden im Jahr oder im Leben, wiederkommen. Es war vor ein paar Monaten, es war vor ein paar Jahren, es war vor langer Zeit, es war, als mein Kind noch ein Kind war, das zweite noch lange nicht da, es war, als wir ins Haus auf der anderen Seite der Alpen zurückkehrten, es war wie *Dinner for one*, das immer weiterläuft, wiederkommt, es war Ewigkeit und hundert Jahre später.

Als wir zurückblieben, sagt Helmudo, in einem anderen Leben, mein Vater, meine Schwester, der Bruder und ich. Die Mutter ist gegangen. Zog aus dem Haus, nahm die schwarzen Schwäne mit, ihre Hälse die Arme des großen Leuchters im Wohnzimmer. Eines Tages wurden sie hinausgetragen, hingen an einer Stange, die von zwei jungen Männern auf ihren Schultern balanciert wurde, Möbelträger, ihre Haare gekräuselt, mit eingedrehtem Knochen, Schlüsselbein eines Rehs oder Fuchses, Jagdbeute der Schamanen, Lichter im Mund wie die Schwäne, ihr Gesang ein Gemurmel und manchmal spitze Schreie einer Ekstase, wenn sie mit ihren Beutetieren reisen, wenn sie wie das Tier an Stangen gebunden von zwei Sklaven getragen werden, an Händen und Füßen aufgehängt, der Kopf baumelt, der Schwanz oder die Rockschöße auf der Reise der toten Tiere. Wie wir, hier in der Nacht.
Es war kurz nach Mittag, die Erde schlief, die leere Zeit, in der im Radio die Ratgebersendungen laufen: Rufen sie uns an, während die Erde ihre nachmittäglichen Alpträume ausbrütet. Von der Leere, der Unvorhandenheit des Lebens, von der Illusion und dem Nichts. Die einsame Zeit nach dem Mittag und noch ist der Nachmittag fern. Wenn die Angst sich erhebt, nackt, ungeschützt und alles was ist, ist auch nicht. Da gehen sie, die beiden Sklaven, Schamanen, tragen die schwarzen Schwäne, die Lampe, unter deren Licht ich großgeworden bin, altes Erbstück, die sieben Schwäne, verzauberte Brüder, wollen auffliegen, hängen an einer Kugel mit goldenen Sternen fest, kommen nicht los, ihr langer Hals, der Kopf, im Schnabel die Glühbirnen, sie haben Licht gefressen. Ich kehre aus der Schule zurück, sehe sie von weitem, bin auf dem Weg nach Hause, vorbei am Feuerwehrhaus, wie sie die Straße vor unserem Haus überqueren. Nein, sie tragen sie nur, sie sind beauftragt von meine Mutter, sie nimmt das Licht mit, die verzauberten Brüder, zieht sie mit sich von einem Haus in ein anderes, von einem Wald in einen anderen, Schwäne, sie fliegen, in ihrem Zentrum die bestirnte Kugel, schlafende Erde,

kurz nach Mittag, wenn sie ihre schwerste Stunde durchläuft, gepeinigt von sternenlosen Alpträumen. Beute der Mutter aus dem Haus, in dem sie Mutter wurde, Mutter war, in dem sie ihre Wut nährte, sie konnte nicht anders, bis sie gehen musste, uns alle verlassen, beflügelt von den verzauberten Geistern der Schwäne, die sie uns fortschleppt.
Geht mit einem kleinen Stöckchen hinter den Trägern her, treibt sie an, dreht sich nicht um. Ich sehe ihnen nach, wie sie sich entfernen, aus dem Bild gehen, aus meinem Leben und wie die Schwäne können auch wir nicht wegfliegen, die Zurückgebliebenen, ganz ohne Licht. Alles, was flieht, flieht dem zu, vor dem es flieht. Schamanen reisen, um diesen Zusammenhang zu ergründen. Sie kreuzen die Wege der Fliehenden in umgekehrter Richtung, sie berühren die toten Tiere. Helmudo steht auf, schaut zu den Sternen, den großen indischen, die sich ausstreuen über uns in die Dunkelheit des Landes. Er ist so dünn, so schief, so in die Luft gehängt. Seitdem, sagt er, hat mich keiner mehr verlassen, weil mich noch keiner fand.
Jetzt sind wir völlig durchgedreht, sagt Natascha. Sitzen da und umschwirren uns mit Schwänen, Lichtern, Fischen und Kindern. Als ob sich das einer ausgedacht hätte.
Es ist zum Schreien, sagt Abdul, was sollen das für Geschichten sein?
Für die Verschwundenen, sagt Natascha, die an Gott grenzen, an sein Fehlen, das macht sie so wirksam.
Das Heimweh der toten Tiere, sagt Kamal.
Vogelfutter, sagt Helmudo.
Das ewige Leben, sagt Camille, die Nächte, wisst ihr noch, die Beleuchtung, das Flackern und am Morgen küssten die Vögel den Himmel. Sie bricht in Tränen aus. Weint.
Wünsche kennen kein Alter, sagt Abdul.
Die Zeit auch nicht, sagt Helmudo.
Seit wir in Indien sind, werden wir immer unwirklicher, sage ich.
Camille schluchzt auf, hebt den Kopf, die anderen starren mich

an. Kamal ist der erste, der losprustet, dann Natascha. Wie die Verrückten. Auch Abdul, Helmudo, sie können gar nicht mehr aufhören zu lachen. Japsen, krümmen sich, Natascha steht auf, geht die paar Stufen in den Garten, dreht uns den Rücken zu, schreit fast vor Lachen. Kamal und Abdul hysterisch. Sobald sie sich anschauen, fangen sie sofort wieder an zu lachen. Halten sich wie kleine Jungen die Bäuche.
Spinnt ihr, sage ich und muss dann auch lachen. Uns hält nichts mehr, wir stöhnen, wedeln mit den Händen, stehen auf, setzen uns wieder hin, sagen nein, nein und freuen uns.
Nichts haben wir erfahren von Alexander, sagt Helmudo.
Vielleicht hat es ihn gar nicht gegeben, kreischt Natascha.
Habe ich auch schon überlegt, sagt Abdul.
In Bangalore haben sie gesagt, dass sie ihn kennen, er hat da lange gewohnt, in der Kunsthochschule gearbeitet, alles ganz wirklich, sagt Kamal, seine Filme stehen auf dem Programm in Delhi. Sein Name, es gibt ihn. Er ist da, irgendwo in Indien. Wie wir, wir sind hier, suchen ihn, alles ist voll von ihm, von seiner Abwesenheit, vielleicht eine Inszenierung, sein Plan. Dass wir ihn suchen, dass wir nicht aufhören, an ihn zu denken.
O, *Recording Angels*, wir singen auch, auch wir, mit den indischen Nachtigallen, sagt Natascha aus dem Garten, sie traut sich noch nicht wieder zu uns auf die Terrasse, noch immer atemlos vom vielen Lachen. Wir wissen, dass wir es sind, die da sprechen und träumen in Wörtern und Kostümen der *Recording Angels*. Wir reisen nicht durch Indien, sondern schweben über Indien hin. Folgen ihrem Ruf, fallen aus der Zeit und dem Gedächtnis, sind dabei, zu diesen sich drehenden Angels zu werden.
Die Schüler der Helmudoschule der Indienfahrer, wir müssen sie uns glücklich vorstellen, sage ich. Wie sie über dem Pult treiben, an dem sie einst saßen und wer weiß, eines Tages wieder sitzen werden. Mit dem Stift in der Hand, den Kopf geneigt, damals, als sie Anlauf nahmen, sich aufschwangen mit den ersten Zeilen, den Buchstaben, die der Katze folgten. Wie sie alle

zusammen durch den Schnee gingen, brüderlich, schwesterlich, die Prozession der Wörter anführten, die Zeilen des irren Franzosen vor sich hinmurmelten: Sie ist wiedergefunden. Was? Die Ewigkeit. Sie ist das Meer, kommt und geht mit der Sonne.
Das ist wie in dem Film von Godard, sagt Kamal. Fritz Lang spielt Fritz Lang, zitiert Hölderlin: »Furchtlos bleibt aber, so er es muß, der Mann / Einsam vor Gott, es schützet die Einfalt ihn, / Und keiner Waffen brauchts und keiner / Listen, so lange, bis Gottes Fehl hilft.«
»Ja«, sagt Abdul, »ce n'est plus la présence de Dieu, c'est l'absence de Dieu qui rassure l'homme. C'est très étrange, mais vrai. Comment dites-vous étrange en Italien?«
»Strano«, sagt die Übersetzerin.
Komisch, sage ich. Wie wir.
Jeder wird denken, es sei der andere, der irre redet, der träumt, der in einen falschen Film geraten ist, sagt Helmudo. Einer, in dem wir Alexander suchen, sage ich.
Wie bei Pirandello, sagt Natascha. Nur suchen wir nicht einen Autor, sondern viele. All jene, die sich in uns auswirken, die in uns nach der Vollendung ihrer Entwürfe, Ideen, Vorstellungen suchen, ihr stummes Wort, ihre rauschende Melodie, die uns begleiten. All die Entwürfe, Wünsche, ihre Abbrüche, ihr Verschwinden, all die Geschichten, die nicht weitergingen, die abtauchten, versickerten und vielleicht, wenn wir Glück haben, sich unterirdisch weiter verzweigen und verbinden wie Flüsse, die eines Tages wieder auftauchen, hervorquellen werden in uns.
Wir atmen, wir reisen, legen Entfernungen zurück, sagt Kamal, und jetzt sind wir allein.
Als wir jung waren, uns träumten, sagt Abdul, waren wir nicht jung.
Unsere Suche ist unsere Geschichte, sagt Natascha.
Wir haben nichts erfahren, sagt Camille.
Wir haben alles erfahren, sagt Kamal.

Gab es Alexander? Und Günther? Unser kleinstes Café? Die Soziologie? Ihre Empfindsamkeit? Glaubten wir an die Anarchie? An die Melancholie? Unsere kleinen harten Wörter? Wann soll das gewesen sein? sagt Abdul.
Keiner verlässt die Erzählung, sagt Natascha.
Wieder müssen wir lachen.
Einmal war ich mit Alexander zu Besuch bei seinen Eltern, sage ich. Seine Schwester nannte sich Schizo-Elly oder Schizo-Vreneli, wie die Schweizer sagen. Sie war älter als er und lebte schon lange nicht mehr zu Hause. Sein Vater war Häuptling Wolke. Seine Mutter hatte keinen Namen. Sie lebten in Zürich an der Bergstraße in einem großen Haus mit Blick über den See und zu den Bergen. Sie empfingen uns und sofort war ein Herumgescheuche, Aufstehen, Hinsetzen, den Raum wechseln, etwas anschauen, Bilder, Blumen, nie uns, hier ist das Bad, wann fahrt ihr wieder? Ganz anders als ich erwartet hatte. Es gab kaum eine Minute, die wir ruhig sitzen geblieben wären. Auch beim Essen nicht. Ständig wurde aufgestanden, weggeräumt, fortgegangen. Wie ferngesteuert, bloß kein Innehalten, kein Anschauen, Zuhören. Sie warfen mit der Katze herum, gaben ihr ständig andere Namen. Sarah, Sandra, Rebecca. Riefen sie, schickten sie wieder weg, fütterten sie und schimpften mit ihr, dass sie sich füttern ließ. Zwei Teller gingen an diesem Abend zu Bruch, auf denen Elefanten durchs niedrige Pampasgras trabten oder Giraffen ihre Hälse zum afrikanischen Himmel reckten, was sonst. Sie warfen auch mit dem Hammelbein, das wir aßen, das sie von einem guten Golffreund, der einmal Metzger war, geschenkt bekommen hatten oder es war der Gewinn einer Wette. Dann wollte die Mutter einen Witz erzählen, unterbrach die Unterhaltung, stand auf, fing an, der erst Satz, kommt ein Mann in die Bar, sagt, ein Bier für mein Pferd, nein, sagt sie, das war anders, kommt ein Pferd in die Bar, sagt, ich habe eine gute Nachricht und eine schlechte Nachricht, nein, das sagt Gott zu dem Mann, der ihm einen Eimer geliehen hat, die gute Nachricht ist, den

Eimer hat es nie gegeben, die schlechte, er war schon vorher kaputt, nein, da war was mit dem Pferd, dann lacht sie laut, wirft die Arme in die Luft, ich weiß die Pointe nicht, sagt sie – sie kreischt –, also da war ein Mann, der wollte in eine Bar gehen und traf ein Pferd, einen Eimer, bitte, rief er, das Pferd sagte, ein Bier für meinen Mann, sie schluchzte kurz auf. Dann lachte sie wieder, dann ihr Mann. Sie setzte sich. Wir schwiegen. Sie sagte, das geht mir immer so bei Witzen. Ja, sagte ihr Mann. Er war Psychiater, hat lange in der Klinik gearbeitet, sie ein paar Jahre geleitet. Er erzählte vom gestohlenen Bild aus dem Kunstmuseum, hinten aufs Fahrrad geklemmt, im Keller versteckt. Einer seiner treuesten Patienten. Im Museum hatten sie das Fehlen des Bilds erst Tage später bemerkt. Tut ihm nichts, hat er gesagt, der Dieb ist gar kein Dieb, hat es nur mitgenommen. Nach vielen Gesprächen, langem Zögern und Verhandlungen mit dem Museum wurde es zurückgegeben. Er als Unterhändler. Der Täter konnte anonym bleiben. Dann kam die Geschichte vom Trompeter, der seiner Trompete nie einen Ton entschlüpfen ließ, der seiner Trompete jedes Mal, wenn er in sie hinein blies, strikte Stummheit auferlegte. Er war eine Lieblingsfigur bei ihren Anlässen, wenn sie sich zu Tisch setzten, schon tobte ihre Aufgebrachtheit los, in der jeder gegen jeden kämpfte. Mit dem stummen Trompeter ist Alexander aufgewachsen, ich kannte die Geschichte schon, er hat sie mir oft erzählt und ich bekam sie an diesem Abend wie zur Bestätigung des verlässlichen innerfamiliären Wahnsinns – der Trompeter als dessen Herzstück – noch einmal vorgeführt. Sein Vater erzählte, wie der Trompeter ein Kissen auf den Stuhl in seiner Küche legte, sich darauf stellte – er trug hohe Schnürstiefel aus feinem Leder, sie glänzten, es waren Trompeterschuhe. So erhob er sich da in der Manege seiner Küche, verbeugte sich stolz, setzte die Trompete an die Lippen und blies den Geistern seiner Kindheit, die um ihn herum saßen, unerhörte Töne zu, ohne jeden Hauch. Sie hatten ihn erwartet, applaudierten, wenn er zu Ende gespielt hatte. Warum, das wusste er nicht. Sie waren sein Ein und Alles. Sie lauschten, die Augen so aufgerissen wie den Mund. Er spielte für sie auf seine stummste Weise jeden Tag, ergab sich ihnen. So lange war noch nichts entschieden. Unter sich sah er den Stuhl mit dem Kissen, gleich neben dem Tisch, auf dem ein Brot lag, ein Stück Käse, ein Camembert, was für ein schöner Name, vielleicht hießen einige seiner Töne Camembert, doch bei ihrem Namen nannte er sie so wenig wie er sie hörbar werden ließ. Oder sein Publikum hörte auf diesen Namen, den er nicht sagte, das hätte sie aus ihrem Schweigen gerissen, in dem er zusammen mit ihnen ganz bei sich sein konnte. Ein Schweigen, das ihn durch seine Küche trug, der Tisch war seine Basisstation, der Camembert sein Nabel, vom Stuhl aus war er wie jeden Tag aufgebrochen, die Freunde seiner Kindheit warteten auf ihn, das war ihre Art, ihm nah zu sein und leise.

Während die anderen, wir, Alexanders Eltern, die ohne jede Stille neidisch um ihren Tisch saßen, ihn verachteten und mit seiner Geschichte herumwarfen. Sie gaben das Stück: Wir sind eine Familie in Zürich und gar nicht da, das sollt ihr merken, aber bitte sagt nichts. Sie waren Eltern, weiß der Himmel, was sie gewesen waren, als sie Eltern wurden, sie legten jedenfalls großen Wert darauf, nicht da zu sein, ein Leben zu leben, das nicht sie lebten, sie waren nicht zuständig, stattdessen der Lauf der Dinge, was so zu machen war, wenn sie lebten, Kinder hatten, Häuser, Segelboote, Autos, dazu regelmäßige Besuche von Opern, Konzerten, Ausstellungen, irgendwas würde schon zuständig sein. Die Giraffen auf den Tellern, die Elefanten im Pampagras, und dann einmal kurz hängenbleiben an der Türklinke, beim Hinaustragen der Teller; das waren dann die Elefanten, die Giraffen, Nashörner, ein Erbstück, Geschenk zur Hochzeit. Zeit zu gehen.

Nach diesem Besuch wusste ich lange nicht, ob wir an diesem Abend je dort gewesen waren. Ich fühlte mich ausgelaugt, sie hatten mir alle Kraft geraubt und ich misstraute Alexander,

spürte plötzlich seine tauben Stellen, wo er nicht war, wo er wie in einem Vakuum verpackt, eingeschlossen und zugleich draußen war. Ich brauchte lange, um ihm wieder zu vertrauen, dass er da war, mir nah, dass er mir nicht zurückgeblieben war in einer Zone der Unberührbarkeit, der Härte, der Abwesenheit, die alles Anwesende zurückweist. Imprägniert. Auch jetzt, wenn ich davon spreche, kommt es mir noch immer so gefährlich vor wie damals. Lange ist es her, dass er gegangen ist, dass er mich verlassen hat, dass er aus unserer Gruppe verschwunden ist. Wie ich es fürchtete nach diesem Abend in Zürich, bis hierher.
Mama, hatte Alexander eines Morgens auf einen Zettel geschrieben, in diesem Land herrscht Krieg. Dann ist er fortgegangen. Ein paar junge Leute in der Nähe von Luzern, ein altes Bauernhaus, umgeben von Wiesen, Obstbäumen, Bergen, nannten sich Filmkollektiv, waren Aufständische, standen auf, wollten bei allem, was sie taten auch wissen, was sie taten, darum filmten sie, träumten vom Filmen. Sie kamen aus einem meerlosen Land, reisten nach Italien, drehten, auf der Suche nach Rändern, nach dem Strand mit den Stones, der Jugend – so nannten sie das – ein paar Rollen ab. Ein großes, vages Gefühl, das auch Süden hieß, Verzweiflung.
Im Film sagen sie irgendwann mal aus dem Off, wir sind ausgezogen, das Nichts zu suchen, sagt Kamal. Ich weiß noch, wie Alexander uns den Film gezeigt hat, eines Abends im Winter, nach dem Seminar. In einem kleinen Vorführraum bei den Kunstgeschichtlern. Sie trugen Sätze durch Bilder von gewellten Landschaften, sanften Hügeln, slumartigen Vorstädten, kleinen Dörfern in den Bergen, an Hängen über dem Meer klebend, überragt von einer Burg, einem Kloster, dem Campanile. Sätze, deren Wörter sie auf einzelne Pappkartons geschrieben hatten, bei Bob Dylan gesehen. Wir können nicht wieder nach Hause gehen. Die Zeit flieht. Wo nichts steht, sollst du Liebe lesen. Sie kamen bis Reggio Calabria. Dort gingen sie mit ein paar Jungen,

die ihnen eine Kirche zeigen wollten, durch enge Gassen. Alles arm, verwildert, viele Leute vor den Türen, in den Fenstern, die schauten. Es war heiß, die Kirche geschlossen. Sie betraten eine Bar, bestellten ein paar Sandwichs, Wasser, Kaffee, in der Jukebox lief Adriano Celentano, *Peppermint Twist*, ein Alter an der Bar tanzte dazu, sie lachten. Die Jungen verabschiedeten sich, winkten ihnen nach, verschwanden. Als sie zu ihrem VW-Bus zurückkamen, war er verschwunden – lange Einstellung auf die Straße, staubiges, bleiches Licht, von der Seite ein langer Schatten, der immer höher wächst. Sie hatten kaum noch Geld, keine Kleider, nur die Kamera, auf dem Film die Jungen, die sie abgelenkt hatten.
Sie gingen zurück zur Kirche, die jetzt offen war, S. Martino, romanisch, Fenster und Bögen aus Kreisen konstruiert. Zwei kleine marmorne Engel aus der Renaissance knieten an der Seite des Altarraums. Es roch nach Weihrauch, drei Kerzen brannten vor einer Maria im Sternentuch. Über dem Haupttor mit spitzem Vordach auf Säulen hockten zwei Drachen, die sich mit erhobenen Tatzen in den Himmel wanden. In einem Nebengebäude entdeckten sie ein Lager, in dem ein paar Frauen saßen. Um sie herum Berge von Kleidern, die sie langsam und unablässig umschichteten, Hosen zu Hosen ordneten, Hemden zu Hemden. Die Frauen kümmerten sich um sie, verkauften ihnen für ihr letztes Geld Hosen, Jacken, Hemden, Schuhe. Alexander hatte sich einen lila Anzug aus einem der Kleiderhaufen gefischt, dazu ein rotes Hemd. Damit lief er dann im Film herum. Die Frauen sagten, sie sollten wiederkommen. Im ersten Stock befand sich ein riesiger Saal, in dem früher die Mönche an langen Tischen zusammen gegessen hatten. Auch hier lagerten Kleider, Schuhe, Kinderspielzeug. Die Frauen waren die Herrinnen der Räume. Große, vielbeinige Spinnen. Schließlich erlaubten sie ihnen, dort zu übernachten. Vorher sollten sie aber aufräumen, putzen, irgendwo mussten noch die alten Tische stehen. Sie sollten sich auch die Haare schneiden.

Nein, sagten sie und putzten, strichen die Wände, fanden ein paar Tische, Stühle, ihre Betten richteten sie sich in den Kleiderbergen ein. Fünf junge Männer, sprachen ein bisschen italienisch, wollten nicht mehr weg. Jeden Tag kramten sie die ausgefallensten Kleider hervor, verkleideten sich, spielten Marionetten, fochten ohne Degen wie Bären, tanzten wie die Drachen über dem Kircheneingang, filmten sich im Speisesaal der Mönche, eingesponnen von alten Frauen, von Kleidern, die schon von anderen getragen worden waren, ein nicht abreißender textiler Faden, an dem sie sich bewegten, gezogen wurden, zogen. Die Chefin der Frauen war eine dünne, hochgewachsene Frau mit blauen Augen, die sie die Gräfin nannten. Sie trug enge Röcke, Blusen, hohe Absätze. Ihr Tonfall näselnd, sie sprach ganz oben aus sich heraus, kurze, leise Befehle. Eine kleine rundliche mit schwarzen Augen in Kittelschürze war die Dienerin, Hände und Arme voller Altersflecken, ernährte sie. Brachte ihnen Polenta, Kaninchenbraten, Pasta. Eine andere mit krausem weißem Haar lachte viel, fuhr ihnen manchmal durchs Haar, ganz schnell, hatte einen weichen Busen, den sie unter Hängekleidern vor sich hertrug. Die drei liefen durch den Film, gaben Anweisungen auf italienisch, klatschten. Sie kamen am frühen Nachmittag, brachten ihnen Mittagessen, öffneten die Türen, blieben bis zum Abend. Immer wieder schauten Leute vorbei, viele Bekannte aus der Nachbarschaft, einige suchten nach Kleidern, Schuhen, manche brachten auch welche, setzten sich auf Hocker zwischen die Berge von Kleidern, sagten etwas, hörten zu, gingen wieder, andere kamen, und die Stunden, die Stimmen, das Kommen und Gehen der Menschen, ihr Schauen, Anfassen, Probieren, wieder Zurücklegen, verwebten sich zu dem Film, in dem sie alle zusammenhingen, auch die Stunden, das Licht, die vielen Wörter, die gefallen waren, wieder verschwanden, alles war da und wieder weg, reiste durch den Nachmittag bis ans Ende der Zeit. Ein Film, in den er immer wieder zurückkehren wollte, hat Alexander gesagt.

Sollen wir das gesehen haben? sagt Natascha.
Ja, sagt Camille, ich kann mich an all die Szenen erinnern, die Kamal erzählt hat. Am Ende des Films die Felsen, tief darunter das Meer, da steht Alexander, trägt den lila Anzug, der ihm viel zu kurz ist.
Nein, sagt Helmudo. Am Ende schneit es. Ein Auto rast gegen einen Baum. Dann Stille, dann Nacht. Eine Wagentür öffnet sich, Kamal klettert raus. Trägt ein langes weißes Gewand, Perücke mit blondem Haar, wir waren doch als Engel verkleidet. Dann Abdul, Pudelmütze auf dem Kopf, das Kleid zerrissen, auf der anderen Seite geht die Tür auf, da ist Günther, macht ein Peace-Zeichen zu den Bäumen, zum Himmel, der vor lauter Schnee brummt, als Letzte taucht Camille auf.
Nein, du täuschst dich, sagt Camille, alles erfunden.
Na klar, sagt Helmudo. Ich habe euch doch abgeholt in der Nacht, nochmal eben mit dem Leben davongekommen.
Ich erinnere mich nicht, sagt Camille
Fahr mal hundert, hat Günther gesagt und du nichts wie drauf aufs Pedal.
Camille schreit Helmudo an, er soll still sein.
Das war der Schneefilm, sagt Abdul, nachdem wir Engel waren und Camille gegen den Baum gefahren ist.
Bin ich nicht, sagt Camille. Ich habe keine Lust mehr. Wir hören auf, ich gehe schlafen.
Was willst du aufhören? sage ich.
Die Nacht, den Tag, sagt Camille.
Learn to forget, sagt Helmudo. Das kommt am Ende des Films.
Stimmt, sagt Kamal, das hat mir schon damals gefallen.
Und dann flüstern wir: Da sind sie wieder. In einem Garten, auf der Terrasse vor der Küche. Alle schlafen, sogar die Lichter, nur wir nicht. Die toten Tiere drehen sich um, schauen uns an mit ihren uralten Augen aus Staub und Glas. Wir grüßen die Jugendlichen von vor vierzig Jahren, sagen sie. Wir werden Wald sein, Berg, Meer, Wüste. Wir Indien, wir Indianer der Erde. Dann

schweigen die toten Tiere, sprechen nicht weiter, wir können sie nicht mehr hören. Sind wir zugrunde gegangen? Am Grund angekommen? Sie schweigen wie das Grab. Denn das, wovon sie schweigen, ist das Grab. In dem sie ausharren müssen in der Gestalt, die sie hatten, als sie einst durch das große Land zogen. Ihr Tod ist begraben in ihrer lebendigen Form. Schöne Nacht, fallende Nacht, Reise der Ohnmächtigen mit den Tieren an die Grenze der Erzählung, dort, wo sich etwas öffnet, was wir nicht verstehen, weites Niemandsland des Unzugehörigen. Und sind schon weit darüber hinaus. Adieu, ihr Tiere, ihr Wörter der Tiere, wir folgen euch, sagt Natascha.

Vielleicht sind wir aufgestanden, in unsere Zimmer gegangen, oder wir sind aufgeflogen, davon. Vielleicht hat die Nacht ein Ende genommen. In meinem Zimmer, kaum hatte ich Licht gemacht, kamen die blassen, gelben Geckos auf ihren haftenden Sohlen über die Wände gelaufen. Tapp tapp, die alten Echsen, ihre bulligen Augen, ihre Mäuler mit den schnell hervorschießenden Zungen. Versammelten sich im Lampenschirm, ihre huschenden Schatten, Laterna magica, sie gaben mir eine Vorstellung, die von den Geschichten ihrer Königinnen und Könige handelte. Ich legte mich unter das Moskitonetz, sah mich wie eine Frühgeburt unter ihrem Zelt im Brutkasten liegen, wie ich schlief und heranwuchs.

23. Lektion, in der die Personen des Buchs aus der Geschichte auswandern, der sie so weit gefolgt sind, bis sie das Gefühl hatten, immer unwirklicher zu werden, und das ist der Moment, um in einen Film einzuwandern, der vielleicht das einzige Land ist, in das sich auswandern lässt. Der Film handelt vom Wunsch, einen Film zu drehen von einem, der sich wünscht, ein Filmer zu sein, zu filmen und gefilmt zu werden. In so einem Land wollen sie eine Weile leben, atmen, aufgehen in Bewegungen, Zwischenräumen, Schnitten, wollen vor und zurück laufen, aufgenommen von einer Membran, die sie nicht zudeckt, sondern ansehbar macht. Aufgehoben in Durchsichtigkeit, als wären sie auferstanden, würden ablaufen, hätten alles vergessen, Film im Film, Form von Glück, sehr kompliziert.

Es geschah eines Tages in Teheran. Ein Mann fährt in einem Bus, liest ein Drehbuch von einem Regisseur, der er gerne wäre. Neben ihm sitzt eine ältere Frau, fragt ihn, ob er der Regisseur sei, dessen Buch er lese? Nein, nein, sagt der Mann, der gerne dieser Regisseur wäre. Dann sagt er, ja, ja.
Am nächsten Morgen. Es gibt ihn, er ist da, ist gekommen, folgt der Nacht, die nicht endete.
Wir müssen früh los, wollen bis Jaipur kommen, den Palast der Winde sehen, Krone Krishnas, und die alte Anstalt der Sternengucker, Janta Manta, ihre magischen Geräte, mit denen sie die Zeit gemessen haben, Eklipsen vorausgesagt, die Planetenbahnen bewacht, astronomische Höhen bestimmt, Ephemeriden erstellt. Kamal, Abdul und Helmudo tragen zum ersten Mal ihre neuen Hemden. In Mumbay auf der Straße gekauft, fünf oder zehn Rupees das Stück. Kamals Hemd ist dunkelgrün, steht ihm gut, Helmudos weiß, die Arme zu kurz, am Kragen eine schwarze Rose. Er ist hier in Indien für immer unter die Ritter von der traurigen Gestalt gegangen. Abdul trägt ein hellblaues Hemd, das so gestärkt ist, dass es auch aus Pappkarton

genäht sein könnte. Dennoch sehen die drei frisch aus, als wir uns in der gedeckten Halle neben der Terrasse treffen, alle anderen von uns schlafen noch. Der Koch ist bester Laune, macht uns Tee, Kaffee, röstet Brot. Es ist kurz nach sechs, die Busfahrt wird lang werden, und wer in einen Film auswandern will, der muss früh aufstehen. Ein Eichhörnchen, eines von den kleinen, gestreiften, die ich im Lodi Garden in Delhi massenhaft gesehen habe – immer waren sie auf der Flucht vor den Falken und Milanen, rannten dem nächstbesten Erdloch zu –, springt uns auf den Tisch in die Marmelade. Helmudos Teetasse fällt um und das war es mit dem weißen Hemd. Dann hören wir den Bus, sie hupen schon, ihre vorgängigste Sprache, Honk, please! der kleine Klopfzeichenassistent der Fahrer kommt gelaufen, er will die Koffer einladen. Wir springen auf, rennen herum, essen, trinken, nehmen das Brot mit ins Zimmer, vergessen es, Futter für die Geckos, die sich aus dem Lampenschirm zurückgezogen haben. Kleben jetzt wieder bis zur nächsten Nacht der Gaukler an der Decke, ich grüße sie, die Frösche von den Feldern hinter den Gästehäusern quaken, schnell noch beim Koch vorbei, ein Foto, ja und wir winken. Die Familie, der wir am ersten Abend ins Schlafzimmer gefahren sind, ist auch schon aufgestanden, ein kleines Feuer brennt am Wegrand, sie kochen Wasser, die Kuh daneben völlig gelassen, als würde sie schon seit Jahrhunderten so dastehen, das Licht noch ganz grün, steigt aus der Wiese auf. Sie schauen unserem Herumgelaufe zu, Natascha eilt nochmal zurück ins Zimmer, dann sitzen wir im Bus, fahren rückwärts über den Feldweg, entfernen uns von dem Besucherzentrum der Bio-Cotton-Farm, von der Familie, Vater, Mutter, Kuh, die beiden Kinder laufen mit uns, bis der Bus auf die Straße stößt, los geht's.

Wir wandern aus. Wohin wir dabei geraten, ist ungewiss, es wird ein weiterer langer Tag werden, kompliziert wie alle Tage, wie der Film, in dem wir uns ein bisschen umsehen wollen auf den Spuren der Wirklichkeit, die wie Irrsinn wirkt, unüberwindlich, rund um den Tag, wieder zurück, und die uns, sobald wir der Fülle, mit der uns die Tage und Nächte überfluten, Gerechtigkeit widerfahren lassen wollen, so unwirklich erscheinen lässt. Alles wollen wir wissen, alles wahrnehmen, und alles, was wir wissen und wahrnehmen, soll uns frei werden. Nicht aufhören damit.

So verlassen wir unsere Geschichte an dieser Stelle und reisen in den Film nach Teheran. Ein Tag im Herbst, am Anfang eine Taxifahrt, ein Journalist, ein Regisseur liest Zeitung. Den Bericht über einen Mann, der sich bei einer Familie als Regisseur ausgegeben hat, der er nicht ist, der allerdings ein Freund des Regisseurs ist, der die Zeitung liest. Der Film heißt *Close up*, schaut mit einem Blick, der noch nie mit etwas zurechtgekommen ist, der nicht Recht behält, nur aufnimmt, sichtbar macht, was da ist, ganz nah hin. Mit zwei Kameras gedreht, einer nahen, einer fernen. Die nahe ist für die Ungerechtigkeit, also für die Unschuld, die ferne für den Rest. Die Personen des Films sind der Journalist Farazmand, der Regisseur, der kein Regisseur ist, oder ein anderer Regisseur, heißt Sabzian, bei dessen Festnahme im Haus der Familie Ahankhah der Journalist dabeisein will und im Taxi unterwegs ist dahin. Der Regisseur, der Sabzian gerne wäre, heißt Makhmalbaf und der, der den Film dreht mit seinen zwei Kameras, ist Kiarostami.

Das Licht in der Stadt scheint grau, der Journalist ist nervös, redet mit dem Taxifahrer, einem ehemaligen Kampfpiloten, dass er eine der tollsten Reportagen verfassen wird, wie Oriana Fallaci, sagt er, eine wahre Geschichte, das sei immer das Beste. Er will Karriere machen, ist auf dem Weg dahin, hat den Fisch schon an der Angel. Den Taxifahrer interessiert sein Fahrgast wenig, er hat ihn zunächst für einen Polizisten gehalten. Nachdem sie sich bei mehreren Passanten durchgefragt haben, kommen sie zum Haus der Familie, die eine Weile geglaubt hat, dass der Mann aus dem Bus der Regisseur sei, der er gerne gewesen wäre, bis ihr Zweifel kamen. Polizisten stehen vor dem Haus. Der Taxifahrer soll warten. Anfangs geht nur der Journalist ins Haus, um zu vermeiden, dass der Mann, der sich als Regisseur ausgegeben hat, Verdacht schöpft. Der Taxifahrer fragt die Polizisten, ob sie keinen Einsatzwagen hätten, was diese von sich weisen, ohne weiter darauf einzugehen. Erst als nach einer Weile der Hausherr vor die Tür tritt, kommt der Einsatzwagen und die Polizisten betreten das Haus. Der Taxifahrer ist nun alleine, sammelt aus einem Haufen Müll auf der Straße Blumen, tritt nach einer Spraydose, die dann in einer langen Einstellung scheppernd die Straße entlangrollt. Nach der Verhaftung leiht sich der Journalist 200 Toman vom Hausherrn, um das Taxi zu bezahlen, und tritt, als er schließlich in der Nachbarschaft bei seiner verzweifelten Suche nach einem Kassettenrecorder fündig wird, gegen dieselbe Spraydose. Erst später wird das für die Entwicklung der Handlung zu diesem Zeitpunkt wichtige Geschehen der Festnahme im Inneren des Hauses wiedergegeben.

Der Regisseur, der am Anfang die Zeitung liest, geht der Geschichte von dem Mann, der ein Regisseur sein wollte, der sein Freund ist, weiter nach. Dabei besucht er zunächst in einer Kaserne Polizisten. Von ihnen erhält er die Adresse der Familie, die sich von dem Mann betrogen gefühlt und für seine Verhaftung gesorgt hat. Der Regisseur interviewt sie. Es stellt sich heraus, dass die Familie über die Weise erbittert ist, wie der Journalist sie in der Reportage dargestellt hat. Sie erhoffen sich von ihm nun eine angemessenere Behandlung. Einer der Söhne spricht davon, dass sie als einfache Leute charakterisiert worden seien, die den Betrug nicht durchschaut hätten. Er versucht die schwierige Situation zu erklären, in der er und seine Brüder steckten, da sie trotz guter Ausbildung als Ingenieure keine angemessene Arbeit bekommen könnten, sondern Brot verkaufen müssten. Sabzian hätte ihnen Hoffnung gemacht, im künstlerischen Bereich arbeiten zu können, etwas, was sie sich schon lange gewünscht hätten. Von ihnen erfährt der Regisseur, in welchem Gefängnis

in Teheran der Mann in Untersuchungshaft sitzt. Wegen Betrugs. Dort trifft er ihn.
Der Mann freut sich, den Regisseur zu treffen, der der Freund des anderen Regisseurs ist, als der er sich ausgegeben hat, nachdem die Frau der Familie, die ihn später anzeigen wird, ihn dazu eingeladen hat. Er spricht leise, sanft, jedes Wort, das er sagt, ist dringend, genau. Er bittet den Regisseur, einen Film über sein Leiden zu drehen, was der ihm zusagt und er stellt ihm in Aussicht, seinen Prozess voranzutreiben. Er will einen Film machen aus der Geschichte, wie der Mann im Bus sitzt, ein Buch Makhmalbafs liest. Eine ältere Frau setzt sich neben ihn, schaut ihn immer wieder an, wie er liest, zum Fenster hinausschaut, bis sie ihn schließlich fragt, ob er der Autor des Buchs sei, also der Regisseur, der er immer gerne gewesen wäre, dessen Filme er auswendig kennt, und dann fragt sie ihn danach. Er ist verblüfft, auch erschrocken, – hat sie ihn erkannt? Er sagt: Nein, nein. Dann sagt er: Ja, ja. Die Frau hat ihn bei seinem Wunsch gerufen. Es ist auch ihrer. Im Wunsch verbinden sich Regisseur, Mann, Frau, Film und brechen wie die Bremer Stadtmusikanten auf zu besseren Erfahrungen als dem Tod.
In einer weiteren Szene bittet der Regisseur den Richter um Dreherlaubnis bei der Gerichtsverhandlung und um einen baldigen Verhandlungstermin. Was ihm gewährt wird. Der Angeklagte wird mit Handschellen in den Gerichtssaal geführt. Der Regisseur begrüßt ihn und fragt, ob er sich an das Gespräch im Gefängnis erinnere, ob er mit der Aufnahme der Verhandlung einverstanden sei. Er stimmt zu, sagt, dass der Regisseur sein Publikum sei. Dann sagt der Regisseur ihm das mit den beiden Kameras, die eine für die Gerichtsverhandlung, die andere für ihn. Immer, sagt er, wenn er sich vom Gericht nicht verstanden fühle, solle er sich an diese Kamera wenden.
In einer Rückblende während der Aussagen der Belastungszeugen aus der Familie Ahankhah wird die Geschichte nun von Anfang an aufgerollt. Mahrokh Ahankhah, eine ältere Dame,

trifft in einem Bus auf den arbeitslosen Drucker Hossein Sabzian, der in dem Drehbuch zu *Der Fahrradfahrer* des berühmten iranischen Filmregisseurs Mohsen Makhmalbaf liest. Sie kommen ins Gespräch, es kommt zur Verwechslung, sie lädt ihn zu sich nach Hause ein, ihre Söhne würden sich sehr für seine Filme interessieren, sie seien gebildet, leider arbeitslos, er solle sie doch besuchen kommen, hat sie gesagt, und er ist gekommen, hat gesagt: Ich drehe einen Film mit Ihnen, mit der ganzen Familie. Alle haben sich gefreut, darauf haben sie so lange gewartet. Ein paar Tage später gehen sie zusammen ins Kino, schauen einen Film von ihm, der er nicht ist, finden ihn toll. Er besucht sie wieder, bekommt zu essen, Tee, wird freundlich behandelt. Die Söhne stellen sich schon vor, was sie spielen könnten in seinem Film, den er vielleicht in ihrem Haus drehen will. Er schaut sich die Räume an, ob sie sich eignen? für welche Szenen? Dann bekommt der Regisseur Makhmalbaf, für den ihn die Familie hält, einen Filmpreis. Die Familie empfängt ihren Regisseur, verwundert, dass er nicht bei der Preisverleihung ist, gratuliert ihm zur Auszeichnung. Er weiß von nichts. Das macht sie misstrauisch, sie sind enttäuscht, verdächtigten ihn, sie zu betrügen, haben sie sich doch so sehr gewünscht, dass er der Regisseur wäre, in dessen Film sie spielen würden, ganz andere als die, die sie waren. Noch einmal besucht er sie. Er kann nicht widerstehen. Er spürt sofort, dass alles anders geworden ist, der Raum scheint zu zögern, die Wände bleich, die Möbel verschoben, die Blicke der Frau huschen, der Mann geht immer wieder zum Fenster, schaut hinaus, sie sprechen sehr wenig, alles lauert. Der kurze Traum wird gleich zu Ende sein, noch sitzt er in seinen Resten da, gelähmt, kann sich nicht trennen, sich nicht von der Freundlichkeit abwenden, mit der sie ihm begegnet sind, nicht von der Freude der Söhne, in seinem Film mitzuspielen, irgendwas Schönes würden sie dargestellt haben wollen, vielleicht Schauspieler, die sich zusammen einen Film ausdenken, nicht von der ihm entgegengebrachten Vorstellung, er könnte ein berühmter

Regisseur sein, kein arbeitsloser Drucker, der kein Geld hat, keine Aussichten, nicht von der Illusion, das Leben könnte ihm anders mitgespielt haben. Schon da ist er verurteilt, lange vorher, wartet, dass geschehen wird, was geschehen muss.
Auch die in den Film Ausgewanderten wissen, was geschehen wird, sitzen mit ihm in der Falle, die überall die Falle ist. Das ist die Stelle, an der die Rückblende an den Vorspann anschließt, in dem die Polizisten auf den Journalisten warten, der im Taxi angefahren kommt. Allerdings zeigt die Kamera das Geschehen nun aus dem Haus der Familie Ahankhah, aus der Perspektive der Falle.
Bei der Gerichtsverhandlung wird Sabzian vorgeworfen, dass er die Familie betrügen wollte, vielleicht sogar einen Einbruch in ihr Haus geplant habe. Er, der den Betrug bereits gestanden hat, sagt, dass es ihm um die Kunst gehe. Außerdem habe er den Respekt, den sie ihm als Regisseur entgegengebracht hätten, genossen. Er gelobt Besserung und schließlich vergeben ihm die betroffenen Mitglieder der Familie Ahankhah. Der Richter setzt die Gerechtigkeit vor das Recht. Auch er lässt sich auf den Wunsch ein, in zwei Einstellungen zu sehen, nah und fern, das eine nicht ohne das andere, das Gesetz nicht ohne das, was ihm entgegensteht.
Sabzian kommt frei. Vor dem Gefängnis wartet Mohsen Makhmalbaf auf ihn, der seinen Augen nicht traut, die ihm übergehen. Immer an zwei Fronten kämpfen, sagt Kamal, der auch in Teheran Kamal heißt, das ist der andere Blick, Verwandlung von Unrecht in eine andere Zuwendung, Sichtbarmachen eines widerständigen Sprechens, Traum vom Aufmerken des Traums. Ja. Auf seinem Motorrad bringt Makmalbaf Sabzian zur Familie Ahankhah, unterwegs kaufen sie Herbstastern, das gleiche graue Licht des Anfangs, in dem sie nun aus dem Bild und davon fahren. Während über ihre Köpfe hinweg die altrosa Blüten der Astern zurückschauen und alles wieder von vorne anfangen kann.

Die ausgewanderten Indienfahrer finden im Film ihre Sterblichkeit, sie ist da, sie haben sie gesehen, übergegangen in einen Blick. Gefühle haben sie beschlichen, kamen auf leisen Sohlen, haben Spuren hinterlassen, sie täuschen, laufen auf alten Wegen. Darum lieben sie sie. Um jeden Preis. Auch sie können sterben. Sie weinen wie Sabzian.
Angst haben ist eine Kunst, sagt Helmudo.
Kunst des Lebens, sagt Abdul.
Kommt aus der Karfreitagsnacht, sage ich. Erinnert euch. Sie wird uns beistehen in der Stunde unseres Todes, für uns bitten.
Uns das Tuch reichen, sagt Kamal.
Nochmal von vorne, sagt Natascha. Einer weint, einer fährt mit dem, der weint, Motorrad, ein Dritter filmt die beiden auf dem Motorrad, ihre Rücken, die Hinterköpfe, wie sie Blumen kaufen für die Familie, die sich vorgestellt hat, in einem Film zu spielen, da sein zu können, wo sie nicht sein kann.
Da waren wir schon mal, sagt Abdul.
Na und, sage ich. Davon lebt der Film. Er gibt seine Geschichte nicht preis, er sucht sie. Auch wenn kein Himmel vorkommt, so gut wie keine Sonne, kein Vogel, die Sterne funkeln nicht, kein Mann umarmt eine Frau, kein Kind seinen Vater. Die einzige Frau im Film nennt den falschen Regisseur beim richtigen Namen. Das Ende ist kein Ende. Irre kompliziert, wie wir, die Zuschauer, eingewandert in diesen Film der Wünsche und Identitäten, die unaufhörlich zwischen nahem und fernem Blick wandern, das alte Spiel, Bäumchen, Bäumchen wechsle dich, von Baum zu Baum laufen, jedes Mal dabei die Gefahr, unterzugehen, jeder Wechsel ein möglicher Untergang, und wenn wir Glück haben, werden wir uns noch einmal das Leben gerettet haben.
Die Zeit ist lang, sagt Kamal, wenn sie in viele kleine Einstellungen zerlegt wird, vor und zurück, jede in ihrer eigenen Zeit, Licht und Schatten, abtauchen, auftauchen, erlöst. Die genaueste Form der Liebe ist diese Zerlegearbeit.

Die Reihenfolge entscheidet alles, jedes Mal neu, sagt Helmudo. Ein Film träumt sich als viele Filme, in denen Filme träumen. Das ist der Wirklichkeitssinn, sagt Abdul, der nichts ist ohne den Unwirklichkeitssinn.
1990 in Teheran, sagt Natascha. Da irgendwo müssen all die schönen jungen Männer von der CISNU stecken, die mit uns die ersten Jahre studiert haben, waren viel schöner als all die deutschen jungen Männer. Brachten in die scheußliche Stadt an der Lahn ein Stück Orient mit, im Kopf ihr Land, warteten auf die Revolution und waren sofort weg, als sie los ging. Farhad, Kiu, Niha, kleine schwarze und große Fische. Ein Abschiedsfest im Studentenheim, in den Räumen des AStAs, oben, am Ende der Ludwigstraße auf dem Hügel, Februar, der Frühling vielleicht bald schon und dann waren sie weg. Nie mehr was von ihnen gehört, von Kiu zehn Jahre später noch eine Karte, er lebe, habe Familie, wolle zurück nach Deutschland.
So sprechen sie. Zurückgeblieben im Wohnzimmer der Familie, sitzen neben dem in der Falle, der von der Kunst träumt, der sich eingeschmuggelt hat in den Traum einer Familie, eine Familie spielen zu können in einem Film und alle Last würde von ihr fallen. Sie stellen sich vor, wie es bald Winter werden würde, die Berge rund um Teheran, es würde schneien, sie würden weiß werden, zum Himmel wachsen, die Stadt erhöbe sich.
Da wollen wir bleiben, sagt Helmudo.
Der Film gilt als einer der besten hundert Filme des 20. Jahrhundert, kaum einer hat ihn gesehen. Ein Filmer aus Italien hat einen kleinen Film von einem Kinobesitzer gedreht, in dessen Kino der Film am Abend anlaufen wird. *Il Giorno della Prima di Close Up*. Er ahnt, dass niemand kommen wird, um ihn anzuschauen, hat Alpträume von Besucherzahlen für *The Lion King* aus Bologna 32000 Eintritte, Turin 29000, Modena 24000, Imola 19000 in einem Monat. Er kann nicht schlafen, steht auf, macht alle verrückt, bringt seinen Angestellten bei, was sie sagen sollen, wenn sich jemand nach dem Film erkundigt, übt es mit ih-

nen ein, steht neben ihnen, wenn das Telefon läutet, mit seinem Filmvorführer streitet er um die Bildbreite, nur ein bisschen breiter, sagt er, fast nicht zu sehen, Türen knallen, Geschrei. All das geschieht in Rom. Am Abend kommt ein älterer Herr zur Vorstellung, als er hört, wovon der Film handelt, will er wieder gehen. Der Kinobesitzer überredet ihn, hält ihn fest, läuft ihm auf die Straße nach. Es hilft nichts, am Ende ist er der einzige Zuschauer und froh.
Woher sie den Film haben? An einem Abend in Bangalore, Iranische Filmwochen, zweiter oder dritter Tag in Indien, die kleinste Bäckerei der Welt, Alexanders Traum von einem Film, lange bevor er von einem anderen Regisseur in einem anderen Land gedreht werden würde, eine wirkliche Geschichte, gefunden auf der Straße, in der Zeitung, aufgenommen, nachgespielt mit denen aus dem wirklichen Leben, die sofort anfangen, unwirkliche Menschen zu sein und sich zu täuschen wie die wirklichen. Sie erinnern sich, wie Alexander von entstellten Fernen, verkannten Nähen sprach, immer gleichzeitig, hatte er gesagt, und sie steckten dazwischen wie die Geißlein in der Uhr, Insassen eines Films, lange bevor er Film wurde.
Sie besuchten auf der Suche nach Alexander die Jaaga-Leute, alte Freunde von ihm, die jungen Assistentinnen von swissnex waren dabei, staunten, dass es so etwas wie Jaaga in der Stadt gab. Urbanes Projekt für Kunst und Kultur, eine Art besetztes Raumfeld mit Innenhof, einem schönen Café, hohen Zäunen, aus denen Pflanzen wachsen, zweistöckige Aufbauten drumherum. Einfach zusammengesetzt aus Panels, Rackets, Lastwagenplanen. Leichtbauweise aus Kalifornien, der Mitbegründer von Jaaga, Freeman, hat sie mitgebracht, schnell aufgebaut, schnell abgebaut. Ein paar Computer hingestellt, Tische, Stühle und die Leute kommen, hören sich irgendwelche Lectures von amerikanischen Universitäten an, diskutieren dann oder auch nicht. Samstags gibt es im großen Saal immer Party, mit Tanzen. Musik kommt über Kopfhörer, ist laut in Indien verboten, nicht nach

neun Uhr abends, nicht wenn Männer und Frauen zusammen in einem Raum sind. Mit Kopfhörern geht es, hört keiner, nur die, die tanzen. Wenn auch die Polizei, das Militär regelmäßig vorbeikommen, sie können nichts dagegen machen. Hier treffen sich Studenten, Künstler, Hausbesetzer, Habenichtse. Eine Art kalifornisches Stammlager für alternatives Leben in Indien. Sie organisieren ein internationales Künstlerprogramm, immer sind Gäste da, machen irgendwas mit Kunst, Straßen, Performances. Freeman, dessen Vater sich schon Freeman nannte, Kind von Hippies, selbst einer, baut jedes Jahr in der kalifornischen Wüste eine Art Zeltstadt mit auf. Burning Man, zweiwöchiges Festival, Sex, Drogen, Freiheit. Im letzten Jahr haben sie dort verspiegelte Pyramiden gebaut und ihm schwebt so etwas auch für Indien vor. Chefin des Vereins ist Achana, Inderin aus alter Brahmanenfamilie, alle hören auf sie. Niceman ist ihr Mann, kam mit Freeman aus Kalifornien, haben bei Sun gearbeitet. Freeman ist jetzt Freeman, Niceman hat ein eigenes Unternehmen für superschlaue Beratung gegründet, will eine kleine indische Familie gründen, der Hund von Achana, sie nennen ihn Berlin, ist mal der Anfang, das Kind schon unterwegs.
In den Tagen, die sie in Bangalore waren, saßen sie oft bei ihnen im schattigen Innenhof voller Pflanzen, das Café hatte gutes Essen, alles ein bisschen kalifornisch. Achana sagte, *Close up* sei Alexanders Lieblingsfilm, er habe ihr immer wieder davon erzählt. Wann das war, weiß sie nicht mehr genau, und Alexander, wann hat sie ihn das letzte Mal gesehen? Weiß sie auch nicht mehr, vor kurzem, vielleicht schon länger her, ein Jahr, zwei, wollte dann nach Dharamsala zu den Tibetern, zu Füßen des Himalaya. Sie saßen am Abend im großen Veranstaltungssaal, in dem sonst die Partys gefeiert wurden. Draußen eine der überfüllten Straßen Indiens, Abendverkehr in Bangalore, Hupen, Motorheulen, Bremsen, schrilles Pfeifen, Glocken. Die Geräusche mischten sich mit denen des Films, vor ihnen die Straßen Teherans, der Taxifahrer, der Journalist, Häuser, Ampeln.

Da ist es schon dunkel geworden, Abend, wir sind an eine Zollstation gekommen, Versammlung der Lastwagen, Traktoren, Busse, Motorräder, Zone der Zöllner, Wächter, Beamten, hoch oben im dunklen Himmel orangefarbenes Flutlicht. Unser Bus steht auf einem riesigen Parkplatz, die Fahrer sind verschwunden, warten in einem der Hochhäuser am Rand des Platzes auf Papiere, Erlaubnisse, Stempel. Wilder Ort auf freiem Feld, keine Stadt weit und breit, Land des Staubs um uns herum.
Wir müssen warten, die Erde unter unseren Füßen gekrümmt, ihr runder Rücken, überall Menschen, laufen herum, liegen in Gruppen zusammen, warten wie wir am Rand der Welt. Zwischen den Hochhäusern reihen sich kaputte Hütten, Zelte, in denen es Essen und Tee zu kaufen gibt, die Toilettenhäuschen sind kaputt, nicht benutzbar.
Um die Lastwagen herum Berge von Waren, die abgeladen werden mussten, fest zusammengezurrte Baumwollwolken, pralle Säcke mit Zwiebeln, Heuballen. Warum? Reine Willkür, der Terror der Grenze, der Beamten. Auf allem eine dicke Schicht Staub von den vielen Steinbrüchen, Marmorsägewerken, Tag und Nacht die Sägen, stehen nie still, die Luft zum Schneiden. Schwärme junger Männer auf Fahrrädern, Motorrädern, auf denen sie zu sechst angefahren kommen, umstehen uns, schauen, werden immer mehr. Wollen wissen, von wo wir kommen.
Teheran, sagt Helmudo. Sie lachen, sie glauben ihm nicht.
Doch, sagt Helmudo. Wir haben in einem Film mitgespielt.
Actors, sagt einer der jungen Männer, sie kichern.
Ja, sagt Helmudo. Sie strahlen, wollen uns anfassen, beginnen zu drängeln, stehen auf Zehenspitzen. Plötzlich sind die Busfahrer da, los, fahren, sagen sie. Wir versuchen, uns aus dem Pulk zu lösen, sie greifen nach uns, umkreisen uns auf ihren Motorrädern, die Maschinen jaulen auf, schnell weg.
Rennen zum Bus, steigen ein, die Türen zu. Die jungen Männer schauen durchs Fenster, schlagen dagegen, pressen ihre Gesichter an die Scheiben, der Motor startet, fährt, sie gehen auseinan-

der, los. So verlassen wir den Rücken der Erde, überqueren die Grenze des Staublands, und dann haben wir solche Sehnsucht nach Indien, dass wir dahin wollen, wo wir sind, im Bus, die dunkle Landschaft zieht vorbei, wir sind müde, liegen auf unseren Sitzen, drehen uns nochmal um, sagen den vielen Regisseuren des Films: Morgen Abend, wenn wir nicht mehr da sind, werden ein paar Leute kommen, bitte empfangt sie freundlich, gebt ihnen zu essen, zu trinken, Obdach für die Zeit, die sie mitbringen werden, hört ihnen zu, mit naher und ferner Kamera, immer ein doppeltes Hinhören. Es sind die, die wir vermissen, die nicht zu finden sind, nur zu suchen. Sie kommen, wenn wir nicht mehr da sind, denn sie sind, was uns fehlt, uneinholbar, im Abstand, um deren Fehlen willen wir nicht aufhören können, zu sprechen.

Da schlafen wir schon wie die beiden Kalifornier, Freeman und Niceman, bei der Filmvorführung am Abend in Bangalore, kaum hatte der Film angefangen.

24. Lektion einer Nacht der langen Sätze, in der die in einen Film ausgewanderten Figuren wieder wir werden; nur ein bisschen anders. Sie haben von Gerechtigkeit geträumt, sagen sie, jener zwischen Wirklichkeit und Fiktion. Sind von Land zu Land gezogen, überlebten in Schnitten, wo Bilder übergehen, wo sie sich lösen, untergehen, wiederkommen, das eine nicht ohne das andere. Dann fuhren sie auf einem Motorrad durch Teheran, hielten Herbstastern in ihren Armen, die wie hohe Laternen über sie hinausragten, ihnen hinterherleuchteten, als sie davonfuhren, und als sie zurückblickten, sahen sie sich aus dem Film treten wie aus einem Spiegel.

Das sind doch wir, sagen sie sich, wir lächeln, wir sagen: Wir suchen Günther, wir suchen Alexander, sie haben uns vor so langer Zeit verlassen, dass wir nur träumen können, dass sie je da gewesen seien.
Es nützt alles nichts, sagt Natascha, als wir um Mitternacht in Jaipur ankommen. Nennen wir es Jaipur, nennen wir es Mitternacht, der feinste, gebogenste Sichelmond steht über dem Palast der Winde, Schnitt im All, Schaukel der Irren, verloren haben wir hier nichts. Höchste Zeit, schlafen zu gehen. Aber wir sind nicht müde, würden lieber noch durch die nächtliche Stadt streifen, die lange Bazarstraße hinunter, die Tore der Läden, – Buchbindereien, Teehandlungen, Stoffgeschäfte – geschlossen. Vorbei an der Straßenkreuzung mit dem Platz der Pferdefuhrwerke, die Kutscher schlafen auf den Bänken ihrer Kutschen unter leichten Tüchern, die Pferde stehen zusammen, trinken aus einem Eimer, schauen kurz auf, schütteln die Mähne. Da laufen ein paar Leute auf dem Kopf. Das kennen sie, schlafen weiter mit offenen Augen. Kühe liegen mitten auf der Straße, in Tempeleingängen, fressen Blumen, Gras, das ihnen die Gläubigen gebracht haben, mahlen mit ihren gewellten Zähnen, atmen, verdauen. In den Palmen ein paar Affen. Aufgeweckt, sie

schauen grimmig, zeigen ihre Zähne, grrr. Kaum noch Verkehr, Stille hat sich ausgebreitet, Dunkelheit kommt aus der nahen Wüste, dem unbegrenzten Lager der Nacht, die immer tiefer wird. Die Sterne folgen ihren Bahnen, hell leuchten sie hinter den Zacken der Krone Shivas hervor, dem Palast der Winde, durch den die Nachtluft zieht, die Taschen voll Sand.
Unser Hotel ist ein Hochhaus am Rand der Stadt, die Gänge lang, gelb, könnte auch eine Klinik sein, ein Reha-Zentrum für ausgebrannte Polizisten, die Zimmer alle gleich wie in einem Motel. Von oben bis unten ist das Gebäude in ein riesiges Plastiknetz mit engen durchsichtigen Maschen eingepackt. Fenster, Balkone, das Dach, alles bedeckt von dem Netz. Gegen die Tauben. Die trotzdem kommen, sich verfangen, hängenbleiben, nicht herausfinden, langsam vor sich hinsterben, ersticken, verdursten, immer wieder bewegt sich ein Flügel, ein Schnabel öffnet sich lautlos mit letzter Kraft. Ihre Kadaver hängen verwoben im Netz, bilden einen Vorhang aus toten Vögeln, ihre feinen Knochen, Federn, ganze Brustkörbe, ausgetrocknet, gebleicht von der Sonne, langsam in Staub übergehend. Die Fenster lassen sich nicht öffnen, es riecht nach Verwesung. Wie sollen wir unter diesem Tuch schlafen können? Mantel eines bösen Zauberers.
Die zwei Hochhäuser neben dem Hotel haben die gleiche Netzvorrichtung, auch sie voll mit toten Tauben. Wir stellen unser Gepäck ins Zimmer, machen uns auf die Suche nach dem Restaurant. Siebter Stock. Der Barmann schläft in einem der Clubsessel. Camille bestellt Whisky. Kamal Bier, Abdul auch. Wir fragen, ob es noch etwas zu essen gibt. Die Kellner sagen: Huhn, Reis, Dal. Ja, sagen wir und sie ziehen ab in die Küche. Wieder Natascha: Was haben wir hier verloren?
Nichts, sagen wir alle auf einmal. Sitzen nur hier, trinken Bier, Whisky, siebter Stock. Rückkehr der Figuren aus einem wirklichen Film in Teheran nach Indien. Fortsetzung der wilden Seefahrt der Nacht, Aussetzung der Ohnmächtigen.

Wie in Gießen im kleinsten Café der Welt, sagt Helmudo. Gerade groß genug für uns, die Bande der Anarchisten, der Filmer, Theaterfreunde.
Wo sie über ihren finsteren Gedanken brüteten. Sie meinten es nicht böse, sagt Abdul.
In Gesellschaft all dessen, was ihnen fehlte, sagt Helmudo. Es war bei ihnen, ganz nah, hockte da, fehlte ihnen schon, als sie noch gar nicht da waren.
Seitdem liebten sie es mehr als sich. Waren genauso verloren, sagt Natascha. Das war, was sie in dieses Café brachte, mit der brotförmigen Bäckersfrau hinter weißer Schürze, die sie schützte, allein durch ihre Existenz, ihre Beständigkeit. Sie saßen im Zimmer neben dem Laden, in dem so alltägliche Dinge geschahen wie Brot kaufen, Brötchen, den trockenen Bauernkuchen der Hessen, das Leben ging weiter. Auch dort im Lahntal, wo an manchen Abenden auf der Lahn die leichten Boote der Indianer gesehen wurden, wie sie flussabwärts trieben.
Saßen da wie Sabzian bei seiner Filmfamilie, dachten sich Filme aus, Rollen, Kulissen, sagt Abdul.
Wisst ihr noch Trotzki? sagt Kamal.
Ja, sagt Natascha. Wie wir auf ihn warten, wie er dann endlich kommt, auf dem Feldbett liegt, neben ihm Lenin, beide unter Militärmänteln und waren schon lange tot. Haben sich aus dem Handbuch der Brasilianischen Stadtguerilla vorgelesen. Das viele Jahre später in Zürich bei der Räumung des Kulturbunkers von der Polizei beschlagnahmt wurde. Zwei Detektive haben es abgeschrieben, auf Anweisung des Chefs der Zürcher Kriminalpolizei Hubatka vervielfältigt, an alle leitenden Funktionäre verteilt, sie sollten es studieren, lernen vom Feind, wie Mao sagte, Fische im Wasser werden.
Traurige Geister eines ungeheuren Aufstands, sagt Camille. Wo ist er jetzt, wo ist die Arbeit, die Kühnheit, all die Erfahrung des Scheiterns, des Widerstands? Ich möchte noch ein bisschen im Wohnzimmer in Teheran bleiben.

Du meinst in der Tinte sitzen? sagt Abdul. Der Traum verdorben, die Täuschung enttäuscht.
Wäre da nicht der Film, sagt Kamal, geht den Weg der Täuschung zurück bis zu der Stelle, wo es aus uns sprechen will: Kommt in unser Haus, wir drehen zusammen einen Film von der Rückkehr der Träumer an den Tisch der Wünsche. Dann geschieht es, der Film, wir sind da, die Wünsche haben geholfen. Es ist diese Zeit, wir sitzen wieder wie im kleinsten Café. Vielleicht ein Märchen, bewegen uns im Raum einer Rückkehr, dahin sind wir gewandert, sehen zu, wie Wünsche wirklich werden können, ohne gegen die zu sprechen, die sie sich wünschen. Wir. Immer eine Bewegung der Geschichte, ihrer Richtungen, wie sie geht und folgt, was vorher war, was danach.
Umweg über Indien, sagt Abdul. Sprechen der Täuschung im Herz der Wünsche, ihm zuhören, als säßen wir darin, sprächen uns aus anderen Zeiten gut zu.
Unaufhörlich könnte ich mich in diesem Zuhören aufhalten, sagt Natascha. Darum arbeite ich noch immer im Theater, von jeher der Raum dieses Sprechens. Anrufung der toten Könige, der Seefahrer, der vielen Töchter, die für sie sterben mussten: Unbeweint, ungeliebt, unvermählt, tret ich Leidvolle geführt an den schon fertigen Weg. Ich Arme! Danton, Lucile, Sasportas, ihre Stimmen, sie antworten, sie haben nicht aufgehört, dazusein. Es gibt andere Welten, sie sind in dieser.
Der große Ganges, sagt Camille, nimmt die Toten auf, verschifft sie, bringt sie fort, führt sie den Gewässern zu, wo sich die Geister der ewigen Wiederkehr, die des Rads, der Zeit und ihrer Gestalten mit den Indianern kreuzen, den unverlierbaren, auf ihren letzten und allerletzen Fahrten. Odysseus war auch nur einer von ihnen.
Ja, meine Kleinen, sagt Helmudo, da sind wir wieder, wo wir noch nie waren. Ich denke an das Zimmer, in dem ich als Kind geschlafen habe, die Welt so nah bei mir. Ich hab mich an sie gehängt, die Wände mein Kleid, ganz leicht, als wären sie weiße

Blätter und ich ein paar daran geheftete Linien, Schnörkel, Bögen. Ich wob mich in sie ein und wurde gewoben. Nacht für Nacht habe ich Stroh zu Gold gesponnen.
Mir ist kein Tag in Erinnerung und auch keine Nacht, sagt Camille. In diesem Land, in dem nichts verlorengeht, nur einfach weiter seine Wandlungen durchläuft, in denen nichts zu nichts wird. Große Aufbewahrungsstätte Indien, die Zeit atmet ein und aus, hier sitzt in keiner Uhr der Tod. Was nicht mehr ist, treibt im Ganges anderen Gegenden zu. Rast über die Straßen, hupt, stürzt sich wie die grünen Sittiche oder wie ihre Brüder, die Krähen, am Rand des Arabischen Meers in Scharen aus den Kronen der Palmen auf irgendein Beutetier, eine Regung am Grund. Trabt mit den Kakerlaken, die manchmal die Erde erzittern lassen, wenn sie hinter dem Kellner her aus der Küche kommen, allein, einsam durchs Restaurant laufen, lauert mit den Raubvögeln auf größere Beute, harrt mit den beinlosen Bettlern auf den Verkehrsinseln aus, schlägt seine Zelte unter der Autobahnbrücke neben einer achtspurigen Straße auf, sieht uns an mit den Augen des Zwiebelverkäufers, winkt uns zu wie die Kinder in blauer Schuluniform, die gerade aus ihrer Little Flower School kommen. Liegt zwischen den Hunden auf dem Parkplatz hinter dem Khan Market, wo die Fahrer warten, die Autos, die Zeit, während im Tempel die Glocken geschlagen werden, Räucherstäbchen abgebrannt, Menschen mit ihren Opfergaben eintreten, farbige Zeichen auf der Stirn, sich verneigen.
Damals als ich wegfuhr, sage ich. Alle waren noch da, trotzdem fuhr ich oder deswegen. Täbris, Teheran, Maschad, Herat, die Buddhastatuen von Bamiyan, das Hochplateau im Inneren Afghanistans, Band e Amir, 3000 Meter hoch, mit seinen sechs Seen, die Landschaft wie ausgedacht, unberührbar für die Wahrnehmung, zu groß für jeden Gedanken, jemals da gewesen zu sein, viele Jahre später vielleicht das Gefühl einer Erinnerung aus einem anderen Leben. Da waren Augen, Haare, Haut, das helle Gewand, in einem der Hippieläden in Kabul gekauft,

wussten nicht, was sie waren, Auflösung der Zugehörigkeiten, Übergabe an die Landschaft, die unwahrscheinliche, wie sie *Wish you were here* singt, leise, du, ich, ja, wären wir dagewesen. Es gibt Landschaften, die nicht ihr Vorhandensein sehen lassen, sondern ihre Unvorhandenheit, die dich mitnehmen dahin. Du kannst sie spüren, hören, sie sind um dich herum, erfüllen dich, du drehst dich, Kopf im Nacken, die Augen geschlossen, die Arme ausgebreitet, segelst. Diese Landschaften sind nicht ausgedacht, keiner träumt sie, sie sind das Träumen selbst, das Phantastische der Tage und Nächte, ungewiss, was sie verbindet, was aus ihnen Zeit werden lässt. Bevölkert von Nomaden, die in Band e Amir während weniger Sommermonate ihre Zelte rund um die Seen aufschlagen, kleine Geschäfte betreiben für die Reisenden. GENERALSTORE steht auf einem Holzschild, in den Restaurants servieren sie zum Frühstück Joghurt mit Honig, es gibt Zelte mit Feldbetten, Filzdecken, Ende Juli, sobald die Sonne weg ist, schon wieder Minusgrade. Bald werden sie mit ihren Ziegen weiterziehen. In der Nacht die Sterne ein Geglitzer, viel zu nah, droht mich zu verschlingen, die sich aufgelöst hat in die Landschaft, die nicht weiß, wie sie sich je wieder auf sich beziehen können soll. Außer vielleicht wie in dem Lied, das die Landschaft singt – *Wish you were here*.
Schon damals, als ich im Inneren Afghanistans das Bewusstsein verlor, so überbordend war das Land, die Wüste, die Berge, Flüsse, Seen, so unausdenkbar gefügt, grenzte es an das Land der Verschwundenen, das phantastische, das mich beseelte, seit ich auf der Welt war, an seine Weite, seine Unermesslichkeit. Und wo auch schon der Vater war. Mir mitten in dem Leben, das sich zu trennen versucht von den Eltern, um ein eigenes werden zu können, abhanden gekommen.
Ich hatte Alexander kennengelernt, er war nach Köln gekommen, studierte dort weiter Film, ich war die meiste Zeit bei ihm, und dann stirbt mir der Vater, der mir doch aufgegeben war zur

Obhut, dass ich mich um ihn kümmere, ihn heile, froh stimme – Wahn der Tochter – und ich konnte es von Anfang an nicht. Noch einmal hat er mich die Vergeblichkeit gelehrt – die der falschen Zeit, des falschen Orts, des falschen Lebens. Er wurde vor dem ersten Weltkrieg geboren, schon kam der zweite. Dennoch gab er die Vorstellung nicht auf, dass es auch anders hätte gewesen sein können, wäre er nur an einer anderen Stelle ins Leben gekommen, als anderer, anders. So bewegte er sich gekränkt, mit kaputter Lunge als ein anderer durch sein Leben, beinahe ein Schweben zu nennen, und ich war die Tochter all seiner anderen. Bis zuletzt lief er als schöner, elegant gekleideter Mann auf der Erde umher, und als er zu schwach wurde, sich in seinem anderen Leben beizustehen, starb er, nahm mich mit. Ein großes Schiff, sieh, mit hellen Segeln, sagte er, der alte Erlkönig, ich war siebzehn Jahre alt, stand an seinem Bett in der Intensivstation. Sieh die blaue Bucht, das Schiff ist da, die Segel gesetzt, Wind kommt auf, schon entfernt sich das Land, komm. Seine letzten Worte. Sie haben mich nie verlassen.

Dann rauschten die Messgeräte, die Monitore piepsten, letzte Kurven rasten auf, ab, legten sich, Schläuche gurgelten im Zimmer äußerster Gefahr, in dem ein Mensch mit dem Tod kämpft, immer ein absurder Kampf, Ort eines Zaubers, trotz allem – und jeder Zauber ist gefährlich. All die Maschinen, lebensgefährliche Leuchttürme, Funkgeräte, Zufuhrregulierungsapparate, Messgeräte zum Kurshalten – sie sanken zusammen, gingen in die Knie, da segelte mein Vater hinaus, und das Meer machte weiter.

All das ist gewesen, auch als es noch nicht geschehen war. Sein viel zu früher Tod stand mir von Anfang an bevor, ging mit der Zeit, blieb mir voraus, unaufholbar. So fing das Auswandern an, das Wegfahren, die Morgenlandfahrt, der ich in Gestalt der Heiligen Drei Könige, der Weisen aus dem Morgenland, als kleines Kind im Kölner Dom sehr früh begegnet bin. Indien ist die Dif-

ferenz geworden, das Dazwischen der Zeiten, der Gestalten und was ihnen vorausgeht, dem sie folgen.
Da erwarten wir uns, erwarten, eines Tages in Indien gewesen zu sein, dessen Schule wir in der Schar der Verschwundenen betreten haben. Wir sitzen an unseren Plätzen, noch immer, lernen die großen Linien der Notwendigkeit, die Krümmungen des Irrtums in- und auswendig. All das ist geschehen, während wir uns den Wesen annähern, die wir waren, die wir wurden, in die wir übergegangen sind und dann waren sie fort, Tag und Nacht, Jahr um Jahr, großes Kino der Verschwundenen, der Ausgewanderten, der Boten aus dem Morgenland, die durch den Kosmos irren, die wir zusammenlesen aus den indischen Landschaften, Städten, Göttern und Geistern.
Ach, vergiss es, sagt Abdul.
Ich schrecke auf, bin ich eingeschlafen? Worüber haben wir gesprochen?
Bald drei Uhr, sagt Camille. Wir haben Huhn gegessen, Reis, Dal, Schalen und Schüsseln, die sich um uns stapeln, Teller, Gläser, Flaschen, die müden Kellner sitzen im hinteren Teil des Restaurants, warten, schlafen, dämmern vor sich hin.
Das ist wie in dem Buñuel-Film, sagt Kamal mit kleinen braunen Augen, die ihm tief in den Höhlen liegen. Keiner verlässt mehr den Raum, keiner kann es, keiner sagt es. Aus Indien gibt es keine Rückkehr, das aber ist die Rückkehr, nach der wir suchen: Es gibt sie nicht. Nichts lässt sich ungeschehen machen, was geschehen ist, es ist, es war, jede Einbildung und jede Nicht-Einbildung.
Wie wir es im Seminar bei Günther gelernt haben, sagt Natascha, als wir auf dem Bauplatz in Wyhl zelteten. Wir kommen dem immer näher, verwirren uns, jeden Tag mehr, werden nervös, was werden wir in Delhi sehen? Wird Alexander da sein? Was, wenn wir uns schlafen legen? Allein im Zimmer, unter dem Zaubermantel der toten Vögel.

Mit dreizehn im großen Haus von Elsemarie, sage ich, im Ozean auf dem Schnorrenberg den Gesang ihrer Schwester gehört. Sie war ein gestrandeter Blauwal, der sich in seinem Bett wälzte und mit dem Ozean sprach. Alter Ozean, nannte sie ihn und fragte uns: Wollt ihr meine Freunde sein? Ja, flüsterten wir andächtig, wie es nur Dreizehnjährige können, und das Haus legte ab, wir schwammen im Nachmittag, getragen von ihren Tönen, breiteten uns aus. Um uns her die Bauern der Gegend, das hügelige Land, Felder, Wiesen, die Gastwirtschaft unten im Haus, die Jagdbeute des Vaters, Rehe, Fasane, Hasen, die auf der Kühltruhe im Durchgang zum Hof lagen, das Wohnzimmer mit dem Klavier, auf dem mir Elsemarie den *Schwarzen Vogel* vorgespielt hat. Kaum ließ sie die Melodie hören, kam er, jedes Mal, schaute zum Fenster herein. Wir schwankten auf hoher See, waren Halbgeschwister des Blauwals, zwei Mädchen am Rand der Stadt und der Kindheit. Wir streiften über die Buchsbaumhecke, die den prächtigen Garten vor ihrem Haus einfasste, auf der Pfauen schritten, Fasane, wenn ihr Vater sie nicht abgeknallt hatte, auch Rehe waren aus der Hecke geschnitten, große, grüne Tiere, während der Pfau sein Rad entfaltete, tausend Augen starrten, ein Rebhuhn lief eiligen Schritts voran, sie waren die Wächter des Lands, hockten auf Zäunen, bewachten die Übergänge.
Aber da liege ich endlich im Bett. Nachdem wir so lange weitergeredet hatten, dass wir nicht mehr wussten, wie wir hießen, konnten wir uns endlich erheben, den umgesunkenen Kellnern gute Nacht wünschen, auch uns und den toten Vögeln vor den Fenstern. Der Schlaf bedurfte keines Übergangs mehr, bald dämmerte der Morgen. Ich wurde von der endlosen Zeit mitgenommen, glitt ruhig dahin im Ganges der Müdigkeit.
Als wir aufstehen, ist es Mittag, die Sonne steht hoch.
Im Restaurant herrscht Hochbetrieb, sie haben uns auf einem Seitentisch das Frühstück zurückgestellt. Wir bekommen Kaffee, Toast, Jam. Wir sind müde, langsam, kauen vor uns hin wie

die Kühe, haben kaum ein Gefühl, wie wir die Nacht verbracht haben – so schnell ging sie und dauerte ein Leben. Vor dem Hotel liegt der große Platz im Schatten der Hochhäuser, am Rand ein kleiner Tempel, mit ein paar Stufen davor, die Glocken läuten, leises Singen ist zu hören, Tantren werden gelesen, ein paar Kühe tanzen, Bettler hocken zusammen, reden miteinander. Ansonsten ist der Platz leer, galaktisch wie das taubengraue Leichentuch des Zauberers.

Wir besuchen die Stadt, wie wir es uns in der Nacht vorgestellt haben. Lassen uns von den Affen vertreiben, ihren Zähnen, die sie uns zischend entgegenstrecken. Gegenüber dem Palast der Winde besuchen wir eine Tempelanlage. Ein Gewirr aus Stufen, Räumen, Innenhöfen, Dächern. Am Ende eine Gebetshalle mit riesigen Gongs, die von den Kindern des Priesters geschlagen werden. Später sehen wir sie auf dem Dach Blindekuh spielen.

25. Lektion von der letzten Station vor Delhi, von den angemalten Palästen der reichen Marawi-Kaufleute, vom Dorf der Schmiede, dem Schlagen des glühenden Eisens und Kamal, Kamera vor dem Auge, mit dem Kopf gleich neben dem Hammer, von den Ängsten, den wachsamen, die nicht dafür da sind, sich zu erfüllen, von der Schlaflosigkeit in Jhunjhunu, als wir unterm Netz der Moskitos liegen und sie uns anfallen, Alpträume, ungeschickte Botschaften ohne Anfang, ohne Ende und kehren doch wie alle Botschaften zurück. Hausen in einem runtergekommenen Hotel, voll mit Zimmern, in denen niemand erwartet wird, seit Jahren keine Gäste mehr, nur die Angst steht uns bei.

Unser letzter Abend in Jaipur, die Anlagen der Sternenschauer schon lange geschlossen. Auf dem Weg zurück ins Hotel laufen wir durch die Straßen, hie und da kleine Feuer, Menschen, die auf dem Bordstein kochen, zusammenhocken, ihr Mahl zu sich nehmen. Die meisten Geschäfte schon geschlossen, einzelne Papierhandlungen noch offen, aus denen das schwache Licht einer einzigen Glühbirne dringt. In einer schmalen Seitengasse im Viertel der Emaillierer sehe ich ein Haus, vor dessen Tür eine große Uhr hängt. Es ist kurz nach zehn, wird es immer bleiben. Die Zeiger aufgemalt. So spät schon.
Da ist eine Straße in Jaipur, in der wohnt in einem Haus die ewige Zeit, kurz nach zehn, denke ich, als ich im gelben Zimmer unter dem Mantel des Zauberers im Bett liege, müde von den Nächten vorher, in denen uns das Schauspiel Indiens wachgehalten hat. Nächte, in denen wir die Reise des Tages von der anderen Seite her wiederholten. Wir mussten es tun. Auf den Spuren der toten Tiere in ihren Glassärgen, der ohnmächtigen Kinder, im Reich der blauen Hunde, die nichts und niemandem angehören. Ihr Fell ist einmal weiß gewesen mit hellbraunen Flecken auf dem Rücken. Dann haben sie von dem Wasser aus

den Becken der Färber getrunken, und sie sind blau geworden. Bis zu den Ohrenspitzen. Auch das Weiß ihrer Augen. Seitdem sind sie die blauen Wächter von Dharavi, wo Menschen eine Schuld ableiden, die nicht die ihre sein kann. Sie leben als Sklaven, arbeiten als Leibeigene, sind Unberührbare, Verdammte. Im Herzen Mumbais die Hölle, in der Menschen schneller arbeiten als sie sterben können. Das ist der einzige Grund, warum sie nicht schon tot sind. Nicht sie überleben ihren Tod, nur das, was aus ihnen herauszuholen ist. Sie sind lebendig begraben unter der Bedingung ihres Lebens in diesem Slum, in diesem Gebiet der Menschheit, das keine Unterwelt ist, kein Reich der Toten, in dem nichts zählt außer einer alles vernichtenden Produktivität. Es geschieht im Licht, am Tag, auf der Erde, jeder kann es sehen. Kein Gott hat sich so etwas ausdenken können. Sie sind vierzehn Jahre alt und kochen Plastik. Sie sind vierundzwanzig, zehnfache Mutter und sitzen mit ihren Kindern im beißenden Qualm der Töpferöfen, die sie mit Plastik, ölgetränkten Lumpen, Kadavern von toten Tieren befeuern. Jeden Tag, jede Nacht ihres Lebens verbringen sie in äußerster Enge, auf giftiger Erde, ohne fließendes Wasser, mit Strom, der irgendwo aus dem Himmel kommt, arbeiten in tödlichen Dämpfen an Maschinen, die alles fressen, Plastik, Metall, Knochen, Fleisch, sitzen in langen Reihen am Boden, Männer, Frauen, Kinder. Ein Aufseher sitzt draußen vor dem Schuppen, starrt in sein Handy, telefoniert, trägt goldene Ringe, wie es im Buch steht, dreht ihnen den Rücken zu, nimmt keine Notiz, es sei denn, sie würden durchdrehen, schreien, ihn mit einem Messer attackieren. Was nicht geschieht. Vor jedem von ihnen liegt ein Berg Plastikabfall, den sie in zwei kleinere Häufchen sortieren: schmelzbares und nicht schmelzbares Plastik, als gäbe es nichts anderes, als wäre der Mensch dafür da, den Berg von Abfall vor ihm abzutragen, zu sortieren und wieder von vorne anzufangen.

Im Schuppen gleich daneben arbeiten die Plastikzerkleinerer

mit Mundschutz, in schwarze Lumpen gekleidet, fast nackt, schöne junge Körper, die sich hier die Lungen verätzen, jeden Tag, schon atmen sie wieder, auch der Rauch tut gar nicht mehr weh, der ohrenbetäubende Lärm kaum mehr hörbar. Da ist kein Schmerz, der nicht durch den nächsten erneuert würde. Es geht auch nur um diesen einen Tag noch, etwas zu essen, vielleicht eine Schlafstätte, und weiter das Leben überleben. Sie werden nicht alt. Und wir haben sie angesehen, sie uns, was haben wir gesehen, was berührt und mit wessen Augen? Standen wir am Fenster, schauten wir hinaus, sehnten uns nach Moskau, wie die *Drei Schwestern* von Čechov? Gute russische Geister, die mir immer einfallen, wenn ich nicht weiter weiß. Und eine von ihnen, Irina, die ältere, schon wieder sagt sie: »Die Zeit wird kommen, da werden alle erfahren, wozu das alles, wofür das Leiden, es wird keine Geheimnisse mehr geben, und bis dahin müssen wir leben ... wir müssen arbeiten, nur arbeiten ... Wir haben Herbst, bald kommt der Winter, der alles mit Schnee zuschüttet, und ich werde arbeiten, werde arbeiten.« Mit ihren Worten, mit der Vorstellung von Arbeit, die uns über das Vergehen der Zeit, das Zerrinnen des Lebens, seine Sinnlosigkeit trösten kann – wollten wir nicht alle nach Moskau? mit diesem vielen Schnee, der nicht aufgehört hat zu fallen, gleiten wir dahin: Die Nacht, ich, der abwesende Zauberer, sein Mantel ein Gewölbe, die Federn der Vögel, die sich darin verfangen haben. Bis sie sich zu bewegen beginnen, Farbe annehmen, blau, grün, gelb, leuchten, sich zu Flügeln zusammenfügen, Brustkasten, Kopf, Schnabel, die kleinen Krallenfüße, sie werden zu Vögeln, da, sie fliegen auf, es ist hell geworden, schon lange, kurz nach zehn, ja, ewige Zeit.

Als ich zum Frühstück komme, sitzen alle da. Reisefertig?

Helmudo breitet seine Arme aus, flattert, na klar, sagte er. Siehste doch. Er lacht, hat wieder so ein von der Straße gekauftes Hemd an, das ihm nur bis zur Taille reicht.

Ah, Festkleidung, sage ich.

Noch von der Konfirmation, sagt er. Dann kommt Kanjar, der Tonmann, der wie die Tarahumaras immerzu läuft, kann nicht stillsitzen, eilt auch jetzt ins Restaurant, hinter ihm Ashanti, Kamals Cutterin, die am ersten Tag der Reise, als wir von Mumbai losfuhren, so krank war, bleich, konnte nichts essen. Jetzt sieht sie besser aus, bleibt im Hintergrund, schweigsam, leicht abwesend, als würde sie ständig an einem Film arbeiten, seine Teile schneiden, von denen wir noch nicht wissen, dass es Teile sind. Die Beiden haben uns nach der Bio-Cotton-Farm verlassen, mussten zu Dreharbeiten, nicht weit entfernt. Jetzt sind sie wieder da, werden mit uns kommen bis Delhi. Heute steht ein Besuch im Dorf der Schmiede an. Einladung eines Freunds von Alexander. Er, Pankrash, ist Ingenieur, hat in Mumbai im IIT studiert, wo wir ihn getroffen haben. Er kommt aus dem Dorf der Schmiede, die ihm das Studium finanziert haben. Unter seiner Anleitung können sie nun Maschinen bauen, mit denen sie riesige Pfannen schmieden. Er organisiert Führungen, zeigt ihre Produkte, Lampen, Teller, Schüsseln, Töpfe aus Stahl, versucht Partner zu finden, entwickelt Verteilungsstrukturen, die es in Indien so gut wie gar nicht gibt. Alexander hat für ihn vor ein paar Jahren einen Film gedreht von den Schmieden im Dorf, wie sie arbeiten, leben, von ihren Vätern und Großvätern. Der Film wird in Museen gezeigt, in Schulen, auf Industriemessen. Die Yaaga-Leute haben uns empfohlen, ihn zu kontaktieren. Er war mit Alexander auf Reisen in den Himalaya, zu den Tibetern in Dharmsala. Sie hatten die Idee, eine Schule für Kinder wie ihn aufzumachen, aus armen Dörfern. Dann lange nichts mehr von ihm gehört, lebte zuletzt in Hampi, hat ihn dort noch besucht, erzählte er uns in Mumbai und wir verabredeten uns für den heutigen Nachmittag.

Bald sitzen wir im Bus, fahren los, wollen noch ein bisschen mit dem Gefühl unterwegs sein, unsere Geschichte verloren zu haben. Noch suchen wir Alexander, denken, ihn vielleicht

in Delhi zu treffen, Filme zu sehen von ihm und vielleicht zu erfahren, was geschehen ist. Mit ihm, mit Günther, mit uns.
Je näher wir kommen, desto unwahrscheinlicher wird mir unsere Suche, wer sind wir? Alte ehemalige Jugendliche, Studenten, Freunde einer gewissen Zeit, Hippiesympathisanten, die auf der Spur von ein paar Erinnerungen sich selbst zu vergessen beginnen, ihre Geschichte verlieren, vor allem vergessen, sie verloren zu haben. Denn da ist sie, sie ist da, sinnlos, aufgelöst und eingelöst. Das Ende unserer Reise naht, wie wollen wir je diesen Zustand verlassen? Waren wir je in einem anderen?
Es ist still im Bus, Kamal schläft, Abdul hat Kopfhörer auf, schaut zum Fester raus, Natascha und Helmudo sitzen vorne neben den Fahrern, sprechen ein paar englische Worte mit ihnen, zeigen, lachen. Die Route ist nicht klar, die Fahrer wissen nur ungefähr, wo wir hinwollen. Kleinere, abgelegenere Orte sind auf keiner Karte verzeichnet. Noch sind wir auf einer der großen Straßen, bald werden wir abbiegen, ins Land fahren, an Feldern vorbei, auf denen Dromedare den Pflug ziehen, neben ihnen der Bauer, war in einem früheren Leben auch Dromedar oder wird es in seinem nächsten wieder sein, sie wechseln sich ab. Nawalgarh finden wir zwar auf einer Karte, doch nach der Karte finden wir Nawalgarh nicht. Wären da nicht die Führer, die für ein paar Rupees mit ihrem Auto oder Motorrad ein Stück vorausfahren bis zur nächsten Kreuzung, wo ein anderer sie ablöst. Es ist später Mittag als wir ankommen. Die Straßen sind eng, voll, Kleinbusse, Motorräder, Staub, überall Rinnsale von brackigem Wasser, Büdchen mit Esswaren, Wagen mit zerkleinertem Eis, Tiere, Menschen, verkleidete Affen an Ketten, Schellen an den Füßen, machen Kunststücke, ihr Dompteur mit rotem Turban lacht, sammelt Geld ein, schimpft mit den Tieren, wenn sie nicht weitertanzen wollen. Kinder springen um die Affen herum. Nur schauen, schnuppern, träumen und gerne weiter dastehen, schneller sinken als alles, was sich bewegt, anwachsen, Baum werden, Gras. Da rufen die anderen. Ich eile

ihnen nach, überall an den Hauswänden Fresken, springende Pferde, Männer, Frauen, laufende Elefanten, Krishna und seine Weidemädchen, junge Hirtinnen, für die er Flöte spielt, die ihm Butter bringen, der Fluss teilt sich, der Wald brennt, Könige werden begrüßt, die aus dem Krieg zurückkehren. Im Podar Haveli Museum irren wir durch Hallen, über Treppen, tauchen auf Dächern neben Kuppeln auf, so viele, kleine, große, runde, längliche, ausgebleicht von der Sonne, schwarz angelaufen vom Regen, Fahnen, Wimpel, blau, rot, grüne Ornamente, alles ausgemalt, Schnörkel, geschwungene Rahmen, endloses Band träumerischer Erscheinungen. Sie haben die Welt gesehen, sie mitgenommen, haben sich Kino vorgemacht, Abenteuer der Kaufleute, Schiffe fahren übers Meer, Fesselballone tragen Paare in die Höhe, hier auf die Wände projiziert. Vom obersten Dach sehe ich in den Hof eines älteren Palastes, nicht bemalt, geschlossen, verlassen. Bis auf eine Kuh, steht dort unter einem Baum, kaut, gleich kommt Krishna, ein leuchtendgelbes Tuch liegt in der Sonne, wir hören Kinder rufen, sie spielen Verstecken oder wir. Ich sehe Helmudo auf dem Dach gegenüber, er duckt sich, taucht auf einem anderen wieder auf. Natascha unten in der großen Halle mit den Springbrunnen hockt hinter einem Elefanten und Abdul kommt an ihr vorbei, hat sie nicht gesehen, erschreckt sich. Ich lache, wir rennen treppauf, treppab, stehen in Nischen, unter Bögen, springen hervor, wissen bald nicht mehr, was innen und was außen ist.

Weiter geht unsere Fahrt durch einbahnige Straßen mit laut hupenden Autos, die entgegenkommen, nicht ausweichen, durch enge Kurven, die nur mit Klopfzeichen, unablässigem Vor- und Zurücksetzen, Weiterklopfen bis auf den Zentimeter genau zu durchfahren sind. Bis wir eine Kurve erwischen – an beiden Seiten Häuser – die selbst für unser Busfahrerteam zu scharf ist. Alle Fahrkünste, die uns bisher durchgebracht haben, diesmal steckt der Bus fest. Das ganze Manöver dauert mehr als eine Stunde. Wie immer sind sofort viele Menschen da, schauen

zu, kleines Volksfest des steckengebliebenen Busses mit Kindern, Alten, Hunden, Eisverkäufern. Sie freuen sich, diskutieren, feuern die Fahrer an und als die endlich aufgeben, lachen sie noch mehr. Dann sind schnell ein paar Fahrzeuge aufgetrieben, in denen wir weiterfahren können. Kamal sitzt mit der Kamera auf dem Dach des Autos vor uns, Abdul hinten auf einem Motorrad. Ich fahre mit Helmudo und Natascha, sitze vorne neben dem wildfremden Fahrer, der indische Popmusik spielt, voll aufgedreht, bisschen Technobeat, Ethnogetrommel, Dschungelgeräusche und über allem der Gesang tschilpender Frauenstimmen, Krishnas Weidemädchen. Der Fahrer singt laut mit, Fenster offen, bei uns die Sonne, die mild ist, schon tief gesunken. Indien, was bist du?
Sultana. Wir werden empfangen, Pankrash wartet mit ein paar Männern auf uns. Wir laufen über sandigen Boden, durch niedrige Sträucher, trockene Hecken, an kleinen Bäumen vorbei, Hühner laufen herum, Ziegen, überall Plastikabfall, gehört in jede indische Landschaft. Wir sehen Handwerker, die Lampen herstellen, Draht um feine Stahlgerüste wickeln, oder Schalen, Körbe. Wir besuchen verschiedene Schmiedewerkstätten, wo sie glühendes Eisen schlagen, ein Alter mit weißem Bart, in hellen Kleidern, hochaufgerichtet, ein Guru am Blasebalg, der die Glut anfacht. So haben sie vor vielen hundert Jahren schon das Eisen geschmiedet. Sie bringen uns süßen Tee, wir stehen auf dem Dorfplatz, die Frauen haben sich auf den Dächern versammelt, schauen auf uns herab, nur wenig verschleiert, beobachten uns. Ein Alter lehnt gegen eine Mauer, auf der seine kleine Enkelin steht. Er hat sie hochgehoben, dass sie uns besser im Auge hat, hält ihre Hand in seiner, keiner von beiden lässt los. Sie trägt eine lila Kurta, die passende Hose dazu, er hat sein Haar mit Henna gefärbt, es leuchtet, sie verziehen keine Miene, schauen durch den Tag und morgen wieder zurück. Auf einem Motorrad wird ein Schaf an uns vorbeigefahren. Ein Mann hält den Lenker, ein anderer das Schaf. Es schreit nicht, Kinder lau-

fen nebenher, machen das Kopf-ab-Zeichen, Schnitt durch die Kehle mit dem Handrücken, sie grinsen.
Später sehen wir das Tier an den Hinterläufen aufgehängt in einer Nische zwischen Häusern, abgewandt, geschützt. Die zwei Männer sind dabei es zu häuten, schnelle Schnitte, schweigsam, zerlegen es. Schaffleisch am Abend, gebratene Leber, erst als wir den Muezzin rufen hören, wird uns klar, dass wir in einem muslimischen Dorf sind.
Der Himmel hat sich zugezogen, schnell fällt die Nacht, ein Grollen. Camille sagt: Es gibt ein Gewitter. Ich sage: Nein, auf keinen Fall, ist doch nicht die Jahreszeit dafür. Wir verabschieden uns, wollen uns wiedersehen, werden auf Autos verteilt, die uns zum Bus zurückbringen. Jetzt auch Blitze in der Ferne, nach wenigen Kilometern Fahrt setzt Regen ein. Sag ich doch, sage ich. Keiner hört es, wir sind müde, ahnen etwas von der Zeit, der wenigen, die uns noch bleibt. Vom Hotel in Jhunjhunu, das zum Weinen ist, ohne Trost, das uns erwartet, uns ergreifen wird, den Schlaf nehmen, gefräßig, ängstlich, wir haben nichts Besseres gefunden. Nun noch das Gewitter. Der viele Regen schliesst uns ein, trommelt aufs Dach: Seid wachsam, seid wachsam. Die Luft um uns herum schwimmt, rinnt an den Scheiben hinab, als führen wir unter Wasser, die Straße löst sich auf, Schlamm, Pfützen, ein bisschen Asphalt. Die Busfahrer wie immer zu dritt, Augen dicht an der Windschutzscheibe, treiben durchs Meer, erreichen die Stadt, es ist dunkel, keine Menschen auf den Straßen, die Häuser nicht beleuchtet. Ein großes Reklameschild aus besseren Zeiten, Shekawati Hotel, Conference, Marriage, Party Hall, 50 Meter. Gleich neben der Militärakademie. Der Busfahrer biegt ab, hält an, öffnet die Tür. Kleine Bäche fließen durch die sandige Straße, an den Rändern Müll, Bäume, die sich im Wind biegen. Wir wollen nicht aussteigen, bleiben sitzen, lieber weiterfahren. Es regnet in Strömen, keiner von uns hat irgendeine Form von Regenschutz dabei, ist nicht die Zeit für Regen.

Schließlich rennen wir los, Gepäck später, das Foyer des Hotels, auch hier die besseren Zeiten, alte Spiegel, durchgesessene Sofas, große Rautenmuster an den Wänden, und wie sie so lange schon vorbei sind. Wann kehrten die letzten Gäste ein? Zwei Männer tauchen auf, sagen nichts, staunen nicht, nicken kurz. Sie holen hinter dem, was einmal ein Tresen war, Schlüssel aus einer Kiste, gehen voran in den ersten Stock. Die Zimmer verschlossen, sie schließen sie auf, lassen die Schlüssel stecken, weg sind sie. Wir gehen von Zimmer zu Zimmer, stehen darin herum, starren die Wände an, hellgrün, mit dicker Ölfarbe gestrichen, die eisernen Bettgestelle, Betttücher geflickt, mit vielen kleinen Stichen verstärkt, der Stuhl wackelt allein vom Ansehen, hat vier unterschiedliche Beine, in der Ecke ein schmaler Schrank, bloß nicht aufmachen, steht einer drin, hat Zeit, kommt, wenn wir schlafen. Kein Fenster im Zimmer, nur im schmalen Bad daneben, die Toilette ein Abtritt im Boden, die Dusche tropft aus einem Rohr an der Decke, winziges Waschbecken, braune Spuren von den rostigen Wasserhähnen, lassen sich kaum öffnen, dünnes Rinnsal, Geckos bewachen die Einrichtung, ihre Augen starr, die Haut bleich, langsamer Zerfall der Dinge, nicht aufhaltbar. Hier frisst die Zeit und kommt nicht wieder. Welches der Zimmer uns mehr bedrückt, wir können es nicht sagen. Sind unentschlossen, die Angst hat uns eingenommen, hier sollen wir schlafen können? Hier unsere letzte Nacht unterwegs verbringen? Wir kommen nicht mehr weg aus der Stadt, viel zu spät schon, die Szene gekippt und wir unter Wasser.

Etwas an den Räumen kennen wir, vertraut von jeher, als wir aus dem Meer kamen, und es war voll mit ertrunkenen Kindern, wir wurden sie nicht los, auch als wir schon an Land waren, geboren. Es waren zu viele. Wir waren so klein in den Häusern nach dem Krieg, und wie sie aussahen, wie sie uns ansahen, so nah am Boden, die Augen an den Wänden, in den Rissen, Furchen, Adern, die großen Linien unserer frühen Wahrnehmung, die wir mit Händen, Füßen, mit den Lippen entlang fuhren, die Augäpfel offen für die verletzten Räume, ihren darin zusammengebrochenen Himmel, die Not der Zimmer, die kargen Versuche, es schön zu machen, abzudecken, etwas hinzustellen, was sich nicht regte, damit sich der Schrecken nicht weiter ausbreitete. Von da kamen immer die Kinder, auf ihren untergegangenen Schiffen, riefen: Wir sind wie ihr, steht uns bei. Die Stadt voll mit Trümmergrundstücken, das Haus der ehemaligen Nachbarn eine breite Lücke, Durchsicht auf kleine Birken, die schnell in spärlichem Sonnenlicht gewachsen waren, Blätter gelb, Schutthügel, auf denen Kletten wuchsen, dunkelgrün, die Blüten lila, stachelig, fest, alles war angesteckt, die Spuren des Untergangs, des Endes, das vor uns war, und wir aus den Wracks am Meeresgrund gekommen, unsere Blauwalmütter hatten uns da rausgeholt.

Wir hatten es geahnt, fürchteten uns, wollten hier nicht bleiben und wussten nicht wohin sonst. Wir mussten was essen, vielleicht würde das uns helfen, ein bisschen raus, uns beruhigen. Im kleinen Foyer neben den durchgesessenen Sofas unsere Koffer, wir ließen sie stehen, würden wiederkommen, wollten an nichts erinnert werden. Wo war die Stadt, alles so dunkel als wir kamen. Die beiden Hotelmänner hatten den Busfahrern den Weg ins Zentrum beschrieben. Wieder in den Bus, immer noch Regen, weiter. Die Straßen bleiben dunkel, die Gebäude ohne Licht. Keine Menschen, enge Gassen, Kühe. An den dunklen Fassaden große bunte Plakate, die für einen Film oder eine Medizin werben. An einem Platz hohe Häuser, riesige Fassaden, Schilder von Restaurants. Nur hinter einem brennt Licht. Neun Uhr und niemand sonst auf der Straße, noch nicht einmal Autos.

Wir versuchen es, die Tür geht auf, wir treten ein, kleiner Flur, dahinter ein sehr breites Treppenhaus mit hohen Wänden, weißgestrichen, steigen in den ersten Stock, schwaches Licht dringt durch eine Glastür. Wir stoßen sie auf, vor uns liegt ein

riesiger Saal, voll mit Tischen und Stühlen, alle gedeckt. Jeden Moment wird hier *Peterchens Mondfahrt* aufgeführt werden, wie in den Rheinterrassen jedes Jahr zu Weihnachten. Mit dem Mond, den Kindern, dem Käfer und den abgebrannten Ländern. Noch ist niemand da, die Gäste werden jeden Moment kommen. Oder wir sind im Festsaal der *Titanic*, unterwegs auf hoher See, draußen treibt Packeis vorbei. Der Boden besteht aus schwarzen und weißen Steinplatten, die Tischdecken rot, die Wände auch rot, an denen sich offene Schränke hinziehen, in denen Geschirr und Gläser aufbewahrt werden könnten. Sie sind leer. Oben auf den Schränken stehen Gläser voller Strohhalme neben springenden Porzellanpferden. An der Decke jede Menge Ventilatoren, also doch ein Raumfahrzeug. Drei junge Männer stehen neben dem Eingang um eine niedrige Theke, sie sind die Kellner, schauen uns an als wären wir Außerirdische. Ich weiß nicht, wer sich mehr erschrocken hat. Ja, sagen sie, wir können noch was essen, bringen uns die Karten, dick in Plastik eingebunden, speckig, mit vielen Seiten und noch mehr Gerichten, die es aber nicht gibt. Wir bestellen Suppe, Reis, Gemüse, was wir überall bestellen und es ist immer gut. Sie haben auch Bier, Whisky, wir leben langsam auf. Können nicht fassen, in was für eine Gegend wir hier geraten sind. Als ich auf die Toilette gehe, ein paar Stufen führen in einen Innenhof, sehe ich, wie riesig das Gebäude mit angrenzendem Hotel und anderen Festsälen ist. Die Toiletten auch schwarz-weiß gekachelt, an der Wand über den Spiegeln ein Bild von Shiva als Baby mit einem goldenen Armband um das runde Ärmchen. Seine Haut lila, das Gesicht voll goldenem Glanz. Auf der anderen Seite des Innenhofs Stufen, auf der obersten sitzt ein Inder in weißem Gewand, einsamer Gast.
Die Kellner bringen das Essen rasch, ziehen sich gleich wieder an die Theke zurück, von wo aus sie uns nicht aus den Augen lassen, die Köpfe zusammenstecken, sie hin und her bewegen, wie nur Inder es können, tuscheln, leise kichern. Immer wieder

fällt während des Essens für kurze Zeit der Strom aus, das Licht schwankt, vielleicht haben wir gerade den Eisberg gerammt. Wir hören Donner. Es hilft nichts, wir brechen auf, langes Prozedere mit dem Bezahlen, sehr kompliziert, das kennen wir. Schweigsam fahren wir zurück, die Straßen noch aufgeweichter. Im Hotel ist niemand, wir nehmen unsere Koffer mit auf unsere Zimmer, laufen noch ein bisschen herum, sagen immer wieder gute Nacht, morgen früh losfahren, ja, ganz früh, die Strecke noch weit bis Delhi, dann schließen wir die Türen und eine unheimliche Nacht hebt an, ruft die Bilder des Vergessens auf, alles, was uns entgeht, was wir nicht wahrnehmen können im unablässigen Weiter und Weiter des Lebens. Bilder, wie die, die uns der letzte Film aufbewahrt, von dem es heißt, er laufe ab vor dem inneren Auge, wenn wir sterben, sehr schnell und sehr rückwärts.

Die Bilder kommen als eine Bitte. Bitte um Erbarmen für das andere, das andere in mir, ihm das Wort lassen, seine ungeschickten Botschaften, Poste Restante, Main Post Office India. Reich unzugestellter Post, die ohne Absender, die unablässig ins Nirgendwo zurückkehrt. Hör zu, sieh, antworte. Theaternacht, schnell, die Kulissen rausgeholt, aus der Decke gelassen, vor die Wände geschoben, Szene eingerichtet für die Gäste, die sich auf den Weg gemacht haben, das Fürchten zu lernen. Verdopplung, zweites Leben, ohne das es kein erstes gibt, unablässige Arbeit daran. Die Windmaschine angestellt, läuft auch ohne Strom. Sie kommen zu uns in der Nacht, wir können nicht entkommen, liegen unter unseren Moskitonetzen, durchsichtiger Raum im Raum, stockfinster, Geräusche, das Herz klopft, Blut rauscht, Adern, Eingeweide, wir hören ihnen zu, was sie uns beizubringen haben, was ihnen fehlt. Botschaften der Hippies, der Sehnsuchtskranken, der Haltlosen ohne zweites Leben, die sich hier versammelt haben, nicht weiterwussten. Ihr Traum von einer Blumensprache, so zart, so farbig und froh, bis heute nicht aufgeblüht.

Ich habe mich nicht ausgezogen, die Kleider anbehalten, nur schnell die Zähne geputzt, liege auf dem Bett, warte. Wieder ein Knall, Gewitter, der Blitz hat irgendwo eingeschlagen. Nein, es ist der Generator im Hof, der wieder anläuft. Dann werde ich hochgehoben, gezogen, weiter, bis ich über einem Feld schwebe, ich sehe ein paar Leute, sie kommen aus der Stadt, ein blaues Pferd läuft ihnen voraus, Fahnen, Konstantins Zelt, Soldaten, die seinen Traum vom Sieg in der Schlacht an der Milvischen Brücke, 28. Oktober 312, bewachen. Es ist die Nacht davor. Sie kommen wieder, die Verrückten, die Hippies, die Kinder von Blumen, zerlumpte, verkommene Schar und sie rufen: Freiheit heilt. Wir legen unsere Namen ab, von nun an tragen wir keine mehr, lassen uns nicht mehr nennen, heißen jeden Tag anders, wir müssen so frei sein, es ist unsere einzige Chance, keine Zeit ist zu verlieren, nie mehr werden wir in die Anstalt zurückkehren, nie mehr den Dienst der Verrückten übernehmen, die andere bewachen. Wir wissen, wo unser Grab ist, und sie stürmen davon übers Feld, verschwinden, ein Schatten am Horizont, dann nichts mehr.
Als ich am Morgen kurz nach sechs endlich das Zimmer verlassen kann, sitzen die anderen schon unten im Foyer, haben Gläser mit dünnem Tee in der Hand, alles Gepäck dabei, nichts zurückgelassen, die Rechnung bezahlt. Die Luft ist frisch, der Regen hat aufgehört, ein paar Hunde ziehen um die Ecke, vor der *Soldier Factory* steht ein junger Mann mit Gepäck, klingelt, wartet auf Einlass. Wie gerne würde ich ihm sagen: Lass es. Schaue ihm nach, wie ihm die Tür geöffnet wird und er eintritt. Wieder im Bus setzen wir zurück aus der kleinen Seitenstraße, fahren durch die erwachende Stadt, überall Feuer, Menschen, die sich darum versammeln, die aus Zelten, Hütten, Verschlägen aufstehen. Schnell sind wir aus der Stadt, fahren an Feldern entlang, hinter denen die Sonne aufgeht, lautlos, kleiner roter Ball. Hätte ich nicht die Wörter Sonne, Indien, Morgen, Rajasthan, ich würde mich mit Ball, rot, Erde begnügen. Mitten in

diesen indischen Wirbel geraten, auf der Suche nach den richtigen Kreuzungen, Holzkarren ziehen vorbei, Pferdefuhrwerke, wieder die Dromedare. Wo geht es zu den großen Straßen Richtung Delhi? Das Volk der Krähen läuft über die Felder, solange die noch feucht sind vom Regen der Nacht, einige baden in Pfützen, schütteln und rütteln sich, während, wer weiß, draußen in den Ozeanen die Wale ihre Orientierung verlieren, die Sandstürme auf der Sonne die Magnetfelder der Atmosphäre durcheinander bringen und dann landen sie eines Tages in der Nordsee und schwimmen den Rhein hinauf.
Links und rechts nun große Ziegeleien, Kamine, die Ziegel zu hohen Pyramiden aufgebaut, erhabene Bauten, viele Frauen, die dort arbeiten, ihre leuchtenden Tücher von weitem zu sehen, Pyramidendienerinnen bei ihrem unerbittlichen Tanz.

26. Lektion der sich rundenden Zeit, Figuren am Abend eines Empfangs in der Schweizer Botschaft in Delhi, wo nichts sie erwartet als der Ort der Ortlosigkeit, reines Transit, Botschaft aller Botschaften. Die indische Nacht, in ihrer Luft aus Staub, Asche, Insektenvertilgungsmitteln brummt, hebt ab, schwebt davon, Edi, der Weltreisende winkt ab, sagt: Kenn ich schon. Und pisst in die Beete.

Nächster Tag. Wir in Schale geworfen, smart casual, wie es das Botschaftsprotokoll vorsieht. Kamal als halber Inder in langem, auf der Brust besticktem Gewand, Abdul mit blauem Jackett, zum ersten Mal auf der Reise, grünes Hemd, Camille trägt zu ihrem engen kurzen Rock Schuhe mit hohen Absätzen.
Um besser im Rasen zu versinken, sagt Helmudo, der endlich ein Hemd trägt, das nicht nach Konfirmation aussieht, dunkler Pullover darüber, es wird kühl am Abend, bald Winter in Delhi. Natascha in langem weiten Kleid, hellgrau, meines ist weiß, wir haben sie zusammen im Fabindia-Laden in Mumbai gekauft.
Gestern am späten Nachmittag nach langer Fahrt angekommen, Sundar Nagar, ruhige Gegend gleich beim Zoo, viele Villen, zu Hotels umgebaut. Gepflegte kleine Gärten, hohe Bäume, von Milanen bewohnt, die sich Zeit lassen, warten. Am Abend an jeder Ecke und zu Füßen der Bäume Kerzen, Räucherstäbchen, Reis, Blumen.
Abschied von den Busfahrern, unseren Fährmännern auf den Straßen unter indischem Himmel im Königreich hunderttausender Götter, guter, schlechter, schicksalsmächtiger, ohnmächtiger, sich ergänzender, ausschließender, anrührender, abstoßender, ineinander übergehender, widerstehender und sie haben Kurs gehalten. Schweren Herzens, mit vielen Verneigungen, Wünschen, Winken. Sie fuhren sofort wieder zurück, die Nacht durch, morgen früh in Mumbai. Lange standen wir auf der klei-

nen Seitenstraße, schauten ihnen nach, als sie schon längst hinter der nächsten Abbiegung verschwunden waren.
Ende der Reise, verlassen, übermorgen fliegen wir zurück. Noch immer die Hoffnung, Alexander könnte zur Vorführung kommen. Doch mehr als das alles auflösende Indien, das seine Toten verbrennt, um sie zu erlösen von der Gestalt, von den Knochen, vom Fleisch und den Gefühlen, werden wir von ihm nicht finden. Auch das wussten wir, als wir an der Straße standen, unseren Busfahrern nachschauten. Abdul sagte: Am liebsten würde ich gleich wieder losfahren. Am Morgen von Mumbai aufbrechen, wisst ihr noch, Campus des IIT, letzter Blick auf den Powai-See, an dessen Ufern die Panther herumstreichen, es ist verboten, nach Einbruch der Dunkelheit dort herumzugehen. Schlimmer als die Panther die Affen, ihr Geschrei, flink von Baum zu Baum, liefen mit hängenden Armen, schräge Blicke, stellten sich in den Weg und wir sind umgekehrt. Samstagfrüh, der Campus wie ausgestorben, keine Spur von Studenten, wir konnten froh sein, dass es schon Kaffee gab. Die ganze Reise nochmal. Wann war das?
Vor ein paar Jahren, sagte Helmudo. Wären besser gleich mit zurückgefahren und morgen wieder los.
Wir drehen uns im Kreis, sagte Natascha.
Haut ab, rief Camille. Erschrocken drehten wir uns um, da waren Hunde leise unterwegs, hatten sich Kamals Pullover geschnappt, den er auf dem Gartenzaun liegengelassen hatte, frassen an ihm, rissen Löcher raus, schauten uns kurz an, gleich waren sie aus dem Staub. In der Nacht hörten wir die Tiger schreien.
Mit uns treffen viele andere Gäste ein. Die Taxis knäueln sich. Die Inder unter den Gästen mit Wintermänteln über dem Arm eilen in den Innenhof des langen eleganten Gebäudes aus den frühen sechziger Jahren. Der Springbrunnen des rechteckigen blauen Wasserbassins in der Mitte plätschert, am Ende des Innenhofs ein Rednerpult, noch leer, in der Halle dahinter die Stühle in

Reihen für die Filmvorführung. Das Jubiläum gilt dem Botschaftsgebäude. Vor fünfzig Jahren erbaut, wie aus einem Film von Jacques Tati. *Mon Oncle*, der Springbrunnen nur angestellt, wenn hohe Gäste erwartet werden. Immer schon Tage vorher mit dem Füllen anfangen, schnell setzen Algen an, sagt uns Herr Blum, der Technikchef der Botschaft, den wir später am Abend beim Essen kennenlernen. Er redet nicht viel und wenn, dann nur kurze, bissige Sätze, die zutreffen. Seine Frau dagegen viel mehr, erzählt uns von dem Zimmer in der Botschaft in Peking, immer abgesperrt, da ging keiner mehr rein. War besser so. Sie waren mehr als zehn Jahre dort stationiert. Kommen aus Bern und irgendwann einmal wollen sie wieder dahin zurückkehren. In dem Zimmer lebte ein Geist. Einer, vielleicht auch zwei. Kam, als sie noch nicht da waren, war schon da. Im Keller der Botschaft einmal ein homosexuelles Paar, ein Attaché und sein Freund, wurden erwischt, gleich da unten eingemauert. Irgendwann während der Kulturrevolution oder auch früher, fünfzig Jahre her, womöglich mehr, nie mehr aufgemacht. Irgendwann dann der Geist im Zimmer des Boschafters, ließ keine Ruhe mehr. Ihm, da waren sie schon dort, ein junger Mann noch, wächst kurz, nachdem er den Posten bezogen hat, im Hirn ein Tumor. Ging sehr schnell, er schon lange tot. Dann gab es einen Gast, übernachtete im Zimmer daneben, schrie in der Nacht. Als sie ihn weckten, wusste er nicht, dass er geschrien hatte. Ihm träumte, sagte er, er würde mit einem Krokodil kämpfen. Seine Arme, die Schultern, der Brustkorb voller Bissspuren, das Bett voll Blut. Der nächste Botschafter, älter, erfahrener, war keine drei Monate da, Herzinfarkt. Starb noch in der Botschaft, sagt sie. Sein Zimmer wollte keiner mehr betreten. Die Angestellten weigerten sich, hinein zu gehen, ließen sich lieber entlassen. Immer wieder drangen Geräusche durch die Wände. Stampfen, Rutschen, Pfeifen auch, dann wieder tagelang nichts. Sie schlossen es ab und seitdem ist keiner mehr gestorben. Frau Blum sagt: Das ist China.

Wir warten auf den Botschafter, seine Rede, er wartet auf den Filmer, und den Ehrengast Bijoy Jain, Gründer von Studio Mumbai, der sich in seinen Bauten auf die einfache, improvisierte Baukunst der armen Inder bezieht. Berühmt wurde er mit dem Nachbau eines Wohnhauses für das Victoria und Albert Museum, das in der schmalen Lücke zwischen zwei anderen Hochhäusern durch Einziehen von Decken entstanden war. Eine illegale Bautechnik, die überall, wo es Hochhäuser gibt, zu sehen ist. Auf dem Rasen seitlich der Halle sind weitere solcher Nachbauten ausgestellt, auch miniaturisierte Modelle der kreisrunden, flachen Salzberge, die bei der Salzgewinnung entstehen, der Pyramiden, die wir gestern auf der Fahrt hierher überall in der Landschaft haben aufragen sehen, die sie neben den Ziegelbrennereien aus frisch gebrannten Steinen stapeln, sehen wie Sakralbauten für den Gott des Feuers und des Lehms aus. Mehrere flache Zelte aus bunten Moskitonetzen sind aufgespannt. Fotos zeigen Familien, die unter solchen Moskitonetzen wohnen. Unter einem sehr großen sitzt ein Kamel. In Reihen liegen große Seifenquader, auf deren Oberfläche in feinen schwarzen Linien an einer Längsachse links und rechts Felder eingezeichnet sind, die die Becken der Wäscher bezeichnen.
Mittlerweile ist es dunkel geworden, mehr als dreihundert Gäste laufen herum, schauen sich die Ausstellung an, reden, es gibt Getränke. Der Botschafter tritt ans Mikrofon, trägt einen schönen gestreiften Anzug aus englischem Tuch, begrüßt die Gäste, seinen Ehrengast, spricht über Schweizer Design und Architektur, erklärt das Programm des Abends, übergibt an Bijoy Jain, der von seiner Idee von Architektur als offenem Prozess spricht, wie reich an Wissen, an Erfindungsgeist und wie schön Indien sei. Noch einmal bittet der Botschafter um Aufmerksamkeit, er müsse den Regisseur entschuldigen, er sei verhindert, er könne nicht kommen, zu seinem großen Bedauern. Habe nur seinen Film geschickt, einen Dokumentarfilm. Große Teile des Films habe er in einem Koffer gefunden, zurückgelassen von einem

Reisenden, der vor vielen Jahren in die Berge aufgebrochen sei und nie mehr zurückgekommen. Der Hotelier eines kleinen Hotels am Rand von Dharamsala hat ihn aufgehoben. Reiner Zufall, dass er in diesem Hotel übernachtet habe, mit dem Hotelier, einem alten Mann, ins Gespräch gekommen sei und als der hörte, dass er Filmer sei, habe er ihm den Koffer übergeben. Das ist, was der Regisseur mich gebeten hat, ihnen mitzuteilen zu dem Film, sagt der Botschafter der Schweiz, der gleich im Anschluss gezeigt werde.
Wir wussten es. Sterne sind aufgezogen, klein, blass, schauen durch dicke Schichten von Staub und Insektenschutzmittel, das die Gärtner, als wir kamen, in großen weißen Wolken aus Kanistern, die sie auf dem Rücken trugen, in die Luft gepumpt haben, auch in der Halle hinter dem langen Innenhof, wo wir uns hinsetzen, auf den Rasenflächen, wo es zum Swimmingpool geht, zu den Tennisplätzen, wo anschließend die Party stattfinden wird.
Die Stuhlreihen um uns dicht besetzt, im Hintergrund das leise Plätschern des Springbrunnens, die Vorführung beginnt. Auf der Leinwand flackert Licht, dunkel, schwarz, in leuchtendroten Buchstaben taucht der Titel auf: *Die Verschwundenen*. Mit englischen Untertiteln.
Sofort das Gefühl von einem Beben. Im Kopf, im Bauch, unter den Füßen. Wo bin ich? Dann Feuerwerk, ein Abendhimmel in ausgebleichten Farben, wie frühe Farbfilme, das Altrosa der Herbstastern, letzte Einstellung aus Kiarostamis Film, schlechtes Dokumentarfilmmaterial, lautlose Raketen, wie sie explodieren, sich spinnenförmig über den Himmel ausbreiten, blasser Funkenregen mit seinen Nachbildern aus Rauchspuren, gebogene Linien, die aus der Höhe des Firmaments zur Erde sinken. Bäume, schemenhaft im Morgengrauen, die Nacht hat sich gelöst, zerrinnt vor unseren Augen, Kiefern am Rand einer Lichtung zeichnen sich ab, die Stämme nackt, ihre Kronen voll Schnee, liegt leicht auf, Wolkenguss, kein Wind, es wird Tag,

bleiches Licht, dann höre ich aus dem Off nach bald vierzig Jahren und wie zum ersten Mal Alexanders Stimme: Ich weiß jetzt, was mir damals, vor vielen Jahren, meinen Wünschen entsprechend, vorausgegangen ist, was mich trug, hielt, zog – was nicht aufhörte, zu mir aus der Ferne zu sprechen, und was mich bat, ihm in meinem Kreisen um mich selbst, einen Ort zu schaffen. Einen Ort in all der Zeit, in der ich beinahe vergessen hätte und nicht daran dachte, ihm zuzuhören.
An diesem Ort, an dieser Stelle, wo sie waren und von wo aus sie mir sprachen, wo ich ihnen in all den Jahren zuhörte und nun das Wort ergreife und mit dem Wort das, worauf ich lauschte, als sie es sagten oder nicht sagen konnten, da, wo sie nicht mehr sind, um mich zu vernehmen, spreche ich nun, höre mich in ihrer Rede wieder: Fürchte dich nicht. Die Zeit vergeht und sie ist geblieben.
Dann wird es wieder dunkel, etwas rieselt über die Leinwand, stilles, unablässiges Gleiten. Ich träume, es muss ein Traum sein von einer Geschichte – ist es unsere, die indische, die sich ausgebreitet hat in unserem Sprechen, der Bewegung durchs Land, dem immer doppelten, unberührbaren und berührenden? Kann ich eine Geschichte erwartet haben? So, dass sie möglich wird? Seit vielen Tagen und Nächten rufe ich sie mit leiser Stimme, meistens in der Nacht, ein helles, lichtes Wachen geht auf. Und mit dem Wachen ein erneuter Versuch, die wieder zu holen – sie mir anzulachen –, die sich einst aufgemacht haben, die Schönheit zu suchen. Eine zerbrechliche Schönheit, die sich nicht erhält, eine des Aufbruchs, der Unbestimmtheit, der Vagheit. Eine, die mir fehlt und deren Fehlens wegen ich mich auf die Suche gemacht habe. Etwas berührt mich, neben mir, die Hand, ich halte sie, eine andere Hand, ich sehe sie, sehe unsere Hände, ineinandergeschoben wie die kleiner Mädchen, die Arme weit über den Kopf gestreckt. Sie erwarten den Goldenen Wagen. Altes Kinderspiel. Machet auf das Tor, machet auf das Tor, es kommt ein goldener Wagen. Was will er will er denn, was will er will er

denn? singen sie und wir halten uns an den Händen. Natascha, sie sitzt neben mir, und auch dort auf der Leinwand, im Film vor unseren Augen, in einem anderen Leben, Hand in Hand. Ich greife nach ihrem Arm, wir schauen uns kurz an, trauen unseren Augen nicht, und unseren Händen? Ja. Ihr Arm an meiner Seite. Sie hat ein Kleid an wie ich, eine Mütze, Flügel aus Pappmaché. Gefunden in einem Hotel im Himalaya, zurückgelassen von einem Reisenden, der zu einer Wanderung aufgebrochen und nie mehr zurückgekehrt ist. Wieder Alexanders Stimme aus dem Off.
Wer ist das? Helmudo ruft, springt auf, Abdul hält ihn fest, ein paar Leute schauen sich um.
Woher die Bäume, die Dunkelheit, das Feuer, die Ausgelassenheit der Figuren? Komm, sagt Natascha im Film. Wir umarmen uns, wiegen uns hin und her, trunkene Bärinnen im Wald, von weit über uns setzt leichter Schneefall ein. Noch können wir nicht sprechen. Ich sehe die Flocken, Fetzen aus Wolken gerissen, wie sie niedersinken. Den Boden bedecken, die Äste der Bäume. Natascha dreht sich zu mir um, sieht mich an, mir in die Augen. Vor uns Frauen, die mit angewinkelten Armen, den Oberkörper weit nach hinten gelehnt, einen Kosakentanz tanzen. Sich mit den Fersen tief in den Schnee wühlen, Löcher in die Erde hacken. Ihr Grab. Immer schneller. Bis ihnen der Atem ausgeht. Dann werfen sie sich, wo sie gerade noch tanzten, in den aufgewühlten Schnee. Die Arme weit ausgebreitet, das Gesicht dem Himmel zugewandt, die Flügel liegen weit aufgeklappt links und rechts neben ihnen. Weiße Schneerochen in der Winternacht. Und was flüstern sie einander ins Ohr?
Bist du das, Natascha?
Und du, bist du Véronique?
Willst du die Welt sehen, sagt Natascha, dann schließ die Augen. Hier, wo wir sind, ist alles älter als wir, sage ich. Der Winter, die Kostüme, die wir tragen, erinnere dich. Wir sind verkleidet,

Flügel, weiße Kleider fallen mir ein in Flocken, sinken, sinken, hören gar nicht mehr auf.
Die Luft flimmert, Bäume um uns herum. Es schneit mir ins Gesicht, ich öffne den Mund, strecke die Zunge heraus. Die Wimpern schneien zu, werden schwer, die Lider unter der Schneelast. Die vielen Jahre, auch sie ganz eingeschneit, alles weiß, wohin ich schaue. Natascha. Ich strecke meinen Arm aus, berühre ihre Schulter. Die Mütze, darunter die Haare, still, weich. Schnee deckt alles zu. Auch die Engel, die anderen, ich kann sie nicht sehen, weiß nur, dass sie da sind, sie müssen da sein, in ihren Kleidern wie den unseren, mit den Flügeln und wild getanzt habend wie wir.
Engel haben als Schnee angefangen, rieselten, fielen, sanken, wurden vom Wind herumgewirbelt. Ihr Schneewesen, von Anfang an zart. Wo sind sie jetzt?
Vor uns, hinter uns, sagen nichts. Ihnen ist Hören und Sehen vergangen. Etwas hat ihnen die Sprache verschlagen. Die weiter vom Himmel schneit, Odysseus' Wörter, wenn er den Mund aufmacht, dicht wie Schneegestöber. Ist es das, was geschieht? Dass die Sprache um uns herum zu schneien anfängt? Sind wir im Bild? Oder in einem anderen?
Einander die Hände berühren, die Augen, die vom Schnee durchlöcherte Dunkelheit hebt uns nach oben, wir schweben, wir kommen nicht auf den Boden zurück. Wieder die Mädchen so nah, die wir waren, ihre Vorfreude, als wäre bald Karneval, für den sie sich verkleiden wollen.
Als was wirst du dieses Jahr gehen?
Als Schneeflocke. Oder vielleicht ein Rudel Wölfe, die ihre Spuren hinterlassen im stillen Zimmer der Nacht, wo die Zeit schläft und zählt.
Was ist mit den Geißlein?
Erzählen ihre Geschichte von Flucht und Vertreibung weiter. Bis sie nicht mehr wissen, dass sie je da waren.

Dann im Film von weit her eine Stimme. Abdul, war es Abduls Stimme? Nein, es war Helmudo, wie er rief: Wer waren nur diese schönen blassen Menschen? Ich höre es noch heute. Bis hierher.
Warum küssten wir sie nicht, warum weinten wir nicht mit ihnen? sagt er. Warum ziehen wir nicht mit ihnen los durch die Nacht? David Bowie würde *Absolute Beginners* singen, für einen Tag, für eine Nacht. Wir würden weinen, uns küssen, immer abwechselnd, im Winter, in einem wilden Film in Paris mit einer Menge toller Leute. Warum sind wir nicht, was wir so gerne werden würden? In einem Film mit den schönen bleichen Menschen, die keiner küsst, mit denen keiner weint, an die sich keiner erinnert, ohne Aufenthaltsort auf der Erde, eingehüllt in eine Haut aus Schnee, die da draußen neben einem Feuer ihre Kreise ziehen wie Kraniche. Ebenso fern von uns wie der Himmel von der Erde, ebenso zweifelhaft und leer wie der Film, in dem sie uns erscheinen, in dessen Licht sie herumirren.
Während er das sagt, ist uns, als hörten wir die Verschwundenen sprechen. Wie sie sagen: Erinnert euch, einst kamen wir als Schüler der toten Klasse aus den Weltkriegen. Wir waren wirkliche Puppen von unwirklichen Schülern, wir glichen uns aufs Haar in einem Theater des Todes. Nie spielten wir allein, immer zu zweit, immer doppelt, die Puppen und die Schüler, wirkliche und unwirkliche. Seitdem ist so viel Schnee auf alles gefallen und noch immer wissen wir nicht, warum das alles. Wir sind diese sich träumenden, stets doppelten Figuren geworden.
Dann ein paar Bilder, Szenen, Leute, die rennen über einen Strand, fliehen, ihre Kleider wehen im Wind, sie tragen lange Mäntel, Tücher um den Kopf wie Nomaden, das Meer braust, schlägt ans Land, wütet. Sie schreien. Ein Drehkrahn kommt ins Bild, darauf die Kamera, fährt durch den Himmel, schwenkt, eine Fahne, rot, schwarz, sie knattert, dann flackern die Bilder, Licht läuft, Flecken, Staub, Geriesel, dazu das Surren der Kamera. Alle denken, der Film sei zu Ende, einige stehen schon

auf, da erscheint noch ein Schriftzug: Allen ehemaligen Hippies gewidmet. Wie in den Himmel geschrieben, in dem am Anfang das Feuerwerk zu sehen war. Stille. Die Zuschauer sitzen wieder und keiner wagt aufzustehen. Stattdessen fangen sie an zu sprechen, Schweizer, Deutsche, ein paar Franzosen, Inder, die Frauen in Saris, Wintermäntel über die Schultern gezogen, die Männer in ihren jackenähnlichen Hemden, in denen sie wie Generäle aussehen.
Leute, wir verschwinden, sagt Natascha.
Sind wir verloren? Und unsere Herzen kalt? sagt Helmudo.
Nein, wir träumen in einem Film von einem alten Traum, sagt Abdul. Erkennen alles wieder. Erkennen nichts wieder. Unmöglich, sich an sich selbst zu wenden, außer in dieser ablaufenden, zusammengeschnittenen Belichtung von etwas, was einmal wir waren, in heller Nacht, in der die Bilder, vorbeihuschenden Empfindungen, all die zerteilten Sekunden unseres Lebens sich in einer langen Belichtung zu dieser Nacht eines Films verbinden.
Keines fehlt, keines ist verschwunden, das ist der Film, aus dem wir treten können, in dem wir so lange in der Gemeinschaft der Verschwundenen gelebt haben und nicht wussten, wie wir weggehen können würden, rausgehen, verlassen von allen Verschwundenen, sage ich. Nie werden wir aufhören, sie zu erwarten. Ort der Rückkehr, Ort ohne Ort. Runde Zeit.
So ist es gewesen, sagt Helmudo. Im Wald, im Krofdorfer Forest, der wie der Himalaja aussieht, Abend der Engel, als alle noch da waren, bevor das Wegfahren anfing, das Verschwinden.
Und wir, die zurückblieben, gerieten in unsere Schneezeit, sagt Camille. Es ist alles erfunden, wir mussten es tun.
Endlose Bildstörung, das Geflimmer der Bilderfetzen, aus denen wir noch immer unser Segel zusammensetzen wollen für die guten Winde.
Ja, da treffen wir uns wieder, sagt Natascha.

Filmfiguren auf der Suche nach einer Erinnerung, in der ein Filmer verschwunden ist in Indien und sie wissen nicht, ob das nicht die Erinnerung ist, die sie suchen, die aus einem Film kommt und ein anderer Film geworden ist, sagt Abdul.
Dann wird das große Dinner im Freien hinter dem Gebäude eröffnet. Dort haben sie Bänke aufgestellt für die Gäste, das Buffet ist gerichtet, die Bediensteten in weißen Jacketts stehen an Essensständen mit Warmhaltewannen bereit, unter denen kleine Feuer brennen. Lange Schlangen von Gästen bilden sich davor. Auf vielen der Tische stehen die Namen der Firmen, die den Anlass gesponsert haben. Alle warten, bis sich der Ehrengast als erster gesetzt hat, neben ihm seine schöne junge Frau, und es ist ihre Bank, die als erste nachgibt, sie fallen rücklings, geht schnell, ganz unelegant, haben sich nichts getan, vielleicht ein paar Grasflecken, nein, Gelächter. Noch lässt sich annehmen, ein Versehen, da ist was mit der Bank nicht in Ordnung gewesen, als schon die nächste einbricht, wieder fallen die Gäste. Erstaunen, was ist das? Sind wir in ein Theaterstück geraten? Einakter von Brecht? Nach einer Idee von Carl Valentin, wie hieß noch das Stück? Schon gibt die dritte Bank nach, wieder Gäste auf dem Boden, winken gleich ab, nichts getan, der Boden weich, stehen schnell auf, auch die, die noch sitzen. Die Bänke alle für den heutigen Abend neu angeschafft, schönes Design. Wie gut, dass es noch die alten gibt, herbeigeholt, Herr Blum hat recht gehabt, sitzen will keiner mehr, geht auch im Stehen.
Das Essen ist eine Mischung aus indischer und französischer Küche, die sich nicht vertragen. Ich lerne eine Inderin kennen, lebt als Soziologin in Kanada, forscht über indische Großmütter in Auswanderungsfamilien. Den Film hat sie nicht verstanden, aber schön. Frau Birnbaum aus Freiburg fällt mir auf, ältere Dame, zäh, drahtig, kommt oft zu den Empfängen. Seit mehr als vierzig Jahren in Indien, spricht ein Deutsch aus der Zeit als sie von Freiburg wegging, leicht versetzt, sofort bin ich beeindruckt, stelle mir all die Jahre, das andere Leben vor, das sie hier

führen konnte, einer deutschen Biografie entkommen. Sie hat eine Gesellschaft zum Schutz der Tibeter gegründet, ist noch immer die Chefin, schon weit über achtzig. Abdul hat sich einen komischen Vogel angelacht, Edi. Sie haben sich nach langem Stehen auf eine der alten Bänke mit Querverstrebung niedergelassen, die schon lange gehalten haben und diesen Abend auch. Véronique, du musst Edi kennenlernen, ruft er mich. Hi, sage ich, wir geben uns die Hand. Er kommt aus Kalifornien, sagt Abdul, war Physiker, hat ganz Indien bereist, den Himalaja, Tibet, alles. Edi nickt. Er ist klein, stämmig, blond, um die sechzig, Brille, die Augen dahinter kaum auszumachen, dunkle Punkte, schon lange unterwegs. Schauen, während er hier sitzt und mit uns spricht, etwas anderes an in der Zeit und ich denke, Abdul hat ein Händchen für Freaks. Er hat bei den Naga gelebt, sagt Abdul, kennt den Dalai Lama, hat ein Buch mit ihm gemacht. Edi nickt wieder, trinkt seinen Whisky aus, lässt sich von Abduls Schilderungen nicht stören. Dann erzählt er von den tibetischen Mönchen, wie sie Fußballspielen zwischen ihren Gebeten. Ihre dunkelroten Gewänder, wie schön sie aussähen, als würden sie übers Feld schweben. Kleiner abgedichteter Kerl, der viel zu lange schon durch die Kontinente torkelt, irgendwann abgereist und nie mehr aufgetaucht.
Als ich später, viele Gäste sind schon gegangen, nochmal bei den beiden vorbeikomme, reden sie über den Wahnsinn Indiens. Abdul sagt, es sei der reine Wahnsinn.
Er sagt: der reine Wahnsinn?
Es sei die Hölle, sagt Abdul, es gebe kein Außen, also nichts außer Ordnung.
Die Ordnung sei der Wahnsinn, sagt Edi.
Psychose, sagt Abdul. Kein Nein, keine Möglichkeit.
Edi sagt: Die lahmen, die haarlosen Hunde, die auf drei Beinen, die abgefallenen Hunde, die schlafenden, die mit Geschwüren, die blinden, die freien. Dann steht er auf, schwankt zu den Beeten am Rand der Wiese, pisst in die Büsche.

Es ist Nacht geworden in der Botschaft, neutrales Gebiet, wo Länder, Gegner, Politiker, Abgeordnete, untergegangene Reisende, Freaks, Drogensüchtige, Tote miteinander sprechen, als wäre, was geschehen ist, auch nicht geschehen. Ort des Aufschubs, Traum von Abstand, den jeder zu sich einzunehmen vermöchte. Hier begegnen wir uns in der Ferne und sind wir selbst. Hier haben sich als Engel verkleidete Filmfiguren auf der Leinwand gewälzt, im alten Schnee von gestern, nichts als Erinnerungen in kreisender Zeit.
Wir täuschen uns, Indien, Schneegestöber unserer alten Wünsche, Raum des Irrtums, gekrümmter Rücken der Erde, der Rasen hinter dem Gebäude, wo die Party stattfindet, gebogen wie die Schrift, und unsere Kinderrücken beim Schreiben auf der Schiefertafel, die viel zu große Kraft, mit der wir die Schriftzeichen auf die Fläche setzten, die ersten Wörter schrieben, unsere Boote, in denen wir die großen Spiegel der Welt befuhren. In der Nacht auf der Wiese der Schweizer Botschaft kommen sie zu uns vom anderen Ufer zurück.

27. Lektion vom Ende gegen Morgen, der Botschafter und seine Frau schlafen, die Wächter an der Pforte wachen, kühl geworden, der Herbst neigt sich, bald wird es Winter werden in Delhi. Ein paar wenige Gäste sind noch da, suchen ihre Sachen zusammen, wollen sich verabschieden, One more cup of coffee for the way.

Hinter der Buchsbaumhecke liegt der Swimmingpool blau am Grund des dämmernden Tags, dahinter die Tennisplätze, die Luft ist schwer, feucht, voller Ruß, der sich auf alles legt. Haut aus Asche und Gasen, Schatten der Luft, jede Blume, jedes Blatt des ruhenden Buddhabaums, jeder leere Stuhl eingehüllt von grauem Schleier. In den Kronen der Ashokabäume hocken die Milane, gierig nach einer langen Nacht, warten auf Futter, auf den Botschafter, der es ihnen wie jeden Morgen bringen wird; Fleisch. Sie halten still, bis wieder die Türe aufgehen wird hinter dem Seitentrakt des modernen Gebäudes, wo Herr Blum mit seiner Frau wohnt, alte Hasen des Botschaftslebens, voll mit Gespenstergeschichten, wo es zum Gemüsegarten geht, den Beeten mit Karotten, kleinen Auberginen, Gewürzen, neben der Satellitenantenne, die Nachrichten aus aller Welt sendet. Dort werden sie sich zur Erde stürzen, nach den Brocken schnappen, den blutigen, sie sofort verschlingen, und noch im Aufflug wird sie das Fleisch mit neuem Leben erfüllen.
Die Buffets sind abgeräumt, die Feuer der kleinen Kochstellen gelöscht, die Diener schlafen in ihren Reihenunterkünften am Rand des Grundstücks. Auf der Bar stehen noch ein paar Flaschen Whisky, Bier, Wasser – sogar Edi ist schon gegangen, der Weltenbummler, wie er sich nennt.
Wir sind die letzten Gäste, hocken auf Bänken unter indischem Himmel, voll mit Menschen, Göttern, nebelhaften Wesen, die vergehen und wiederkommen in endloser Zeit. Wir schauen uns um, stehen auf, rufen uns leise beim Namen: Helmudo, Nata-

scha, Véronique, Abdul, Kamal, Camille. Ein paar Leute aus Deutschland, in der Zeit, haben sich Reime gemacht auf alles, was geschehen ist und was nicht. Als ob sie um keinen Preis hätten missen wollen, noch immer nicht, was in den Jahren nach den Aufständen junge Menschen dazu brachte, sich auf die Suche nach einer ungewissen Sehnsucht zu machen, nach sich, nach etwas wie ihnen in der Welt, und wie sie ausströmten, sich aufmachten, aufgeregt, verwirrt, alles auf eine Karte setzten. Eine Art kleines fehlendes Volk, dem es an sich selbst mangelte, sprachlos, auf der Suche nach einer Sprache, die das Fehlen hätte sagen können, nicht bereit, sich bedeuten zu lassen, was sie waren, was aus ihnen werden würde.
Vom Ende der Nacht, von Indien her, dämmert der Morgen am Rand der Welt, verwandelt die Szene, Blumen stehen auf, Bäume erheben sich, die kleinen Vögel nehmen ihren Flug auf, und wir sehen uns auf neutralem Gebiet, im Zwischenreich der Botschaften, auf uns zukommen: Morgenlandfahrer, Winterreisende. Vielleicht war es, bevor wir zur Welt kamen, schon um uns geschehen. Kamen selbst fürs Zuspätkommen zu spät, suchten Halt in unseren Eltern, Überlebenden der Kriege, die keiner überlebt hat, selbst die Toten nicht. Uns zu vermissen, war, wie wir den Eltern aufs Wort folgten, ihr Erbe annahmen, ob wir es wollten oder nicht. Suchend begegneten wir dem, das größer war als wir, anders, für das wir bereit waren, von uns abzusehen, uns ihm mit Haut und Haar zu verschreiben. Was uns ein wenig von unserer Traurigkeit erlöste, von der Wut, dem Gefühl von Nichtigkeit. Auch wenn diese Gefühle uns nie verlassen haben, unsere treuen Begleiter.
Wir haben Indien gesehen. Wir haben Zeit verloren. Es war unsere einzige Chance, etwas über uns zu lernen. Unsere Schule war ein Traum. Denn wir können nicht mehr als träumen von so viel zurückliegender Zeit und davon wie die uns noch immer mit einer Sehnsucht erfüllt, die größer ist als alles, was je wir gewesen sein werden.

Noch einmal waren wir am Fluss bei dem Mädchen aus Véroniques Klasse, bei Susan, die so oft unsere Hand nahm, uns mit sich führte, sicher, wie es nur Mädchen können, wenn sie aufblühen, wenn sie übergehen zu einer Gewissheit, die sie so frei sein lässt, dass keiner ihnen einen Namen zu geben vermag. *Susan* heißt sie im Lied von Leonard Cohen, was nur ein Vorwand ist, ein Lied, um etwas zu ihr sagen zu können. Sie lebt am Fluss, sie ist halb verrückt, nicht so verrückt wie die, die bei ihr bleiben wollen und es dann doch nicht tun, nur davon singen. *Goodbye Ruby Tuesday*, Lied der Rolling Stones, das Susan so gerne sang. Auch sie fürchten sich vor ihr, können sie nicht an sich binden, sie bleibt nicht, sie kommt nicht zurück, sie geht. Jeden Tag, so lange wie möglich, die Träume, schnell, bevor sie weg sind und du den Verstand verlierst. Wie gerne würden auch sie so ein Mädchen sein. Sie tragen ihre Kleider, fließende weiche Stoffe, taillierte gerüschte Kostüme, Federn, bunte Schals, während sie in stürmischen Gesten Phantomen nachjagen, auch dem der Freiheit.

Sie, die es früh schon zum Fluss trieb, zum Wasser, die in ihren Betten sich wälzten, unbändiger als jeder Name, der sie zu nennen versuchte, kommen angeschwommen. Nie würden sie sagen, woher sie kämen. Gestern, wenn es vorbei ist, ist vorbei, ob die Sonne scheint oder in der dunkelsten Nacht. Sie kommen und sie gehen. Elsemaries Schwester, ihr runder, japsender Mund, aus dem sie ihre Laute stößt, die sich erheben, vom Meer künden, sich aufmachen durchs Fenster, über die Wiesen und Dörfer am Stadtrand. Fliegen zum Fluss, wo Susan ihr Lager neben den Nächten aufgeschlagen hat. Sie hält die Spiegel, bewegt sie, die Sonne fließt, der Fluss antwortet: Du kannst sehen, untergehen, als Seefahrer zurückkehren.

Lumpen, Seegras, Orangen, Tee, alter Ozean, unsere trunkenen Schiffe, unnennbare Mädchen, unverlierbar, Blauwale im Zimmer, Fairies an Nataschas Wänden *don't piss them off*, die Salamander; sie küssen, umarmen, mit ihnen treiben, lautlos im

Lautlosen, Tag und Nacht, an unserer Seite, wir in ihrem Gefolge.
Sie sind es, die uns die Unterschiede zwischen der Regel und der Ausnahme beibringen, zwischen der Freiheit und ihrer Erstarrung. Künstler, Sänger, Filmemacher, auf ihre Art Liebende, berichten von ihnen, selten sind es die Mädchen selbst, die sich besingen. Wie auch, dafür sind sie zu frei. Gäbe es sie, die Mädchen einer anderen Beseelung, die auch noch davon sprechen könnten, sagen, wie ihnen ist – wir lebten in einer anderen Welt. So verschwinden sie, als wenn sie nie gewesen wären.
All die an ihrem Aufblühen verrückt gewordenen Mädchen, die an den Fluss zogen, die nach Indien reisten, mit ihren Sternenhemden, den langen Mänteln ihrer Mütter aus der Nachkriegszeit, sie liebten uns, auch wenn es keinen Grund gab, auch wenn ihre Liebe nichts bedeuten wollte.
Ach, wie sie uns fehlen an diesem Morgen nach dem Empfang, am Ende unserer Reise und wie sehr wir uns wünschen, sie zu sein, frei, einem anderen Sprechen zugewandt, das wie ein unablässiger Schneefall Wort für Wort herabsinkt, sich fügt, alles gleichmäßig berührt und zudeckt.
Als wir Kinder waren, als wir auszogen, das Fürchten zu lernen, Angst uns träumte in der Nacht, weckten uns unsere Mütter, holten uns aus dem Schlaf, sagten, es sei nur ein Traum. Heute, wenn wir Angst haben, wenn sie uns in den Schlaf fährt, sagen wir: Es ist nur die Wirklichkeit, wir haben noch den Traum.
Dies ist die Geschichte, in der wir zurückkehren, von wo wir nie aufgebrochen waren. Nach allem, was geschehen ist, nach allem, was sich ergeben hat, wären gerne wir die gewesen, die sich suchten unter dem indischen Himmel und Helmudo würde flüstern: Es gibt das Unsichtbare.
Ja, es ist da, sagt Natascha
Noch nie geschehen, sagt Abdul.
Nein, kein Ereignis, nur da, sagt Véronique.

Da, wie unser einstiges Leben, unsere Geschichte, die Jugend, die, die uns fehlen, Günther, Alexander, das kleinste Café der Welt in der Bismarckstraße, sagt Camille.
Wie von denen erzählen, die nicht da sind? sagt Kamal.
Doch nur in der verwirrenden Annahme, dass sie überlebt haben, sagt Abdul.
Morgen Abend, wenn wir nicht mehr da sind, werden ein paar Leute kommen, sagt Helmudo. Gebt ihnen diesen Bericht einer Lehre, die wir durchlaufen haben auf der Suche nach denen, die uns verlorengegangen sind. Sie haben uns den Weg des Verlusts und des Entbehrens gelehrt. Leben heißt, Zeit zu verlieren, das ist, was wir wiedergefunden haben; uns zu verlieren. Was für eine Schönheit, was für ein Wagnis. Adieu Zeit, Adieu ihr Wörter und Sätze. Wir sind zurückgereist, das heißt, wir haben die Richtung geändert.
Das ist Liebe, sagt Natascha, die Richtung ändern. Nur Liebende kehren zurück.
Eines Tages wird das Gestern besser und unsere Seelen runder geworden sein. Davon später mehr. Auch Genaueres, sagt Véronique.
Ende, sagt Kamal. Die Schweinwerfer aus. Es ist schon Tag. Irgendwann muss die Sonne aufgegangen sein. Alles im Kasten. Stille. Sie haben sich bis hierher durchgearbeitet. Jetzt treten sie ab, gehen vom Set, ihre Sachen gepackt. Die Ausrüstung wird später abgeholt. Alles schläft. Außer ihnen ist niemand mehr da. Sie bewegen sich leise, sprechen nicht. Noch im Hinaustreten auf die Straße, – sie sehen die Sandsäcke auf den hohen Mauern der Amerikanischen Botschaft, darüber die Köpfe von Soldaten, Maschinengewehre im Anschlag – wissen sie, etwas hat sich ergeben, hat stattgefunden: Schwebende Annäherungen an die Wesen, die sie waren in der Zeit. Auf der Suche nach den Verschwundenen sich selbst als Verschwundenen begegnet. Ich war dabei, und es würde mich nicht wundern, mich hier, nach langer Rückkehr, auf der Malrauxstraße zwischen den Botschaften, mit

weit von hier in seinem ganz eigenen Indien segelnden Geist sprechen zu hören von Véronique und Alexander, von Kamal, der uns filmt, von Abdul, der mit den Freaks spricht, von Natascha, der Hüterin der Feen, Camille, die gerne ein Vampir gewesen wäre und Helmudo, unserem Ariel, dem irgendwann im Leben das Zaubern vergangen ist.

Friederike Kretzen, 1956 in Leverkusen geboren, Studium der Soziologie und Ethnologie, Arbeit als Dramaturgin am Residenz-Theater München.
Seit 1983 freie Autorin in Basel. Verfasserin zahlreicher Romane, u. a. »Indiander«, 1996, »Ich bin ein Hügel«, 1998, »Übungen zu einem Aufstand«, 2002, »Natascha, Véronique und Paul«, 2012
Neben der schriftstellerischen Arbeit als Literaturkritikerin, Essayistin und Dozentin an der ZHdK und am Literaturinstitut Biel tätig. Seit 1996 Leitung der Schreibarbeit an der ETH Zürich.

Für weitere Informationen besuchen Sie bitte meine Website: kretzen.info

Bibliographie

Die Souffleuse, Roman, Zürich 1989, wurde auch als Theaterstück am Zürcher Schauspielhaus 1990 uraufgeführt, und als Hörspiel bei Radio DRS2 gesendet.

Die Probe, Roman, Zürich 1991

Ihr blöden Weiber, Roman, Zürich 1993, und Frankfurt am Main 1996

Indiander, Roman, Basel/Köln, 1996

Ich bin ein Hügel, Roman, Frauenfeld/Zürich 1998, und München 2001

Das Auge des Tiger, ein Künstlerbuch zusammen mit Bernard Voita, Zürich 1999

Übungen zu einem Aufstand, Frankfurt am Main / Basel 2002

Weisses Album, Frauenfeld/Zürich 2007

Natascha, Véronique und Paul, Frankfurt am Main / Basel 2012

Aufsätze in verschiedenen Textsammlungen zu Simone Weil, Ingeborg Bachmann, Toni Morrison, Stendhal, W.G. Sebald, Catherine Colombe, Hilda Doolittle, Samuel Beckett. Veröffentlichungen in den Zeitschriften: Die Philosophin, Basler Zeitung, NZZ, WoZ, manuskripte, ndl, Drehpunkt

Friederike Kretzen
Übungen
zu einem Aufstand
Roman
Stroemfeld

Eine studentische Theatergruppe mitten in den siebziger Jahren. Fünf Frauen, vier Männer, renitent, unerbittlich. Sie wollen aufstehen, sagen sie, den Aufstand üben. Und sie üben mit den Mitteln des Theaters alles, was ihnen widersteht. So üben sie ein wenig Traurigkeit, oder Familie, sie üben aber auch eine Übung für Mond und eine, Indianer zu sein. Diese in einem Übungsbuch festgehaltenen Übungen sind das Herzstück der hier auftretenden Theatergruppe und ihrer aberwitzigen Praxis des Aufstehens.

Pressestimmen zu *Übungen zu einem Aufstand*

Bei Friederike Kretzen ist immer alles anders. Ihr Schreiben geht dahin, wo nichts sich mehr von selbst versteht.

Sabine Peters, FR

In den Übungen zu einem Aufstand geht alles durch das Nadelöhr der Sprache, und, das ist das Wunderbare, auch Kamele kommen da durch.

Sabine Peters, Basler Zeitung

Es ist, als würde sich Friederike Kretzen selbst durch ein Kaleidoskop betrachten, in dem alles zer-streut und zugleich märchenhaft bunt ist.

Richard Kämmerlings, Frankfurter Allgemeine Zeitung

Friederike Kretzen
Natascha,
Véronique
und Paul
Stroemfeld

Köln im Sommer, Schauspielschüler proben ein südamerikanisches Stück mit Cowboys, Geistern und Wandertheater. Es ist heiß und keiner weiß mehr, wie es Sommer geworden ist. So auch Natascha, Véronique und Paul, drei Freunde, die im Theater arbeiten …
Bald dreißig Jahre später, es wird das vierzigste Woodstock-Jubiläum gefeiert, ruft Paul Véronique an und da setzt das Buch ein. Das eine Vergangenheit zu erzählen sucht, die bis heute nicht als Vergangenheit empfunden werden kann.

Pressestimmen zu *Natascha, Véronique und Paul*

… so setzt ein Erzählen ein, das alles will, nur nicht im ›So war es‹ verkarsten. Es fliegt mit den Vögeln und den Wolken, setzt sich rasch entschlossen auf Autobahnen und ins Flugzeug: nach Woodstock! … Véronique, eine Scheherazade der Wiederholungen, greift nach allem, was klingt, um in die Tonspur von damals zurückzufinden, in die beflügelte Unrast dreier Mittzwanziger und dem, was hinter ihr war: das Nichteinverstandensein mit allem, was vor ihren Augen resigniert, ihre Utopien verriet …

Adreas Nentwich, NZZ am Sonntag

Sprache und Inhalt korrespondieren bei Friederike Kretzen: Die aufrührerischen Gefühle und Gedanken werden einem nicht ›erklärt‹, vielmehr hört man sie hier als einen Atem, als einen drängenden, vorwärtstreibenden Rhythmus. Diese Sprache ist diszipliniert und doch entfesselt, eine hellwache Traumtänzerei …

Sabine Peters, Frankfurter Rundschau